CB027671

HISTÓRICOS PARA TODOS

HISTÓRICOS PARA TODOS

ESDRAS, NEEMIAS E ESTER

JOHN GOLDINGAY

THOMAS NELSON
BRASIL®

Título original: *Ezra, Nehemiah, and Esther for everyone*

As citações bíblicas são traduções da versão do próprio autor, a menos que seja especificada outra versão da Bíblia Sagrada.

Os pontos de vista desta obra são de responsabilidade de seus autores e colaboradores diretos, não refletindo necessariamente a posição da Thomas Nelson Brasil, da HarperCollins Christian Publishing ou de sua equipe editorial.

Publisher	*Samuel Coto*
Editor	*André Lodos Tangerino*
Tradutor	*José Fernando Cristofalo*
Copidesque	*Josemar de Souza Pinto*
Revisão	*Carlos Augusto Pires Dias*
Diagramação	*Sonia Peticov*
Capa	*Rafael Brum*

DADOS INTERNACIONAIS DE CATALOGAÇÃO NA PUBLICAÇÃO (CIP)
(Benitez Catalogação Ass. Editorial, MS, Brasil))

G571h

Goldingay, John

Históricos para todos: Esdras, Neemias e Ester / John Goldingay; tradução José Fernando Cristófalo. — 1.ed. — Rio de Janeiro: Thomas Nelson Brasil, 2022.
272 p.; 12 x 28 cm.

Tradução de *Ezra, Nehemiah and Esther for everyone.*
ISBN 978-65-5689-440-9

1. Bíblia — Antigo Testamento. 2. Bíblia — Ensinamentos. 3. Bíblia. A.T. Ester — História e interpretação. 4. Bíblia. A.T. Esdras — História e interpretação. 5. Bíblia. A.T. Neemias — História e interpretação. I. Cristófalo, José Fernando. II. Título.

11-2021/17 CDD: 221.6

Índice para catálogo sistemático:
1. AntigoTestamento: Bíblia: Interpretação e crítica 221.6

Aline Graziele Benitez — Bibliotecária — CRB-1/3129

Rua da Quitanda, 86, sala 218 — Centro
Rio de Janeiro — RJ — CEP 20091-005
Tel.: (21) 3175-1030
www.thomasnelson.com.br

SUMÁRIO

AGRADECIMENTOS

A tradução no início de cada capítulo (e em outras citações bíblicas) é de minha autoria. Tentei me manter o mais próximo do texto hebraico original do que, em geral, as traduções modernas, destinadas à leitura na igreja, para que você possa ver, com mais precisão, o que o texto diz. Embora prefira utilizar a linguagem inclusiva de gênero, deixei a tradução com o uso universal do gênero masculino caso esse uso inclusivo implicasse em dúvidas quanto ao texto estar no singular ou no plural. Em outras palavras, a tradução, com frequência, usa "ele" onde em meu próprio texto eu diria "eles" ou "ele ou ela". A restrição de espaço não me permite incluir todo o texto bíblico neste volume; assim, quando não há espaço suficiente para o texto completo, faço alguns comentários gerais sobre o material que fui obrigado a suprimir. Ao final do livro, há um glossário dos termos-chave recorrentes no texto (termos geográficos, históricos e teológicos, em sua maioria). Em cada capítulo (exceto na introdução), a ocorrência inicial desses termos é destacada em **negrito**.

As histórias que seguem a tradução, em geral, envolvem meus amigos, assim como minha família. Todas elas ocorreram, de fato, mas foram fortemente dissimuladas para preservar as pessoas envolvidas, quando necessário. Por vezes, o disfarce utilizado foi tão eficiente que, ao relê-las, levo um tempo para identificar as pessoas descritas. Nas histórias, Ann, a minha esposa, aparece com frequência. Ela faleceu enquanto eu escrevia este volume, após negociar com a esclerose múltipla durante 43 anos. Compartilhar os cuidados e o desenvolvimento de sua enfermidade e crescente limitação, ao longo desses anos, influencia tudo o que escrevo, de maneiras facilmente perceptíveis ao leitor, mas também de formas menos óbvias. Agradeço a Deus por Ann e estou feliz por ela, mas não por mim, pois ela pode, agora, descansar até o dia da ressurreição.

Sou grato a Matt Sousa por ler o manuscrito e me indicar o que precisava corrigir ou esclarecer no texto. Igualmente, sou grato a Tom Bennett por conferir a prova de impressão.

INTRODUÇÃO

No tocante a Jesus e aos autores do Novo Testamento, as Escrituras hebraicas, que os cristãos denominam de Antigo Testamento, *eram* as Escrituras. Ao fazer essa observação, lanço mão de alguns atalhos, já que o Novo Testamento jamais apresenta uma lista dessas Escrituras, mas o conjunto de textos aceito pelo povo judeu é o mais próximo que podemos ir na identificação da coletânea de livros que Jesus e os escritores neotestamentários tiveram à disposição. A igreja também veio a aceitar alguns livros adicionais, os denominados **"apócrifos"** ou "textos deuterocanônicos", mas, com o intuito de atender aos propósitos desta série, que busca expor "o Antigo Testamento para todos", restringimos a sua abrangência às Escrituras aceitas pela comunidade judaica.

Elas não são "antigas" no sentido de antiquadas ou ultrapassadas; às vezes, gosto de me referir a elas como o "Primeiro Testamento" em vez de "Antigo Testamento", para não deixar dúvidas. Quanto a Jesus e os autores do Novo Testamento, as antigas Escrituras foram um recurso vívido na compreensão de Deus e dos caminhos divinos no mundo e conosco. Elas foram úteis "para o ensino, para a repreensão, para a correção e para a instrução na justiça, para que o homem de Deus seja apto e plenamente preparado para toda boa obra" (2Timóteo 3:16-17). De fato, foram para todos, de modo que é estranho que os cristãos pouco se dediquem à sua leitura. Meu objetivo, com esses volumes, é auxiliar você a fazer isso.

Meu receio é que você leia a minha obra, não as Escrituras. Não faça isso. Aprecio o fato de esta série incluir grande parte do texto bíblico, mas não ignore a leitura da Palavra de Deus. No fim, essa é a parte que realmente importa.

UM ESBOÇO DO ANTIGO TESTAMENTO

A comunidade judaica, em geral, refere-se a essas Escrituras como a Torá, os Profetas e os Escritos. Embora o Antigo Testamento contenha os mesmos livros, eles são apresentados em uma ordem diferente:

- Gênesis a Reis: Uma história que abrange desde a criação do mundo até o exílio dos judeus para a Babilônia.
- Crônicas a Ester: Uma segunda versão dessa história, prosseguindo até os anos posteriores ao exílio.
- Jó, Salmos, Provérbios, Eclesiastes, Cântico dos Cânticos: Alguns livros poéticos.
- Isaías a Malaquias: O ensino de alguns profetas.

A seguir, há um esboço da história subjacente a esses livros (não forneço datas para os eventos em Gênesis, o que envolve muito esforço de adivinhação).

1200 a.C. Moisés, o êxodo, Josué
1100 a.C. Os "juízes"
1000 a.C. Saul, Davi
900 a.C. Salomão; a divisão da nação em dois reinos: Efraim e Judá
800 a.C. Elias, Eliseu
700 a.C. Amós, Oseias, Isaías, Miqueias; Assíria, a superpotência; a queda de Efraim
600 a.C. Jeremias, o rei Josias; Babilônia, a superpotência

500 a.C.	Ezequiel; a queda de Judá; Pérsia, a superpotência; judeus livres para retornar ao lar
400 a.C.	Esdras, Neemias
300 a.C.	Grécia, a superpotência
200 a.C.	Síria e Egito, os poderes regionais puxando Judá de uma forma ou de outra
100 a.C.	Judá rebela-se contra o poder da Síria e obtém a independência.
0 a.C.	Roma, a superpotência

ESDRAS E NEEMIAS

Nos manuscritos hebraicos do Antigo Testamento, Esdras e Neemias formam um único livro, e há lógica em tratá-los juntos. Eles relatam o desdobramento de uma história, e o próprio Esdras aparece ao lado de Neemias, em Neemias 8 e 12. Juntos, eles apresentam o único relato do Antigo Testamento sobre a história da comunidade judaíta centralizada em Jerusalém, quando a cidade ainda fazia parte do Império Persa. No entanto, torna-se conveniente dividir os livros em quatro seções.

Esdras 1—6 (a partir de 539 a.C.). A história principia-se com a transição de poder no Oriente Médio, da Babilônia para a Pérsia, no ano 539 a.C. Cinquenta ou sessenta anos antes, os babilônios haviam conquistado Jerusalém, devastado o templo ali e transportado muitos judaítas dessa cidade para a Babilônia. Os seis capítulos iniciais de Esdras relatam como os persas, então, encorajam os judaítas a retornarem para casa e como, contra a oposição dos povos vizinhos, eles reconstroem o templo. Portanto, o período que agora se inicia é normalmente mencionado como o período do Segundo Templo.

Embora Esdras seja, com frequência, considerado o grande herói do retorno do exílio, na realidade somente no século seguinte é que ele realizou a jornada de volta, da Babilônia para Jerusalém (regularmente, faço os estudantes repetirem depois de mim: "Esdras não teve nada a ver com o retorno do exílio"). Os heróis da volta do exílio são Sesbazar e Zorobabel, como governadores (em um sentido informal ou formal); Jesua (ou Josué), como o sumo sacerdote (um Josué distinto daquele do livro de Josué, que viveu cerca de setecentos anos antes); e Ageu e Zacarias, como profetas. Além disso, é fácil ficar com a impressão de que os babilônios transportaram toda a população, no começo do século VI a.C. (de maneira que a terra de Judá permaneceria desocupada durante o período do exílio), e que, então, toda a população tenha retornado, próximo ao fim desse século. Na realidade, o Antigo Testamento deixa claro que os invasores babilônicos transportaram apenas alguns milhares de judaítas — na maioria, pessoas da elite, tais como membros da família real e da administração, sacerdotes e profetas — e que somente algumas dessas pessoas retornaram quando receberam permissão para isso. Afinal, decorrido quase meio século de exílio, grande parte da comunidade judaíta residente na Babilônia nasceu lá e não tinha mais interesse em "retornar" para a terra de seus pais, tanto quanto os judeus que vivem em Los Angeles ou Nova York não desejam fazer isso hoje.

Esdras 7—10 (a partir de 458 a.C.). Assim, o avô de Esdras pode ter nascido mais ou menos na época em que o retorno do exílio ocorreu, mas a sua família não acompanhou, então, os que retornaram. Inúmeros reis persas se sucederam no trono antes de Esdras nascer, na Babilônia. No reinado do rei Artaxerxes, segundo os capítulos 7—10, Esdras faz a jornada rumo a Jerusalém em 458 a.C., oitenta anos após o retorno do primeiro grupo que conduziu a reconstrução do templo. Ele leva consigo uma cópia da Torá de Moisés e encontra a comunidade judaíta vivendo em desacordo com essa lei, pela liberalidade em se casarem com pessoas dos povos vizinhos, que não eram comprometidas com o Deus de Israel. Por consequência, ele leva os judaítas a um ato de arrependimento em relação a essa prática.

Neemias 1—7 (a partir de 445 a.C.). Treze anos após a jornada de Esdras, no centro do Império Persa, em Susã, outro judaíta leal está servindo na corte imperial e ouve sobre o triste e lamentável estado da comunidade em Judá. Assim, Neemias decide fazer algo a respeito das defesas em ruínas da cidade. Ao chegar a Jerusalém, ele também adota ações para lidar com os problemas sociais e econômicos da comunidade, resultantes de colheitas pobres e das exigências dos impostos imperiais.

Neemias 8—13. Na derradeira parte dos dois livros, Esdras e Neemias aparecem juntos em Jerusalém, ensinando a Torá, liderando a comunidade em uma ação de avivamento de sua aliança de compromisso com *Yahweh*, adotando medidas para edificar a população de Jerusalém, além de outras ações em relação aos homens que desposaram mulheres de outras comunidades, não comprometidas com *Yahweh*.

Os livros fornecem datas tanto para Esdras quanto para Neemias, em termos do reinado do rei Artaxerxes, e é mais fácil concluir que as datas são referentes ao mesmo rei, ou seja, Artaxerxes I. Todavia, houve inúmeros reis com esse nome, o que torna possível que Esdras tenha vivido no tempo de Artaxerxes II, não Artaxerxes I.

A exemplo de outros livros narrativos do Antigo Testamento, não há certeza quanto à autoria dos livros. Os títulos não implicam que eles sejam os autores; ambos são citados na terceira pessoa, embora o livro de Neemias, adicionalmente, incorpore orações e outros materiais nos quais Neemias fala na primeira pessoa. Os dois livros, igualmente, incluem listas de pessoas do período do Segundo Templo, tais como aqueles que fizeram a jornada da Babilônia a Jerusalém, e citações de documentos, ou seja, decretos imperiais concernentes a assuntos da comunidade. Portanto, é como se alguém no período seguinte ao de Esdras e Neemias tivesse compilado o livro, juntando-os e adicionando tais materiais e compondo relatos de incidentes que ocorreram durante um século ou mais, a partir de 539 a.C., com o fim de fornecer à comunidade um relato de sua renovação ao longo daquele século.

Essa renovação foi constituída por muitas facetas, que incluem a reconstrução do templo e a restauração de sua adoração, a implementação de expectativas presentes na Torá, referentes à comunidade manter a sua identidade singular como o povo de Deus, ao contrário de outros grupos étnicos, a reconstrução das defesas da cidade e a constituição de uma população apropriada, bem como ações para assegurar que o povo judaíta fosse caracterizado pelo apoio mútuo e pela generosidade em vez de cada família viver para si. No entanto, os livros não apresentam um fim triunfante nem atingem um fechamento; no último capítulo, Neemias está implementando reformas adicionais designadas a alcançar os mesmos objetivos que Esdras visava quando primeiramente chegou em Jerusalém. Os livros, portanto, forneceriam aos leitores tanto uma razão para louvar a Deus pelo que havia sido alcançado durante o século coberto por eles quanto lembretes sobre as questões às quais eles deveriam continuar dando atenção.

Nas versões tradicionais da Bíblia, Esdras e Neemias aparecem logo após Crônicas, e, na verdade, os versículos iniciais de Esdras repetem os versículos de encerramento de Crônicas. A preocupação com o templo, em Esdras 1—6, corresponde à agenda de Crônicas, as listas de membros da comunidade, de sacerdotes e levitas, e assim por diante. Por outro lado, os dois livros possuem preocupações que não são abordadas em Crônicas, tais como a ênfase em manter o povo de Deus puro em relação a povos que reconheciam outras divindades e a ênfase no apoio mútuo dentro da comunidade. Isso sugere que não deveríamos ver os livros meramente como continuações de Crônicas. A bem da verdade, na Bíblia hebraica, Esdras-Neemias precede o livro de Crônicas, e isso reforça a ideia de que Esdras e Neemias, originariamente, não seguiam Crônicas; se tanto, seguiam 1 e 2Reis. Isso significa que o texto de Crônicas foi escrito mais tarde, como um relato posterior sobre algo anterior a Esdras-Neemias.

ESTER

As Bíblias tradicionais, então, apresentam o livro de Ester logo após os livros de Esdras e Neemias, novamente com certa lógica, pois pertence ao mesmo período da história. O livro diz respeito a um incidente particular, durante o período de domínio persa sobre o Oriente Médio, quando o imperador é um rei que tanto o livro de Ester quanto o livro de Esdras citam como sendo Assuero. Normalmente, considera-se que Assuero seja o nome hebraico do rei conhecido como Xerxes I, que reinou de 486 a 465 a.C. Desse modo, os eventos relatados em Ester situam-se, temporalmente, entre os eventos presentes em Esdras 1—6 e aqueles envolvendo Esdras e Neemias. Uma grande distinção em Ester é que o livro fala sobre o povo que permaneceu em Susã, não sobre os judaítas que se uniram à comunidade em Jerusalém. Por consequência, elas não são, exatamente, pessoas que estão, naquele momento, no exílio, porque (pelo menos em teoria) nada as impede de deixarem Susã e seguirem para Jerusalém. São judeus que vivem na dispersão em vez de no exílio, como a maioria da comunidade judaica tem vivido desde então. O livro, portanto, lida com as questões que afligem o povo e, especialmente, aborda a pressão para abandonar compromissos singularmente judeus, com a perseguição que pode resultar da recusa em ceder a essa pressão. O livro relata o extraordinário livramento do extermínio, experimentado pela comunidade judaica, como resultado da ousadia de uma jovem judia.

A exemplo de Esdras-Neemias, Ester aparece em um contexto diferente nas Bíblias tradicionais em relação à sua posição na Bíblia judaica. Nesta, o livro integra um dos Cinco Rolos que podem parecer uma coletânea aleatória de livros, mas possuem um elemento comum, que é o fato de a comunidade judaica conectá-los a cada um de seus cinco festivais anuais, ocasião na qual aquele livro é especialmente lido.

- Cântico dos Cânticos: Pessach ou Páscoa (março/abril)
- Rute: Shavuot ou Pentecoste (maio/junho)
- Lamentações: Tisha B'av, aniversário da queda de Jerusalém (julho/agosto)
- Eclesiastes: Sucote ou Tabernáculos (setembro/outubro)
- Ester: Purim (fevereiro/março)

Apenas Ester explicita a sua ligação com um festival. O nome Purim (significando *sortes*) deriva da referência a lançar sortes, em Ester 9:24. A exemplo de Esdras-Neemias, desconhecemos a autoria do livro ou mesmo quando ele foi escrito, embora o autor, claramente, possuísse grande familiaridade com muitos aspectos da vida durante o Império Persa.

Embora Esdras e Neemias sejam, basicamente, lidos como livros históricos, a evidência no caso de Ester é mais ambígua.

Há diversas indicações de que a história é apresentada em tons épicos; por exemplo, a forca destinada à execução de Mardoqueu era tão alta quanto um prédio de seis andares. Além disso, não há referências, fora do Antigo Testamento, a uma rainha chamada Vasti. Tais considerações sugerem que Ester é uma história breve divinamente inspirada. Parece-me provável que seja baseada em algo que realmente ocorreu do que uma narrativa totalmente inventada. O relato ilustra certas verdades sobre Deus, sobre a preservação do povo judeu, sobre a pecaminosidade e a estupidez humana, e sobre o papel da coincidência e da coragem, verdades incontestáveis, seja um relato histórico, seja um conto. Dessa forma, a questão quanto a história ser mais factual ou mais ficcional não afeta a sua mensagem, da mesma forma que as parábolas de Jesus (na maioria, constituídas de contos em vez de relatos históricos, e com frequência apresentam características de fábula).

IMPÉRIO HITITA
(Hati)
lago de Van
mar Cáspio
lago Úrmia
HURRITAS
ANATÓLIA
(Turquia)
MITANI
Carquemis
Harã
Nínive
Assur
ASSÍRIA
Ugarite
CHIPRE
MESOPOTÂMIA
Nuzi
SÍRIA
(ARÃ)
MÉDIA
O GRANDE MAR
(mar Mediterrâneo)
Mari
rio Eufrates
rio Tigre
Damasco
Hazor
Siquém
rio Jordão
Babilônia
BABILÔNIA
Susã
delta do Nilo
CANAÃ
Jerusalém
SUMÉRIA
mar Morto
EGITO
Tânis
Ur
PÉRSIA
lagos Amargos
Mênfis
ARÁBIA
mar Inferior
(golfo Pérsico)
rio Nilo
SINAI
golfo de Ácaba
mar Vermelho

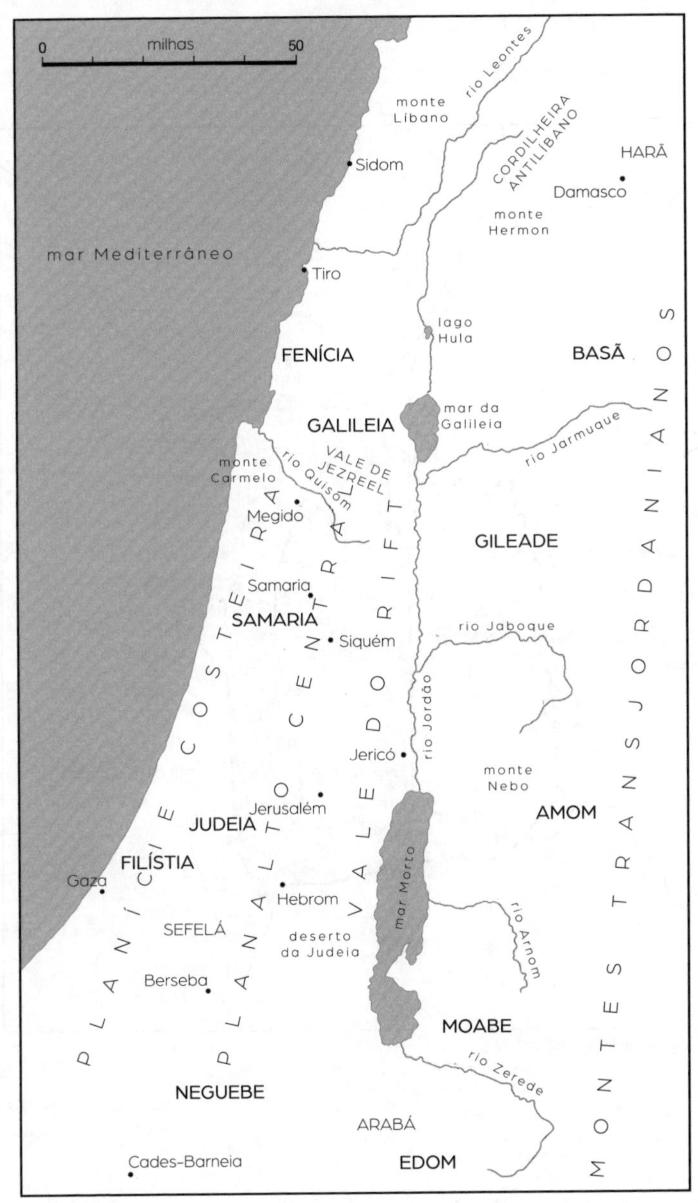
0
milhas
50
mar Mediterrâneo
monte Líbano
rio Leontes
CORDILHEIRA ANTILÍBANO
HARÃ
Sidom
Damasco
monte Hermon
Tiro
lago Hula
FENÍCIA
BASÃ
mar da Galileia
GALILEIA
rio Jarmuque
VALE DE JEZREEL
rio Quisom
monte Carmelo
Megido
GILEADE
Samaria
SAMARIA
Siquém
rio Jaboque
rio Jordão
Jericó
monte Nebo
Jerusalém
AMOM
JUDEIA
FILÍSTIA
Gaza
mar Morto
Hebrom
rio Arnom
SEFELÁ
deserto da Judeia
Berseba
MOABE
rio Zerede
NEGUEBE
ARABÁ
Cades-Barneia
EDOM
PLANÍCIE COSTEIRA
PLANALTO CENTRAL
VALE DO RIFT
MONTES TRANSJORDANIANOS

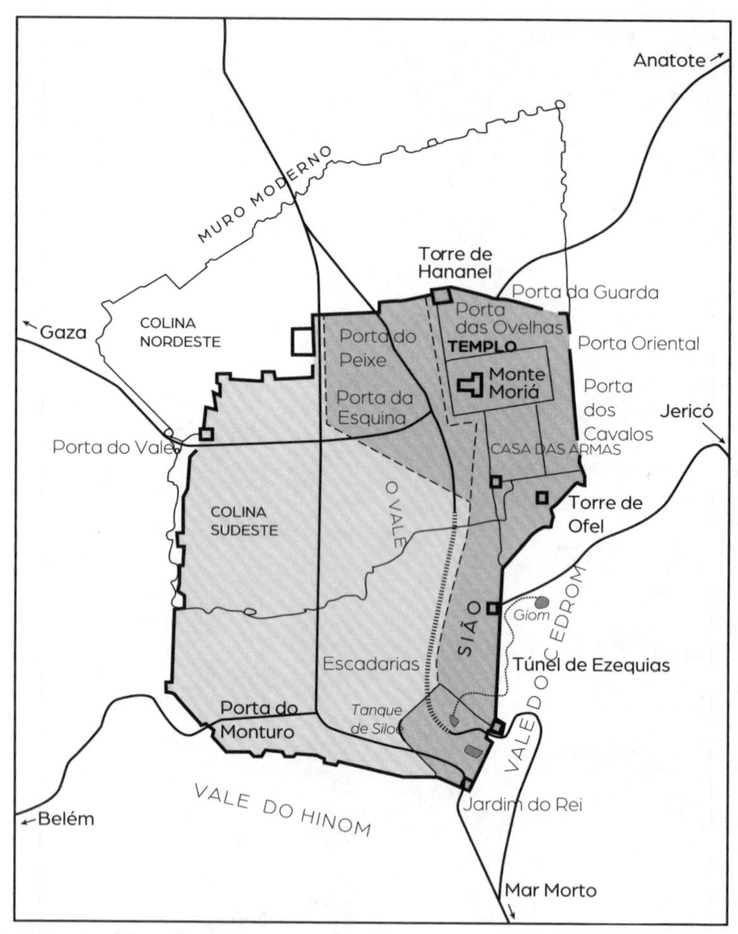
Anatote
MURO MODERNO
Torre de Hananel
Porta da Guarda
Porta das Ovelhas
Gaza
COLINA NORDESTE
Porta do Peixe
TEMPLO
Porta Oriental
Monte Moriá
Porta dos Cavalos
Porta da Esquina
Jericó
Porta do Vale
CASA DAS ARMAS
O VALE
COLINA SUDESTE
Torre de Ofel
VALE DO CEDROM
Giom
SIÃO
Escadarias
Túnel de Ezequias
Porta do Monturo
Tanque de Siloé
VALE DO HINOM
Jardim do Rei
Belém
Mar Morto

ESDRAS

ESDRAS **1:1–4**

SOBRE NÃO SE ACOMODAR COMO REFUGIADO

[1]No primeiro ano de Ciro, rei da Pérsia, cumprindo a palavra de *Yahweh* pela boca de Jeremias, *Yahweh* despertou o espírito de Ciro, rei da Pérsia, para que ele emitisse uma proclamação em todo o seu reino e também em um documento: [2]"Ciro, rei da Pérsia, disse isto: '*Yahweh*, o Deus dos céus, deu-me todos os reinos da terra, e ele mesmo indicou-me para lhe construir uma casa em Jerusalém, em Judá. [3]Qualquer um entre vocês, de todo o seu povo: que o seu Deus esteja com ele para que possa subir a Jerusalém, em Judá, e construir a casa de *Yahweh*, o Deus de Israel, o Deus em Jerusalém. [4]Qualquer um que permanecer, de todos os lugares nos quais ele for um residente — o povo de seu lugar deve lhe prover com prata, ouro, bens e rebanhos, além de uma oferta voluntária para a casa de Deus, em Jerusalém.'"

A filha e o genro da minha esposa acabaram de retornar de uma visita aos campos no Chade Oriental, ocupados com 175 mil refugiados vindos da região de Darfur, no oeste do Sudão. Estão ali concentrados para que a voz dos refugiados de Darfur seja ouvida no Ocidente. Eles levam computadores e câmeras com os quais podem transmitir via satélite fotos de sua vida naqueles campos, e os jovens darfuri podem trocar mensagens de texto com jovens nos Estados Unidos. Todavia, uma das tragédias desses campos é que, ano após ano, eles se tornam, cada vez mais, cidadãos permanentes, a exemplo do que tem ocorrido nos campos de refugiados na Palestina. As pessoas buscam os campos no Chade para, primeiramente, fugir da ameaça de genocídio, pensando e esperando que a permanência deles ali seja apenas por alguns meses, mas os anos passam, e eles se veem ainda vivendo ali. As crianças e os adolescentes darfuri já não se lembram mais como era a vida nas suas vilas de origem, sem falar nas crianças mais novas, nascidas nos campos e que não têm memória ou ligação com o lar original de sua família.

A comunidade **judaíta**, na **Babilônia**, passou por uma experiência análoga; esse é o motivo do compromisso vigorosamente expresso no salmo 137 para jamais se esquecer de Jerusalém, e a autodeclarada maldição caso isso ocorresse. A fim de punir Jerusalém por sua rebelião contra a Babilônia, em 597 a.C., o rei babilônio transportou muitos habitantes de Jerusalém para o exílio — líderes tais como a pessoa que, então, era o rei, Joaquim, membros de sua administração, sacerdotes e profetas. O povo deixado para trás, em Jerusalém, no ano de 597 a.C., os que escaparam da deportação, tinham bons motivos (ou pensavam ter) para suspirar de alívio, para celebrarem a sua aparente boa sorte e para assumirem que o pior da opressão babilônica havia passado. Eles tinham uma base teológica para essa presunção; eles sabiam que Deus era comprometido com Jerusalém, com o templo e com a linhagem dos reis davídicos. Não havia como Deus abandoná-los em definitivo. Com certeza, os exilados logo retornariam para casa; os próprios exilados podiam pensar o mesmo.

No entanto, eles precisavam enxergar que estavam errados. Jeremias 29 relata como, algum tempo após a deportação, em 597 a.C., o profeta escreve aos deportados para contradizer essa ideia e lhes dizer para se estabelecerem, pois não voltariam para casa tão cedo. Assim, eles foram instruídos a construir casas para nelas viverem, plantar jardins e subsistir de sua produção, casar e iniciar famílias, identificarem-se com as cidades babilônicas nas quais estivessem instalados e orarem por elas (decerto, esses deportados não estavam em campos de refugiados) e não acreditarem nos profetas que propagassem um breve retorno a Judá. Jeremias sabe que o estado de rebelião dos judaítas levados à Babilônia, e dos judaítas que escaparam da deportação (não apenas a rebelião contra os babilônios, mas contra Deus), significa que Deus ainda não terminou de discipliná-los. Todavia, as pessoas que acreditavam que Deus não as tinha abandonado definitivamente estavam certas. Jeremias reafirma a promessa de que, após um período de setenta anos, Deus irá promover o retorno dos deportados à sua terra natal. Mas a intenção de Deus é que, durante esse tempo, os judaítas vivam bem, não mal. Ele tem planos de lhes dar esperança e um futuro. Jeremias 51, então, fala de Deus "despertando o espírito dos reis dos medos" para trazer reparação sobre a Babilônia pela subsequente destruição do templo, em 587 a.C.

Uma das maneiras de Deus cumprir o compromisso com a fidelidade e com a justiça é deixar a justiça seguir o seu caminho no curto prazo, mas permitir que a fidelidade siga o seu curso no longo prazo. A proclamação de Ciro evidencia que Jeremias estava certo. No entanto, a partir de 597 a.C., isso ocorreria apenas no longo prazo. Quando Jeremias disse que o exílio babilônico duraria setenta anos, o ponto principal não é que deveria durar setenta em vez de sessenta e nove ou setenta e um, mas que duraria mais do que uma geração. Na realidade, praticamente ninguém que havia deixado Jerusalém em 597 a.C. estaria vivo para retornar, após esse período. Os filhos e os netos dessas pessoas é que seriam capazes de "retornar", judaítas que jamais haviam visto Jerusalém e que conheciam apenas as pessoas de sua família na Babilônia; sem dúvida, esse é o motivo principal de poucos se interessarem em migrar para aquela terra distante e desconhecida.

A proclamação de Ciro, permitindo que eles possam, agora, ir para Jerusalém, reconhece esse fato. Por um lado, ela expressa o desejo de que Deus possa ajudar as pessoas dispostas a fazer essa corajosa mudança. Por outro, estabelece a expectativa de que aqueles que preferirem permanecer na Babilônia, por amor a Deus, devem oferecer apoio financeiro para aqueles decididos a voltar.

Em 587 a.C., há outra rebelião contra a Babilônia — que resulta na destruição do templo e da cidade — e outro grupo de deportados. Durante décadas, nada de muito importante ocorreu para mudar a situação, mas, então, na década de 550 a.C., as coisas começaram a mudar. A **Pérsia**, até então, fazia parte do Império Medo, mas o rei persa Ciro liderou uma rebelião e reverteu a situação, passando a ser o macho alfa em sua região. Ele determinou estender amplamente a autoridade medo-persa pela Ásia Ocidental até a Turquia. Ciro, então, moveu-se para o sul, a fim de anexar ao seu próprio império o já enfraquecido Império Babilônico, de tal sorte que os judaítas no exílio da Babilônia e os remanescentes em Judá ficassem sob o seu domínio. Profecias em Isaías 40—47 haviam antecipado essa ocorrência; ***Yahweh***, o Deus de Israel, estava agindo nos bastidores desses eventos político-militares. Eles se tornariam os meios pelos quais *Yahweh* iria restaurar Israel. Pode-se dizer que as declarações em Isaías 40—47 colocam os pingos nos "is" e cruzam os "tês" da promessa de Jeremias, em sua carta e em suas outras profecias.

São aquelas promessas em Jeremias que o livro de Esdras vê Ciro cumprindo ao encorajar os judaítas a deixarem a Babilônia e retornarem à sua terra natal para reconstruírem o templo destruído pelos invasores babilônicos. O Deus de Israel é que despertou o espírito de Ciro. Agora, a sua deliberada intenção de expandir o seu império dificilmente foi uma resposta a qualquer despertar do Deus dos judaítas. É possível imaginá-lo indagando: "O Deus de quem?" Ciro criou o seu império movido pelos mesmos motivos egocêntricos da Grécia, de Roma, da Grã-Bretanha ou dos Estados Unidos. No entanto, sem Ciro perceber, havia uma iniciativa divina por trás de sua ação. É sempre válido questionar se há algum mover divino por trás das ações dos poderes políticos, mesmo que eles não tenham consciência disso.

Claro que Ciro está preparado para fazer um reconhecimento político, marcado por certo cinismo, da divindade cultuada por seus subordinados. Ele afirma que *Yahweh*, o Deus dos céus, deu-lhe poder sobre todo o mundo conhecido da época e o encarregou de construir o templo em Jerusalém. Ele ficaria feliz em ser conhecido politicamente como o imperador que tornou possível aos judaítas fazer as ofertas ali, mesmo não sendo, de fato, comprometido com *Yahweh*. Em um documento chamado Cilindro de Ciro (por causa de seu formato cilíndrico), ele se declara adorador de Marduque — o deus babilônico — pois reafirma o apoio dessa divindade em sua conquista da Babilônia. A ironia é que *Yahweh* é realmente o Deus dos céus, o Senhor de todo o cosmos. Na verdade, foi *Yahweh* quem deu poder a Ciro. Apesar de não ter ciência disso, Ciro foi, na prática, um agente de *Yahweh*, ao possibilitar a volta dos judaítas a Jerusalém e a reconstrução do templo.

Ontem, aleatoriamente, recebi um *e-mail* e, então, uma ligação telefônica de um homem que desejava saber como eu entendia alguns versículos no Antigo Testamento, que ele considerava serem referências ao estabelecimento do Estado de Israel em 1948. Muitos cristãos têm presumido que o material nas profecias de pessoas como Jeremias refere-se a eventos em nossos dias. Essa presunção não está exatamente errada no sentido de que essas profecias também expressam algo sobre o propósito eterno de Deus e, assim, nos capacitam a enxergar algo sobre como o propósito divino está sendo executado — ou não está — nos dias de hoje. Todavia (como tentei explicar ao meu interlocutor, sem sucesso), há certo equívoco na ideia de que um profeta como Jeremias estaria falando diretamente sobre eventos específicos do século XX. Isso torna as visões ou profecias do profeta sem significado imediato aos destinatários a quem elas foram dadas. Na Escritura, Deus fala às pessoas onde elas estão. Nosso privilégio, então, é poder repercutir essas palavras a fim de ver como Deus pode estar falando a nós, exatamente onde estamos, enquanto questionamos quais as possíveis implicações das palavras do profeta a nós.

A abertura do livro de Esdras pressupõe que os profetas falem às pessoas onde elas estão e que as capacitem a ver o que Deus está fazendo com elas. Os profetas discorrem sobre o futuro, mas esse futuro afeta as pessoas a quem as promessas e as advertências são endereçadas, ou afeta os seus filhos e netos, e expressa, portanto, como Deus é fiel com eles. Não obstante, talvez a abertura de Esdras nos forneça uma base para orar pelos refugiados de Darfur e da Palestina, assim como outros povos esquecidos. Deus pode estar envolvido no mundo político, inspirando países como a Grã-Bretanha e os Estados Unidos a implementarem políticas que, de fato, beneficiem povos necessitados com os quais Deus se preocupa.

ESDRAS **1:5-11**
POSSES PRECIOSAS INESPERADAMENTE RESTAURADAS

[5]Então, os cabeças ancestrais de Judá e de Benjamim, os sacerdotes e levitas, todos cujo espírito Deus despertou, decidiram subir para construir a casa de *Yahweh*, em Jerusalém. [6]Todos

os seus vizinhos os apoiaram com objetos de prata, de ouro, bens e rebanhos, e com coisas variadas exclusivamente para as ofertas voluntárias. [7]Ciro, o rei da Pérsia, tirou os objetos da casa de *Yahweh* que Nabucodonosor havia trazido de Jerusalém e colocado na casa de seu deus. [8]Quando Ciro, o rei da Pérsia, os trouxe para o controle de Mitrėdate, o tesoureiro, ele os contou e entregou a Sesbazar, o líder judaíta. [9]Esta é a contagem: trinta tigelas de ouro, mil tigelas de prata, vinte e nove facas, [10]trinta pratos de ouro, quatrocentas e dez tigelas duplas de prata e mil outros objetos. [11]Todos os objetos de ouro e prata somaram cinco mil e quatrocentos. Todos eles, Sesbazar levou quando os exilados foram levados da Babilônia para Jerusalém.

Conheço uma mulher que, numa ocasião, fugiu de um casamento que se tornara abusivo, temendo mais pela segurança da filha do que pela própria. Após um incidente que a convenceu de que era inseguro permanecer um segundo a mais, certa tarde ela colocou a filha no carro e, simplesmente, foi embora, apenas com a roupa do corpo, dirigindo-se para um destino no qual ela imaginou que jamais seria encontrada pelo marido. Ela estava certa quanto ao perigo e a ação a ser tomada; no entanto, um dos aspectos mais dolorosos dessa fuga apressada foi ser obrigada a deixar para trás, praticamente, todas as coisas que a lembravam de sua própria juventude e da infância da filha. Ela não tem quase lembranças ou fotografias daqueles anos.

A julgar pela maneira de o Antigo Testamento contar essa história, um dos aspectos mais agonizantes da queda de Jerusalém, diante dos **babilônios**, em 587 a.C., foi a destruição de grande parte dos sagrados e preciosos acessórios do templo e a apropriação pelo rei da Babilônia do que ele não destruiu.

No relato sobre a queda e a destruição da cidade em 2Reis 25, pode-se sentir a dor nas linhas que detalham as vasilhas, as pás, as panelas e os incensários que foram apreendidos. Para os que foram deixados para trás em **Judá**, o templo nada mais era do que uma ruína profanada e vazia. Paradoxalmente, o fato de os itens apreendidos e não destruídos acompanharem os exilados para a Babilônia piorou a situação, porque Nabucodonosor fez o que os vitoriosos, normalmente, fazem com os despojos. Ele os depositou no templo de seu próprio deus, e, assim, se tornaram coisas dedicadas a Marduque, permanecendo ali como um lembrete afrontoso da plausível reivindicação dos babilônios de que Marduque derrotara ***Yahweh***. Claro que um profeta como Jeremias sabia que isso não ocorrera e que, na verdade, a destruição foi resultante da própria ação de Deus em abandonar a cidade, o templo e seus acessórios, por causa da rebelião de Judá; mas um babilônio riria diante dessa interpretação teológica, e sabemos, pelo livro de Jeremias, que inúmeros judaítas não estavam convencidos disso.

No entanto, não intencionalmente, ao armazenar esses acessórios no templo dedicado ao seu deus, Nabucodonosor os manteve a salvo e impediu que terminassem em um mercado qualquer de antiguidades na Babilônia e, por fim, no Museu Britânico. Ciro está em posição de removê-los e confiá-los ao tesoureiro do templo para que sejam entregues ao homem que irá liderar os judaítas no retorno a Jerusalém e, assim, devolvidos novamente ao culto de *Yahweh* no templo. Repetindo, Ciro fará isso por seus próprios motivos, como parte de sua estratégia de encorajar os judaítas a permanecerem subservientes ao império; mas, de novo, podemos ver a inspiração de *Yahweh* por trás de sua ação. Os acessórios constituirão um dos marcos do fato de que o assim chamado

Segundo Templo poderá dar continuidade ao serviço do Primeiro Templo. O povo de Deus em Judá repetirá o culto que os seus ancestrais ofereciam; a história dessas pessoas se funde com a história de Salomão, Davi e Moisés.

O homem a quem os elementos são confiados, Sesbazar, é citado apenas em Esdras 1 e 5, e nada mais sabemos sobre ele, além do que é relatado ali. Seu nome é babilônico, mas era muito comum aos judaítas terem nomes babilônicos (Daniel e seus amigos são exemplos dessa troca de nomes), e ele é identificado como um judaíta. Adiante, ele é citado como governador de Judá, o que poderia implicar que a sua responsabilidade envolvia não apenas garantir que os acessórios, de fato, encontrassem o caminho de volta ao templo em vez de sumirem misteriosamente no transporte até Jerusalém. Isso sugeria que ele tinha algum compromisso com as autoridades **persas** para cuidar dos interesses do império em Judá. Não obstante, ele logo desaparece de cena, e Esdras 3 atribuirá o início da reconstrução do templo a Zorobabel, que também, mais tarde, é descrito como governador. Dessa forma, seja qual for a posição exata de Sesbazar, parece que, por um motivo ou outro, o seu trabalho ficou restrito ao começo da restauração da comunidade em Jerusalém.

O envolvimento direto de Deus, nesse episódio da história, é expresso nos mesmos termos que foram utilizados no versículo inaugural do livro. Do mesmo modo que despertou o espírito de Ciro, Deus também despertou o espírito dos judaítas, tornando-os dispostos a fazer a jornada de volta com o objetivo de reconstruir o templo. Já observamos antes que não constitui surpresa o fato de Deus precisar realizar esse despertamento. Os judaítas na Babilônia não eram como as pessoas em campos de refugiados, desejosas de retornar à terra natal. Com fidelidade, eles seguiram o encorajamento de Jeremias e construíram para si casas e constituíram famílias. Portanto, é de esperar que muitos não tenham nenhum anseio de deixar a Babilônia, mas o fato de muitos estarem dispostos a sair, seguindo o encorajamento feito pela incrível comissão de Ciro, os faz pensar: "Deus deve estar envolvido no despertar de corações nessa direção." Por outro lado, a narrativa enfatiza como até mesmo o povo que não se dispôs a sair apoiou financeiramente os que assim decidiram. A palavra para "oferta voluntária" é o termo, às vezes, traduzido por "dádivas especiais". Na **Torá**, há certas ofertas cuja apresentação é obrigatória, por parte de Israel, tais como os sacrifícios comunitários, realizados todos os dias, de manhã e à tarde, e os sacrifícios feitos individualmente quanto à purificação ou em cumprimento a um voto. Existem outras ofertas feitas sem um motivo específico, além de expressar devoção a Deus, e as referências em Esdras 1 a essas ofertas voluntárias pressupõem que a reconstrução do templo irá necessitar de generosas ofertas voluntárias como essas.

O Antigo Testamento fala, regularmente, sobre "subir" a Jerusalém porque a cidade está situada a mil metros acima do nível do mar; assim, de qualquer direção, é preciso subir para chegar lá. Os objetos do templo, igualmente, foram "levados" para a cidade. Mesmo em nossos dias, os judeus dizem que alguém precisa *aliyah* (fazer uma subida) quando fala de realizar uma mudança para morar em Israel; o grupo liderado por Sesbazar é o primeiro *aliyah*.

Ao que parece, não apenas judaítas apoiaram financeiramente os que fizeram a jornada. Ciro, aparentemente, referiu-se apenas a uma expectativa de que os judaítas decididos a permanecer na Babilônia apoiariam os seus compatriotas de maneiras práticas. Nesse evento, esse apoio veio dos vizinhos dos judaítas em geral. Embora a referência, agora, a esses apoiadores como vizinhos talvez não signifique nada, relembra a história do êxodo. A mudança da Babilônia para Judá é uma repetição do movimento do êxodo, e, quando os israelitas deixaram o Egito, *Yahweh* fez os egípcios agirem favoravelmente em relação a eles e lhes darem objetos de prata e de ouro para levarem com eles, o que facilitou a estada prolongada no deserto. Os vizinhos babilônicos dos judaítas, a exemplo do próprio Ciro, estão, igualmente, fazendo a sua contribuição para o culto a *Yahweh*.

A vida em Judá, durante o domínio persa, era, em geral, muito dura, o que tentaria as pessoas a se perguntarem se *Yahweh* realmente estava presente e ativo na comunidade. A história inicial da comunidade do Segundo Templo enfatiza o envolvimento de *Yahweh* e indica que ele está agindo, novamente, da mesma forma que agiu ao tirar Israel do Egito e conduzi-lo à terra prometida, em primeiro lugar. Portanto, o que *Yahweh* fez, ao levar o povo de volta a Jerusalém para reconstruir o templo, não deve ser desvalorizado por seus descendentes.

ESDRAS **2:1-67**
QUEM NÓS ÉRAMOS

[1]Estas são as pessoas da província, que subiram dentre os cativos no exílio, aos quais Nabucodonosor, o rei da Babilônia, exilou para a Babilônia e que retornaram para Jerusalém e Judá, cada qual para a sua cidade, [2]que vieram com Zorobabel, Jesua, Neemias, Seraías, Reelaías, Mardoqueu, Bilsã, Mispar, Bigvai, Reum e Baaná. O número dos homens pertencentes ao povo israelita: [3]os descendentes de Parós, 2.172; [4]os descendentes de Sefatias, 372; [5]os descendentes de Ara, 775; [6]os descendentes de Paate-Moabe (por meio dos descendentes de Jesua e Joabe), 2.812; [7]os descendentes de Elão, 1.254;

[8]os descendentes de Zatu, 945; [9]os descendentes de Zacai, 760; [10]os descendentes de Bani, 642; [11]os descendentes de Bebai, 623; [12]os descendentes de Azgade, 1.222; [13]os descendentes de Adonicão, 666; [14]os descendentes de Bigvai, 2.056; [15]os descendentes de Adim, 454; [16]os descendentes de Ater (por meio de Ezequias), 98; [17]os descendentes de Besai, 323; [18]os descendentes de Jora, 112; [19]os descendentes de Hasum, 223; [20]os descendentes de Gibar, 95; [21]os descendentes de Belém, 123; [22]o povo de Netofate, 56; [23]o povo de Anatote, 128; [24]os descendentes de Azmavete, 42; [25]os descendentes de Quiriate-Jearim (Quefira e Beerote), 743; [26]os descendentes de Ramá e Geba, 621; [27]o povo de Micmás, 122; [28]o povo de Betel e Ai, 223; [29]os descendentes de Nebo, 52; [30]os descendentes de Magbis, 156; [31]os descendentes do outro Elão, 1.254; [32]os descendentes de Harim, 320; [33]os descendentes de Lode, Hadide e Ono, 725; [34]os descendentes de Jericó, 345; [35]os descendentes de Senaá, 3.630.

[36]Os sacerdotes: os descendentes de Jedaías (por meio da casa de Jesua), 973; [37]os descendentes de Imer, 1.052; [38]os descendentes de Pasur, 1.247; [39]os descendentes de Harim, 1.017. [40]Os levitas: os descendentes de Jesua e de Cadmiel (por meio dos descendentes de Hodavias), 74. [41]Os cantores: os descendentes de Asafe, 128. [42]Os descendentes dos porteiros: os descendentes de Salum, os descendentes de Ater, os descendentes de Talmom, os descendentes de Acube, os descendentes de Hatita, os descendentes de Sobai, ao todo 139. [43]Os assistentes: os descendentes de Zia, os descendentes de Hasufa, os descendentes de Tabaote, [44]os descendentes de Queros, os descendentes de Sia, os descendentes de Padom, [45]os descendentes de Lebana, os descendentes de Hagaba, os descendentes de Acube, [46]os descendentes de Hagabe, os descendentes de Sanlai, os descendentes de Hanã, [47]os descendentes de Gidel, os descendentes de Gaar, os descendentes de Reaías, [48]os descendentes de Rezim, os descendentes

de Necoda, os descendentes de Gazão, [49]os descendentes de Uzá, os descendentes de Paseia, os descendentes de Besai, [50]os descendentes de Asná, os descendentes de Meunim, os descendentes de Nefusim, [51]os descendentes de Baquebuque, os descendentes de Hacufa, os descendentes de Harur, [52]os descendentes de Baslute, os descendentes de Meída, os descendentes de Harsa, [53]os descendentes de Barcos, os descendentes de Sísera, os descendentes de Tamá, [54]os descendentes de Nesias, os descendentes de Hatifa. [55]Os descendentes dos servos de Salomão: os descendentes de Sotai, os descendentes de Soferete, os descendentes de Peruda, [56]os descendentes de Jaala, os descendentes de Darcom, os descendentes de Gidel, [57]os descendentes de Sefatias, os descendentes de Hatil, os descendentes de Poquerete-Hazebaim, os descendentes de Ami. [58]Todos os assistentes e os descendentes dos servos de Salomão, 392.

[59]Estas são as pessoas que subiram de Tel-Melá, Tel-Harsa, Querube, Adã e Imer, mas que não foram capazes de mostrar a sua casa ancestral e a sua origem, se eles eram de Israel: [60]os descendentes de Delaías, os descendentes de Tobias, os descendentes de Necoba, 652. [61]Dos descendentes dos sacerdotes, os descendentes de Habaías, os descendentes de Hacoz, os descendentes de Barzilai (que tinha desposado uma mulher dentre as filhas de Barzilai, o gileadita, e era chamado pelo seu nome) — [62]eles procuraram por seus registros entre as pessoas inscritas, mas não puderam ser encontrados e foram desqualificados do sacerdócio. [63]Assim, o administrador lhes contou que eles não poderiam comer das coisas mais sagradas até que surgisse um sacerdote para o Urim e o Tumim.

[64]Toda a assembleia reunida foi de 42.360, [65]além de seus servos e servas; estes somaram 7.337, e eles tinham 200 cantores e cantoras. [66]Seus cavalos, 736; suas mulas, 245; [67]seus camelos, 435; seus jumentos 6.720.

Quando decidimos nos casar em dezembro passado, ingenuamente presumi que isso implicava uma lua de mel em algum cenário tropical como Bali, mas acabei passando a lua de mel na Escócia, numa época em que as temperaturas raramente ficam acima de zero. Minha noiva sabia que seus ancestrais haviam deixado a Escócia e migrado para a América no século XVII e desejava conhecer a área da qual eles saíram. Não se engane, vivenciamos uma grande experiência, e, para isso, muito contribuiu ver a reação dela a essa oportunidade de se conectar com o seu passado. Isso capacitou-me a ter uma compreensão maior do que sempre me pareceu uma preocupação típica dos norte-americanos em traçar os seus ancestrais e se conectar com os seus locais de origem. Eu reconhecia não ter o mesmo ímpeto em investir esforços na pesquisa do meu histórico familiar e percebi que isso se devia por considerá-lo algo assegurado; eu conhecia as minhas origens, pois nasci em uma cidade na qual a minha família vivera por muitas gerações.

Os **judaítas** para os quais Esdras e Neemias são escritos estão em uma posição paralela tanto à minha quanto à de minha esposa. Paralela à minha, no sentido de que eles estão vivendo no país onde as suas famílias têm vivido grande parte de um milênio. Todavia, também estão em uma posição similar à de minha esposa, na medida em que, mais recentemente, suas famílias foram expulsas do país de origem (a exemplo dos ancestrais de minha esposa, expulsos da Escócia pela rebelião contra os invasores ingleses) e, subsequentemente, foram obrigados a disputar o seu lugar no país com outros povos.

A esse respeito, registros semelhantes aos encontrados em Esdras 2 cumprem inúmeras funções. Primeira, eles preservam uma lista de pessoas que saíram da **Babilônia** e foram para Judá a partir de 537 a.C. A lista reaparecerá, apresentada de uma forma diferente, em Neemias 7, e a sua reaparição ali é uma indicação de que constitui mais do que um simples registro de pessoas que voltaram a Jerusalém e Judá no próprio ano 537 a.C. Já observamos que esse movimento, iniciado então, prosseguiu no decorrer de algumas décadas, até mesmo séculos. Na verdade, nomes presentes nessa lista, como Neemias, Seraías e Mardoqueu, são citados em outras passagens de Esdras, Neemias e Ester, embora possa ser apenas uma coincidência, já que os nomes podem não ser referentes à mesma pessoa. A lista é composta e complexa; por exemplo, ela deixa de listar as pessoas por suas famílias de origem e passa a discriminá-las por cidades, e o total, no versículo 64, pode não estar relacionado aos números apresentados antes.

De outras passagens do Antigo Testamento, sabemos que havia uma compreensível tensão entre as pessoas que foram levadas para o exílio e aquelas que foram capazes de permanecer em Canaã. Qual dos grupos realmente representa o futuro da comunidade? Expressando em termos de uma imagem que aparece em Jeremias 24, os exilados eram os figos ruins e intragáveis, e os que foram poupados da experiência do exílio eram os figos bons? Pode-se ver como as pessoas podiam enxergar aquela situação dessa forma. No entanto, Jeremias vira essa imagem de cabeça para baixo e vê os exilados como os figos bons, e as pessoas deixadas para trás, em 597 a.C., como os figos ruins. Quando as pessoas voltaram do exílio, deveriam elas ser vistas como genuinamente judaítas? Essa lista estabelece quem possui uma reivindicação de pertencer à comunidade, no sentido de descenderem de uma família judaíta adequada e/ou por seu histórico geográfico. Deus escolheu um povo que era caracterizado por ser uma família e por sua associação com determinado território, além de ser um povo que conhecia ***Yahweh***. A associação da comunidade com uma família e com um território evidencia que a fidelidade de Deus ao propósito e à promessa originais ainda estava sendo cumprida. O exílio não significou o fracasso da promessa divina, pois a capacidade de os exilados mostrarem que pertencem a essa família e a esse território comprova que eles possuem uma participação nesse propósito e são uma personificação da fidelidade de Deus.

Outra preocupação importante da comunidade seria garantir que a supervisão do templo estivesse em mãos de pessoas designadas por Deus, e, quanto a isso, é significativo que a lista inclua sacerdotes e outros **levitas**. Os músicos, **porteiros**, **assistentes** e descendentes dos serviçais de Salomão, todos eles, são considerados levitas, em um sentido mais amplo, pois todos teriam um papel de apoio em relação ao templo. Talvez o próprio fato de eles terem sido preservados durante o exílio era uma evidência de que a mão de Deus estava em ação a fim de afiançar que eles estivessem disponíveis para o necessário ministério após o exílio. Os assistentes e os descendentes dos servos de Salomão seriam pessoas não israelitas por nascimento e, portanto, eles prestam um testemunho do outro lado da moeda, já que foram convidados a integrar a comunidade, apesar de sua etnia. A comunidade não era fechada em si mesma, possibilitando que pessoas fossem adotadas no seio da família de Israel.

As referências aos sacerdotes, levitas, músicos, porteiros e assistentes irão se repetir em Esdras e Neemias. Elas nos lembram como o templo era um local agitado, ativo e animado, diferente de uma igreja, vazia e pouco utilizada, exceto por uma hora ou duas por semana. Todos os dias, havia os sacrifícios regulares; durante o dia, as pessoas ofereciam os seus próprios sacrifícios e buscavam oração e conselho. Em adição, havia profetas e outros professores instruindo as pessoas. O templo era uma comunidade viva.

ESDRAS 2:68—3:5
ADORAÇÃO, ESCRITURA, EVANGELHO

[68]Alguns dos cabeças ancestrais, quando chegaram à casa de *Yahweh*, em Jerusalém, fizeram uma oferta voluntária à casa de *Yahweh*, para colocá-la em seu lugar. [69]De acordo com os seus recursos, eles deram para a tesouraria da obra sessenta e uma mil dracmas de ouro, cinco mil minas de prata e cem túnicas sacerdotais. [70]Os sacerdotes, os levitas, alguns dentre o povo, os cantores, os porteiros e os assistentes estabeleceram-se em suas cidades, e todo o Israel em suas cidades.

CAPÍTULO 3

[1]Quando chegou o sétimo mês, com os israelitas em suas cidades, o povo se reuniu como uma só pessoa em Jerusalém. [2]Jesua, o filho de Jozadaque, e seus irmãos sacerdotes, e Zorobabel, o filho de Sealtiel, e seus irmãos, começaram a construir o altar do Deus de Israel, para apresentar ofertas queimadas sobre ele, como está escrito no ensino de Moisés, o homem de Deus. [3]Eles edificaram o altar em seu lugar, porque tinham medo dos povos dos países vizinhos, e ofereceram ofertas queimadas sobre ele a *Yahweh*, as ofertas queimadas da manhã e da tarde. [4]Realizaram o festival de Sucote, como está escrito, e a oferta queimada, dia após dia, conforme o número [adequado], a quantidade para cada dia, de acordo com a regra, [5]e, depois, a oferta queimada regular e [aquelas] para as luas novas e para todas as ocasiões estabelecidas por *Yahweh* que foram feitas sagradas, e para qualquer um que fizesse uma oferta voluntária a *Yahweh*.

Hoje um grupo de pastores me perguntou por que considero o Antigo Testamento importante, e lhes dei uma de minhas respostas-padrão. Tenho a impressão de que, no sul da Califórnia, muitas igrejas, que em teoria depositam considerável ênfase na Escritura e no evangelho, tenham, de fato, perdido o contato com ambos, e assimilado a cultura do mundo que as rodeia. Em sua preocupação de alcançar os de fora, tais igrejas absorveram a mensagem externa visando chamar a atenção dessas pessoas, e, pela busca de tornar a adoração atraente a elas, abriram mão da leitura bíblica durante os cultos por isso ser, obviamente, enfadonho. Penso que um dos motivos a possibilitar esse desenvolvimento é que, cinquenta anos atrás, a cultura norte-americana era muito mais próxima da estrutura sugerida pela Escritura do que atualmente, mas essa mudança foi muito gradual. Somos como a rã, colocada em uma panela de água fria, que então é lenta e gradualmente aquecida, de maneira que a rã jamais percebe que será fervida até a morte.

Os **judaítas** que fizeram a mudança para Jerusalém, saindo da **Babilônia**, não caíram nesse erro. Talvez estivessem submetidos a uma tentação menor pelo fato de a cultura babilônica ser mais claramente contrária ao evangelho expresso em suas Escrituras (muitos daqueles judaítas que não fizeram a mudança estavam contentes em assimilar a vida no exílio). É possível ver indicações disso em sua atitude quanto ao seu culto, às suas Escrituras e ao seu evangelho.

Primeiro, eles sabiam que a adoração era um meio pelo qual nos entregamos a Deus. O relato menciona dois tipos de ofertas: as queimadas e as voluntárias. O que elas têm em comum é que o ofertante nada recebe ao oferecê-las. Há outros sacrifícios nos quais os ofertantes compartilham da oferta, o que nos lembra que não há nada errado com a adoração ser algo do qual desfrutamos e nos beneficiamos. Uma oferta queimada, no entanto, é o que seu nome implica: com essa forma regular de sacrifício, todo o animal sobe em fumaça a Deus. Israel apresenta essas ofertas ao amanhecer e ao entardecer, todos os dias. O ofertante abre mão do animal em sua totalidade. Igualmente, a oferta voluntária é, simplesmente, algo que você entrega a Deus, um presente único. Nessa ocasião, então, a oferta voluntária está relacionada à necessidade de prover os recursos para a reconstrução do templo. Para nós, hoje, é fácil pensar que a adoração tem como propósito nos beneficiar e que o critério de avaliação é se nos sentimos bem ou não ao sairmos da igreja. Em Israel, a adoração era oferecida em prol de Deus, não em razão dos adoradores.

Segundo, as formas de adoração eram determinadas pelo que estava escrito no ensino de Moisés. Desconhecemos que forma do ensino mosaico, a **Torá**, teria sido seguida nesse ponto da história de Israel. No século seguinte, Esdras virá da Babilônia trazendo com ele "a Lei de Moisés" (veja Esdras 7, ARA). Pelo que sabemos, o conteúdo desse ensino havia sido desenvolvido no decorrer dos séculos, desde os dias de Moisés até os dias de Esdras (e talvez mais tarde). À medida que surgiam novas situações, o Espírito Santo guiava pessoas, como profetas, sacerdotes e teólogos, a consultar o que Moisés diria caso ele estivesse aqui e agora. Eles indicariam as implicações da fé do êxodo para os contextos em mutação nos quais as pessoas necessitavam de instrução. Seja qual for a forma do ensino considerada na época de Zorobabel e Jesua, eles sabiam que era preciso encorajar o povo a adorar não apenas à luz de como eles se sentiam, mas à luz dessa orientação.

Terceiro, essa necessidade é sublinhada pela forma em que a sua adoração os recorda de sua própria história, da história sobre o que Deus havia feito por eles. O maior festival anual de adoração em Israel é o Sucote. O termo é referente aos abrigos ou tendas, termo que é tradicionalmente traduzido por "tabernáculos" ou "cabanas". A Torá relata como os israelitas tiveram de viver em tais abrigos ou tendas ao deixarem o Egito. A encenação daquela experiência faz os israelitas perpetuarem como Deus os resgatou do Egito; os faz lembrar de sua própria história.

Esses abrigos possuem outro significado. O Sucote ocorre no outono, em setembro ou outubro, e é o grande festival da colheita de Israel. As pessoas vivem em cabanas para que possam manter uma vigilância sobre as suas colheitas durante a ceifa, para garantir que não sejam roubadas pelos malfeitores das vilas próximas, e/ou para que, assim, elas não precisem gastar horas de viagem até os seus campos, todos os dias. Os abrigos, portanto, parecem ter começado como um dispositivo prático para a vida diária; o dispositivo prático, então, foi explorado como lembrete e vinculado à jornada no deserto, após a saída do Egito. Israel mostra como crer no evangelho não significa abandonar a sua cultura; mas significa atrelar a cultura ao evangelho e não fundir o evangelho com a cultura. Algo similar seria verdadeiro quanto às outras "ocasiões estabelecidas por ***Yahweh*** que foram feitas sagradas", ou seja, a Páscoa ou Festival dos Pães Asmos, na primavera, e o Pentecoste, em maio ou junho. Todas essas observâncias estão relacionadas ao ciclo agrícola; todas celebram aspectos da história do evangelho de Israel.

Zorobabel e Jesua personificam a liderança conjunta da comunidade do **Segundo Templo**. Pode-se dizer que eles representam tanto uma distinção quanto uma relação entre a igreja e o Estado, mas que não são semelhantes à distinção ou relacionamento entre igreja e Estado na Europa ou nos Estados Unidos. Zorobabel, como filho de Sealtiel, é o neto do rei Joaquim, o rei exilado para a Babilônia em 597 a.C., e portanto membro da linhagem de Davi. Caso houvesse, agora, um rei em Israel, esse direito seria dele. Jesua, igualmente, pertence à linhagem de Arão, de maneira que ele pode atuar conforme o que, mais tarde, seria denominado o sumo sacerdote. Pode parecer que ele estivesse contaminado pelo exílio, mas Deus declara a intenção de confirmar a sua posição sacerdotal (veja Zacarias 3). Como líder davídico, Zorobabel está mais envolvido com as questões de Estado, enquanto Jesua, por sua linhagem sacerdotal, ligada a Arão, envolve-se mais com as questões religiosas, mas isso não implica que aqueles sejam domínios separados. Em Israel, as questões de Estado são aquelas nas quais Deus está envolvido e que devem ser conduzidas de acordo com o ensino de Moisés. Em contrapartida, o restabelecimento da adoração é um assunto com o qual o governador davídico aqui está envolvido, a exemplo de Davi, que, certa feita, envolveu-se na preparação para a construção do templo.

Os invasores babilônicos haviam incendiado o templo em 587 a.C., mas eles não o demoliram, como fizeram com as muralhas da cidade. Ainda seria possível realizar algumas formas de culto ali, mesmo durante o exílio, tais como a oração pelo perdão e a misericórdia de Deus, que está expressa no livro de Lamentações. Portanto, embora o templo necessitasse de uma restauração substancial, a comunidade pôde construir um novo altar nele antes de iniciar a sua reconstrução. Essa ação possibilitou restaurar a rotina regular de adoração, ao amanhecer e ao entardecer, assim como a celebração do Sucote. As ofertas queimadas que formavam o coração dessa rotina regular personificavam a entrega da comunidade a Deus, reconhecendo *Yahweh* como Deus, buscando a bênção divina para um novo dia, e a proteção divina para a noite. As ofertas realizadas no início de cada mês teriam um significado similar em relação ao novo mês em questão.

A história é mais explícita quanto a outro tipo de proteção da qual a comunidade sente falta no contexto de seu "medo dos povos dos países vizinhos", um temor que poderia ter inibido a restauração da adoração do templo em vez de encorajá-los a isso. De inúmeras formas, a chegada dos judaítas, vindos da Babilônia, perturbou o *status quo* na região. Considerando que o número real de pessoas levadas ao exílio babilônico foi relativamente pequeno, alguém estaria ocupando e cultivando a terra ao redor de Jerusalém; alguém estaria fazendo aquelas orações no templo. Politicamente, os babilônios e, então, os **persas**, possuíam uma estrutura governamental para a região, na qual Judá era, aparentemente, governado de Samaria, no antigo reino do Norte. Judá também era circundado por entidades como Amom e Moabe, cujo olho parecia crescer sobre Jerusalém. A comunidade, portanto, não estava sendo paranoica ao temer por seu futuro político. Essa necessidade da proteção de Deus forneceu um motivo prático para o estabelecimento de uma estrutura adequada de adoração e os meios de se apegarem a Deus.

ESDRAS **3:6-13**
GRITOS DE ALEGRIA E O SOM DO PRANTO

[6]A partir do primeiro dia do sétimo mês, eles começaram a oferecer ofertas queimadas a *Yahweh*, embora o palácio de *Yahweh* ainda não tivesse sido iniciado. [7]Eles deram dinheiro aos pedreiros e artesãos, e comida, bebida e azeite para os sidônios e os de Tiro, para trazerem as toras de cedro do Líbano, pelo mar, a Jope, de acordo com a autorização dada a eles por Ciro, o rei da Pérsia. [8]No segundo ano de sua chegada à casa de Deus, em Jerusalém, no segundo mês, Zorobabel, filho de Sealtiel, e Jesua, filho de Jozadaque, e o restante de suas famílias (os sacerdotes, os levitas e todo o povo que tinha vindo do cativeiro a Jerusalém) começaram e colocaram no lugar os levitas com idade de vinte anos para cima para supervisionar o trabalho na casa de *Yahweh*. [9]Então, Jesua, seus filhos e seus irmãos, e Cadmiel e seus filhos (descendentes de

Judá) aceitaram a designação conjunta para supervisionar o povo que fazia o trabalho na casa de Deus, [com] os filhos de Henadade, seus filhos e seus irmãos, os levitas. [10]Quando os construtores começaram o palácio de *Yahweh*, os sacerdotes em suas vestimentas com trombetas e os levitas, os descendentes de Asafe, com címbalos foram colocados no lugar para louvar a *Yahweh*, de acordo com as direções de Davi, rei de Israel. [11]Eles cantaram, de modo responsivo, em louvor e ações de graças a *Yahweh*: "Porque ele é bom, porque o seu compromisso com Israel dura para sempre", e todo o povo elevou um grande grito em louvor a *Yahweh*, porque a casa de *Yahweh* havia sido iniciada. [12]Muitos dos sacerdotes, levitas, cabeças ancestrais e os homens velhos, que tinham visto o primeiro templo, pranteavam em voz alta ao verem o início dessa casa, enquanto muitos estavam elevando a voz em um grito de celebração. [13]O povo não conseguia distinguir o grito celebratório do som do pranto, porque as pessoas estavam gritando bem alto. O som era audível a grande distância.

Para minha grande alegria, um amigo meu, recentemente, ficou noivo após permanecer sozinho durante dezenove anos. Ele está radiante de felicidade; jamais o vi tão alegre. Não obstante, algo estranho ocorre sempre que ele fala sobre o assunto; isso também o faz chorar, embora ele tenha dificuldades em explicar por que isso acontece. É possível que esteja relacionado com ser capaz de crer que algo assim grandioso tenha ocorrido; talvez ele tema que seja bom demais para ser verdade e espere acordar de manhã apenas para descobrir que tudo não passou de um sonho. Ou, ainda, descobrir que a sua noiva chegou à conclusão de que tudo é um grande equívoco. Pessoalmente, suspeito de outro fator: ele jamais encarou a dor associada com a sua solidão e, de um modo estranho, a perspectiva de a sua solidão terminar lhe permitiu ver quanto ela era sofrida.

O início da restauração do templo gerou uma reação mista similar, de celebração e de pranto, na comunidade **judaíta**. Os panteadores eram pessoas que haviam visto o primeiro templo em toda a sua glória, o que significa que eles deveriam ter mais de sessenta anos. Não somos informados do motivo de eles estarem chorando, enquanto outros celebravam. Talvez tenham chorado porque somente eles poderiam recordar a terrível destruição do templo (e, no íntimo, indagado se isso poderia ocorrer de novo). Embora possam ter se sentido deprimidos por não esperarem que o templo reconstruído seria tão glorioso como outrora, tudo indica que a comunidade estava exultante com o seu templo restaurado. Pode ser que tenham ficado impactados pela magnitude da tarefa que impuseram a si mesmos. Meu palpite é de que suas lágrimas eram uma expressão paradoxal da alegria que sentiam pelo início do trabalho de restauração e, ao mesmo tempo, expressão de descrença jubilosa por estarem vivendo aquele momento. Tanto o grito quanto o choro, portanto, tinham o mesmo significado.

A base do louvor comunitário é que ***Yahweh*** é bom e que o seu **compromisso** dura para sempre. As pessoas podem ter se perguntado se *Yahweh*, alguma vez antes, já havia abandonado um compromisso feito a eles. Na verdade, todos sabiam que não poderiam reclamar se isso realmente tivesse ocorrido, pois haviam perdido qualquer direito de esperar que *Yahweh* mantivesse o seu compromisso. No entanto, *Yahweh* é cativo da palavra "compromisso". O termo hebraico denota uma classe de fidelidade que permanece mesmo se a outra parte não é merecedora de recebê-la. A despeito da infidelidade do povo que culminou no exílio, o compromisso de *Yahweh* continuava sendo a esperança deles. O fato de, após meio século, ainda haver a possibilidade de restaurar o templo era um sinal de que a esperança permanecia viva. Paradoxalmente, o louvor deles era por algo que eles mesmos estavam fazendo; pelo fato de *eles* iniciarem a restauração do templo é que estão louvando a bondade e o compromisso de Deus. Os judaítas sabem que não seriam capazes de fazer isso se não fosse a fidelidade de Deus. Nesse contexto, louvor e ação de graças são plenamente apropriados. O louvor, estritamente, sugere o reconhecimento das grandes e permanentes verdades sobre Deus, tais como a sua bondade e o seu compromisso. A ação de graças relaciona-se a algo novo realizado por Deus na vida de um indivíduo ou de uma comunidade, e essa comunidade, certamente, tem motivos para agradecer e testificar.

A palavra "templo" sugere um edifício com propósitos exclusivamente religiosos. O Antigo Testamento possui termos com essa conotação, como um cujo significado é "santuário", mas esse não é o termo regularmente usado com referência ao templo. Em vez disso, o Antigo Testamento apresenta palavras mais cotidianas que denotam uma casa ou palácio, ambos presentes na passagem em questão. O templo é a casa ou o palácio de *Yahweh*. A primeira palavra (casa) vincula o termo à habitação na qual pessoas comuns vivem; a segunda (palácio) lembra os leitores de que é uma moradia adequada a um rei. O templo não é um santuário, um lugar que celebra algo ocorrido no passado ou uma pessoa que já morreu, mas um lugar onde alguém habita. Claro que os israelitas sabem que Deus não vive, realmente, no templo; Salmos explicita a consciência deles de que Deus realmente vive nos céus e que o verdadeiro palácio de Deus está localizado lá. (Claro que eles também sabem que essa afirmação é metafórica; 1Reis 8 apresenta a oração de Salomão na dedicação original do templo e evidencia a consciência de que Deus não poderia ser contido dentro do universo, quanto mais numa edificação terrena. Os céus dentro do cosmos representam outro domínio no qual Deus vive, existente mesmo antes de o cosmos existir.) Contudo, o templo físico é um equivalente, uma personificação ou um avatar, na terra, do palácio celestial de Deus. Isso significa que há um lugar na terra no qual pode-se estar na presença de Deus, em um sentido especial (os israelitas também sabem que há outro sentido no qual Deus é onipresente, de modo que podemos orar a Deus e conhecer a proteção divina em qualquer lugar). Quer a pessoa *sentisse* quer não que Deus estava no templo, ela *sabia* que Deus estava lá, porque ele prometeu; essas promessas foram expressas a Davi e a Salomão (2Samuel 7; 1Reis 8). Os israelitas podiam apresentar suas ofertas ali com a certeza de serem aceitas, podiam levar as suas orações com a convicção de que seriam ouvidas.

Embora a história fale no início da obra no templo, observamos que isso não significa começar a construção do zero. A adoração regular já estava sendo oferecida no que restara do antigo templo de Salomão. O principal material necessário à restauração era madeira, que seria usada para substituir o telhado e revestir internamente o edifício, que havia sido queimado em 587 a.C. (embora o incêndio também tivesse causado a ruína ou derretimento de parte de suas paredes constituídas de rochas). A exemplo do que ocorreu nos dias de Salomão, a madeira é transportada do Líbano por meio de um árduo processo de toras flutuantes, pelo Mediterrâneo, e então carregada até Jerusalém. O registro imperial, sobre o qual falará o capítulo 6, implica que uma subvenção de Ciro para cobrir os custos desse dispendioso projeto corroborou a sua mera permissão para realizar o trabalho.

O capítulo já esclareceu que os arranjos para a adoração seguiram o ensino de Moisés. Agora, ele acrescenta que os judaítas também seguiram as instruções de Davi. Há dois motivos para essa segunda ênfase. A exemplo da referência ao ensino de Moisés, ela estabelece a continuidade da adoração do Primeiro Templo no **Segundo Templo**. As pessoas sabem que Deus está envolvido com Israel no longo prazo; toda a história israelita é parte da história de Deus. Ao garantirem a operação à luz das instruções de Davi, além daquelas constantes no ensino de Moisés, os israelitas estão desempenhando o seu papel para assegurar a permanência na história divina. O outro motivo é que alguns povos vizinhos também reivindicam ser parte dessa história, mas não está claro se isso é verdade. Em termos específicos, os habitantes da província de Samaria são, ou reivindicam ser, os descendentes do antigo reino de **Efraim**, mas esse reino deu as costas ao rei Davi. Se retornarem a Davi, eles podem fazer parte da história; caso contrário, estão por conta própria. Judá precisa assegurar o cumprimento do critério de fidelidade às instruções de Davi, assim como ao ensino de Moisés.

ESDRAS **4:1-6**
DESENCORAJAMENTO

[1]Os adversários de Judá e de Benjamim ouviram que os exilados estavam construindo um palácio para *Yahweh*, o Deus de Israel. [2]Eles abordaram Zorobabel e os cabeças ancestrais e lhes disseram: "Construiremos com vocês porque buscamos o seu Deus como vocês fazem e temos sacrificado a ele desde os dias de Esar-Hadom, o rei da Assíria, que nos trouxe aqui." [3]Zorobabel, Jesua e o restante dos cabeças ancestrais de Israel lhes disseram: "Não é para vocês e nós construirmos uma casa para o nosso Deus, porque apenas nós iremos construí-la para

Yahweh, o Deus de Israel, como o rei Ciro, o rei da Pérsia, nos ordenou." [4]Então, o povo do país passou a enfraquecer os esforços do povo de Judá e fazê-los temer a reconstrução. [5]Eles subornaram tomadores de decisão a fim de frustrar a decisão [dos judaítas] durante todos os dias de Ciro, rei da Pérsia, e até o reino de Dario, rei da Pérsia. [6]E, no reinado de Xerxes, no início de seu reinado, eles escreveram uma acusação contra os habitantes de Judá e de Jerusalém.

Durante o Natal, consegui visitar o seminário no qual estudei para o ministério. Ele foi fundado nos anos 1930, como resultado de uma divisão de outro seminário da Igreja da Inglaterra, distante cerca de um quilômetro e meio; o motivo foi em relação a um corpo docente dever ou não ser obrigado a afirmar uma base particular de fé. Não havia grande discordância entre as duas instituições sobre a substância da fé cristã, apenas quanto a quais pessoas tinham de subscrever. Os edifícios também ficavam a pouca distância de um seminário batista e de outro metodista. Em meus anos de estudante, partilhamos algumas palestras com o outro seminário da Igreja da Inglaterra, embora não tivéssemos nada a ver com as demais instituições. Mais recentemente, as duas instituições da Igreja da Inglaterra se fundiram, e a entidade resultante passou a compartilhar cursos com os seminários batista e metodista. Quão cuidadosas as instituições e denominações precisam ser ao cooperarem umas com as outras? Quando elas devem se manter afastadas e quando podem trabalhar juntas?

O povo que abordou a liderança **judaíta** visando a se unir a eles na construção do templo reivindica ser um com eles na fé, mas a sua origem os torna suspeitos. Já observamos que a província de Samaria está situada na região do antigo reino de **Efraim**, que havia se separado de Jerusalém e da linhagem davídica após Roboão, filho de Salomão, não ter dado o devido tratamento ao relacionamento entre eles. A divisão, desse modo, foi plenamente compreensível. Igualmente, constituiu um cumprimento da intenção divina de trazer alguma punição à linhagem de Davi pela política religiosa de Salomão; como um subproduto do casamento com mulheres de outros países visando encorajar relações diplomáticas, Salomão introduziu o culto a outras divindades em Jerusalém. Mas, então, como resultado da divisão, Efraim desenvolveu o seu próprio sistema religioso, que também continha elementos estranhos à fé israelita apropriada. Segundo Reis 17 relata como Efraim, a seu tempo, pagou por sua inovação quando ***Yahweh*** permitiu que o reino fosse subjugado pela superpotência da vez, a **Assíria**.

Os assírios, então, transportaram muitos dos efraimitas e os substituíram por pessoas oriundas de outras regiões de seu império. Os samaritanos, aqui, referem-se a esse translado como ocorrido no tempo de um imperador assírio chamado Esar-Hadom, que vivera algumas décadas após os eventos relatados em 2Reis 17. Esse capítulo confirma a reivindicação de que os dominadores assírios estabeleceram arranjos para que os imigrantes aprendessem o culto a *Yahweh*, mas a narrativa igualmente menciona que eles continuaram a adorar os deuses que trouxeram de suas terras de origem, e esse é um padrão plausível. Pode-se comparar o padrão comum pelo qual as pessoas que tinham se convertido à fé em Cristo também prosseguiram na prática da sua fé tradicional.

Tais considerações dariam aos judaítas uma base para hesitar em aceitar prontamente a oferta de auxílio por parte dos samaritanos; embora uma resposta menos suspeita seria ver a abordagem deles como um cumprimento do anseio de Deus pelo retorno de Efraim ao relacionamento com Jerusalém e com a linhagem de Davi. Talvez fatores políticos e econômicos igualmente desempenhassem um papel relevante, tanto para os judaítas quando para os samaritanos. Os judaítas desejariam ser independentes e, por isso, evitariam tomar ações que levassem a uma posterior subordinação aos samaritanos; estes, por seu turno, estariam interessados em encorajar esse desenvolvimento. Os judaítas também poderiam estar interessados em olhar para trás e ver a reconstrução como obra exclusiva deles e que foram obedientes à declaração de Ciro. Sempre é útil poder reivindicar obediência a uma autoridade superior.

Os desenvolvimentos ao longo de alguns séculos posteriores lançaram uma irônica luz sobre esse intercâmbio. Não muito tempo após esses eventos, os samaritanos edificaram um templo próprio no monte Gerizim, com vistas para Siquém; eles argumentavam que esse templo, não o de Jerusalém, era o lugar designado por Deus que fora mencionado em Deuteronômio. O que conhecemos da religião dos samaritanos sugere que ela era, pelo menos, mais conservadora, em vez de mais sincretista, do que a dos judeus; da mesma forma que os saduceus, os samaritanos aceitavam somente a **Torá,** em detrimento dos demais livros do Antigo Testamento. No decorrer dos séculos, a tensão entre judeus e samaritanos recrudesceu, conforme indicado pelos textos do Novo Testamento, embora, na época, os judeus é que eram a força dominante na região (sob Roma, posteriormente).

Nesse ínterim, assumir uma linha dura tornou-se um movimento oneroso aos judaítas. Foi provavelmente por causa dessa rejeição que os samaritanos se tornaram adversários e operaram contra as tentativas dos judaítas de edificarem a comunidade *deles*, não apenas tentando obter ordens imperiais que os favorecessem, ao longo dos cinquenta anos seguintes, envolvendo os reinados de Ciro (559-529 a.C.), Cambises (529-522 a.C), Esmérdis (522 a.C.), Dario, o Grande (521-486 a.C.), e Xerxes ou Assuero (485-465 a.C.). Todavia, a referência à atividade "do povo do país" poderia, naturalmente, indicar não apenas os samaritanos, mas outras pessoas vivendo em Judá que não foram levadas para o exílio. Já fomos informados de que os construtores do templo tinham medo deles.

Seja como for, parece que a obra de Deus, em geral, enfrenta opositores. Às vezes, isso ocorre por nossa falha; outras vezes, não. Certas pessoas somente querem se opor a algo porque lhes faz bem; é como se houvesse algo intencionalmente perverso em seus desejos. A narrativa adverte os seus leitores de não se deixarem surpreender quando isso ocorrer, nem se sentirem desencorajados porque (como a continuação da história irá mostrar) a oposição pode não ter a última palavra.

ESDRAS **4:7-23**

OS GOVERNANTES NÃO SÃO UMA AMEAÇA ÀS PESSOAS QUE AGEM CORRETAMENTE

[7]Então, nos dias de Artaxerxes, Bislão, Mitredate, Tabeel e o restante de seus associados escreveram a Artaxerxes, rei da Pérsia. A carta foi escrita em aramaico e traduzida.

Aramaico: [8]Reum, o administrador, e Sinsai, o secretário, escreveram uma carta sobre Jerusalém ao rei Artaxerxes, como segue: [9]"Reum, o administrador, e Sinsai, o secretário, e o restante de seus associados, as autoridades e os oficiais de Tarpel, da Pérsia, de Ereque, da Babilônia, de Susã (isto é, os elamitas), [10]e o restante dos povos que o grande e glorioso Assurbanípal exilou e estabeleceu na cidade de Samaria, e o restante de além-rio (assim, agora, [11]esta é uma cópia da carta que eles enviaram), ao rei Artaxerxes. Seus servos, homens de além-rio: então, agora, [12]seja conhecido ao rei que os judaítas que subiram até nós, da tua parte, chegaram a Jerusalém. Eles estão reconstruindo a cidade rebelde e perversa. Eles completaram os muros e repararam as fundações. [13]Agora, seja conhecido ao rei que, se essa cidade for reconstruída e seus muros completados, eles não mais pagarão tributos, taxas ou pedágios, de modo que os interesses do rei sofrerão prejuízo. [14]Agora, já que compartilhamos o sal do palácio e não nos parece certo ver a desonra do rei, portanto, enviamos e tornamos isso conhecido ao rei [15]para que pesquise nos registros de eventos de seus predecessores e saiba que essa cidade é uma cidade rebelde, prejudicial aos reis e às províncias. As pessoas têm feito motins nela desde antigamente. Por causa disso, a cidade foi destruída. [16]Tornamos conhecido ao rei que, se essa cidade for reconstruída e seus muros forem completados, como resultado disso não lhe sobrará nada além-rio."

[17]O rei enviou a palavra: "A Reum, o administrador, a Sinsai, o secretário, e ao restante de seus associados que vivem em Samaria, e ao restante de além-rio, saudações. Então, agora, [18]a carta que vocês me enviaram foi explicada e lida diante de mim. [19]Uma ordem foi dada por mim, e eles pesquisaram e descobriram que essa cidade do passado tem se levantado contra reis. Rebelião e motim foram feitos nela. [20]Houve poderosos reis sobre Jerusalém, e eles exerceram autoridade sobre todo o além-rio. Tributos, taxas e pedágios foram pagos a eles. [21]Agora, faça uma ordem para parar esses homens. Aquela cidade não será reconstruída até a ordem ser dada por mim. [22]Tenham cuidado para não agirem de forma negligente nesse assunto. Por que o dano deve crescer e prejudicar os reis?" [23]Quando a cópia da carta do rei Artaxerxes foi lida diante de Reum, Sinsai, o secretário, e seus associados, eles foram com pressa a Jerusalém, aos judaítas, e os interromperam à força.

Escrevo em meio a um referendo no Sudão que pode resultar na divisão do país em dois. A exemplo de muitos outros Estados africanos, o Sudão é (assim indicam os comentaristas) uma construção artificial, derivada do envolvimento de poderes europeus na África, embora seja a única dentre essas construções artificiais que está à beira de uma dissolução em entidades que correspondem mais à constituição étnica e religiosa de seus habitantes. Algumas décadas atrás, não me sentia culpado, como britânico, pelo passado imperialista de minha pátria, mas, agora, tenho esse sentimento, do mesmo modo que muitos norte-americanos se sentem culpados pela relação quase imperialista dos Estados Unidos com grande parte do Terceiro Mundo. Ao mesmo tempo, os norte-americanos podem, com correção, sentir orgulho pela situação econômica e política do país ser objeto da aspiração e da inveja por parte das nações do mundo, enquanto muitos aspectos do envolvimento imperial britânico na África e na Ásia trouxeram benefícios e absorveram recursos.

As relações entre os **persas** e as diferentes regiões de seu império tinham algumas ambiguidades similares. De uma perspectiva **judaíta**, os persas podiam ser benfeitores (como Ciro foi) ou limitadores da renovação da comunidade (como Artaxerxes é, aqui, mas não em outras passagens). Embora o governo de Artaxerxes cobre o preço da região na forma de taxas, não lemos a respeito de guerras durante o período persa, como era comum nos séculos anteriores; as tensões entre os povos ao redor de Judá persistiam entre os reinos dos reis observados em nosso comentário sobre Esdras 4:1-6, e no reino de Artaxerxes (465-424 a.C.), mas, pelo menos, eles recorriam às autoridades imperiais para uma solução.

O livro de Esdras, no capítulo 4, abandona brevemente a ordem cronológica, ao pesquisar a maneira pela qual essas tensões se expressavam entre os reinos de Ciro e de Artaxerxes. Em outras palavras, se você quiser ler a história em Esdras--Neemias, na ordem cronológica, deve ler os versículos 5 e 6 depois de Esdras 6, e ler os versículos 7-23 após Esdras 10. Os versículos 7-23 não mencionam a reconstrução do templo (o que, por outro lado, é o foco principal de Esdras 1—6); trata-se de história antiga na época dos eventos a que se referem.

Primeiro, há uma carta de Bislão e companhia (v. 7), cujo conteúdo não nos é revelado; tampouco conhecemos algo sobre as pessoas que a escreveram além do que é informado ali. O aramaico era o idioma diplomático internacional no período do **Segundo Templo**; igualmente, esse idioma se tornou a língua cotidiana do povo judeu. Trata-se de uma língua irmã do hebraico, e uma pessoa que soubesse uma língua compreenderia razoavelmente a outra.

Na introdução da outra iniciativa (v. 8-23), a segunda ocorrência do termo "aramaico" significa que, a partir desse ponto, o próprio livro de Esdras passa a ser escrito em aramaico. Grande parte do Antigo Testamento é escrito em hebraico; nesse livro, o hebraico é retomado a partir de Esdras 6:19, porém há outro trecho em aramaico no capítulo 7. Daniel é outro livro do Antigo Testamento que mescla os dois idiomas dessa forma. A exemplo de Daniel, a transição ocorre em um ponto lógico, quando o livro reporta as palavras de pessoas que não falam o hebraico, embora, da mesma forma que ocorre em Daniel, não haja lógica na continuidade do aramaico mesmo quando aqueles estrangeiros não mais estão falando.

Repetindo, nada sabemos sobre as pessoas que são mencionadas em relação à carta, pessoas envolvidas na administração do Império Persa na província de além-rio, ou seja, a região a oeste do Eufrates (além do rio Eufrates para quem vive na Pérsia). A tarefa dessas pessoas é salvaguardar os interesses do rei na região oeste de seu império para assegurar que os impostos sejam pagos a ele e para garantir a manutenção da ordem. Os autores descrevem a si mesmos como compartilhadores do sal do palácio, uma figura de linguagem que parece sugerir um compromisso mútuo, embora não saibamos o motivo de possuir essa conotação (o Antigo Testamento, similarmente, refere-se em outras passagens a uma aliança de sal). Isso significa que Reum e companhia estão solenemente ligados em lealdade ao rei persa.

A outra referência a Samaria estreita a ligação com a parte anterior do capítulo. O motivo de reunir esses relatos sobre a forma de os povos causarem problemas aos judaítas é que as histórias têm um ponto em comum; isto é, o fato de o povo causador de dificuldades ser o povo de Samaria. Os judaítas são mais próximos dos samaritanos que de outros povos, como os amonitas ou moabitas, mas, de uma forma estranha, às vezes o nosso relacionamento com pessoas mais próximas pode ser mais frágil do que com as mais distantes. Isso, certamente, se aplica ao campo da fé. Os anglicanos podem muito bem ser mais contundentes com outros anglicanos do que com presbiterianos; estes, por seu turno, podem ser mais agudos com outros presbiterianos do que com batistas; e estes podem ser mais enérgicos com outros batistas do que com anglicanos. Assim é a tensão entre os judaítas e seus vizinhos, os samaritanos, que dizem cultuar o mesmo Deus que os judaítas, mas cujo compromisso com esse Deus parece questionável aos olhos dos judaítas. Observamos que, para ambos os lados (como é o caso que envolve disputas entre cristãos), as questões sobre independência, poder e economia estão entrelaçadas com as questões que envolvem a fé.

À primeira vista, a carta de Reum e companhia parece um pouco autocontraditória, ao declarar que os judaítas haviam concluído o muro da cidade e estabelecido as fundações para outra reconstrução e, então, falar como se a conclusão do muro e a reconstrução da cidade estivessem incompletas. Caso tenham exagerado na descrição dos muros já restaurados, então a carta deles deve datar de antes do tempo de Neemias e pertencer a algum período na primeira metade do reinado de Artaxerxes. A comissão de Artaxerxes a Neemias, ocorrida em 445 a.C., constituirá, então, a condição "até a ordem ser dada por mim", presente na resposta do rei a Reum e companhia. Todavia, talvez Reum e companhia queiram expressar que o perigo para Artaxerxes reside na conclusão da reconstrução da cidade pelos judaítas, *além* da restauração dos muros; nesse caso, a data da carta deve ser posterior ao trabalho de Neemias.

A carta pode ser uma transcrição direta daquela que eles enviaram, mas há algumas ironias no texto que podem sugerir que ela tenha sido adaptada para se adequar ao contexto de Esdras. Seja como for, os escritores, obviamente, estão corretos em enfatizar a rebelião de Jerusalém, que foi a causa do cerco feito pelos **babilônios** em 597 e 587 a.C, enquanto Artaxerxes é um tanto generoso em seus comentários sobre o poder passado de Jerusalém. Há certa ironia na maneira pela qual os pecados dos pais são, uma vez mais, visitados nos filhos: as rebeliões passadas de Jerusalém fornecem ao imperador um motivo para não lhes permitir muita liberdade no presente. Os judaítas podem se ressentir da ação de Reum e companhia e lamentar a decisão de Artaxerxes, mas em um sentido que não podem reclamar. Por outro lado, transpirará que, no fim, eles lograrão reconstruir os muros e a cidade. Embora Deus permita que os pecados dos pais sejam visitados em seus filhos, isso não determina o fim da história.

ESDRAS 4:24—5:5
NOVA INSPIRAÇÃO

[24]Assim, o trabalho parou na casa de Deus, em Jerusalém. Ele parou até o segundo ano do reinado de Dario, rei da Pérsia,

CAPÍTULO 5

[1]quando os profetas Ageu e Zacarias, filho de Ido, profetizaram aos judaítas em Judá e Jerusalém em nome do Deus de Israel, que estava sobre eles. [2]Então, Zorobabel, filho de Sealtiel, e Jesua, filho de Jozadaque, começaram a reconstruir a casa de Deus em Jerusalém, e os profetas de Deus estavam com eles, apoiando-os. [3]Nesse tempo, Tatenai, o governador de além-rio, Setar-Bozenai e seus associados foram até eles e lhes disseram: "Quem lhes deu ordem para reconstruir essa casa e completar este muro?" [4]Então, eles lhes disseram: "Quais são os nomes dos homens que estão construindo esse edifício?" [5]Mas o olho de Deus estava sobre os anciãos judaítas, e eles não os pararam enquanto um relato não fosse enviado a Dario e, então, uma carta não voltasse sobre isso.

Eu não estaria escrevendo esta série *O Antigo Testamento para todos* não fosse por um desenvolvimento político na Grã-Bretanha, após a Segunda Guerra Mundial. Na minha cidade natal, o conselho municipal, então controlado por socialistas, decidiu trabalhar por oportunidades iguais para crianças da classe trabalhadora e compraram vagas na principal escola privada da cidade que seriam destinadas a elas; essa ação resultou no ingresso de muitos desses alunos em Oxford e Cambridge todos os anos. Eu recebi uma dessas vagas. Ninguém em minha família havia sequer permanecido na escola depois dos catorze anos, muito menos entrado na faculdade. Eis como aprendi latim, grego e, depois, o idioma hebraico, já na universidade. Caso eu tivesse nascido alguns anos antes ou mais tarde (quando outra mudança de governo levou ao término do programa), isso jamais teria acontecido. (Ou, o leitor pode especular, Deus teria me tornado um teólogo de alguma outra forma.) Claro que eu tive que fazer a minha parte com a oportunidade que me foi dada.

Os **judaítas** na **Babilônia** tiveram a oportunidade de mudar da sua cidade natal para reconstruir o templo em Jerusalém por causa de um desenvolvimento político, trazido por Deus em cumprimento a uma profecia de Jeremias: a ascensão dos **persas** no Oriente Médio. No entanto, os judaítas precisavam aproveitar bem aquela oportunidade, mas interromperam o trabalho no templo por causa de um movimento político — a oposição de outros povos da região —, embora a responsabilidade de ceder às pressões fosse dos judaítas. Quinze anos mais tarde, a ascensão de Dario, o Grande, ao trono da Pérsia propicia um contexto mais favorável para a retomada da reconstrução.

A forma pela qual os capítulos 4 e 5 estão divididos tende a confundir a lógica do livro nesse ponto. O trecho principal do capítulo 4 revisitou os altos e baixos na relação de Judá e Samaria ao longo de meio século ou mais e como isso afetou as tentativas de reconstrução da cidade de Jerusalém, além de seu templo. O último versículo do capítulo 4, então, retoma a história sobre a restauração do templo. Foi ainda durante o reinado de Ciro que o projeto de restauração foi iniciado e, então, interrompido. Ciro foi sucedido por Cambises, o seu filho, que morreu, após sete anos, em circunstâncias misteriosas. A identidade de Esmérdis, o seu sucessor, também é envolta em mistério, mas sabe-se que ele foi assassinado e sucedido por um de seus executores, que se tornou conhecido como Dario, o Grande. Tratou-se, portanto, de um período de desordem no Império Persa que permitiu a povos como os judaítas certa margem para fazer o que desejassem, no conhecimento de que, se mantivessem um comportamento discreto, os persas estariam ocupados demais para se preocuparem com eles.

Dessa forma, a situação política deu aos judaítas essa oportunidade, mas não teria havido a retomada do trabalho no templo, caso não tivessem aproveitado essa abertura. O fator-chave para a ação deles, então, foi a insistência de dois profetas, cujas palavras reais aparecem em outras passagens do Antigo Testamento, nos livros intitulados com os seus nomes. Há um aspecto complementar interessante quanto às suas mensagens. Ageu é mais disciplinador, enquanto Zacarias é mais incentivador. Existe uma ambiguidade positiva sobre a profecia que os dois profetas transmitem *aos* judaítas, porque aquela palavra, com frequência, significa "contra", pois a tarefa regular dos profetas é confrontar o seu povo (mesmo quando eles trazem boas-novas, porque, normalmente, fazem isso quando o povo não acredita mais que pode haver boas novas). Os dois profetas pregam tanto "para" quanto "contra"; as pessoas têm de decidir como ouvirão o que eles dizem. E ambos, a vara (disciplina) e a cenoura (incentivo), eram meios usados pelos profetas para apoiar o povo na reconstrução do templo.

O livro de Ageu revela que há mais do que uma ação política por trás da negligência em relação ao trabalho no templo. A situação econômica é severa; as pessoas têm sido capazes de restaurar as suas próprias casas, mas adiam constantemente a ação na casa de Deus, e isso sugere algo errado em suas prioridades. Certa vez, um profeta precisou dizer a Davi que Deus não estava entusiasmado por seu desejo de edificar um templo; agora, um profeta precisa advertir o povo de que eles estão em apuros com Deus por não desejarem fazer isso. Por outro lado, a julgar pelo espaço ocupado pelas visões de Zacarias em seu livro, talvez também seja importante que Deus invista mais tempo no encorajamento aos judaítas sobre o projeto de reconstrução do templo do que no uso da vara por meio das exortações de Ageu. "Vocês podem fazer isso" é a mensagem divina por intermédio de Zacarias – não por possuírem uma capacidade natural, mas "pelo meu espírito" (Zacarias 4:6). O livro de Esdras estabelece um ponto similar, porém de outra forma: "no **nome** do Deus de Israel, que estava sobre eles". Não está claro se isso se aplica apenas aos dois profetas ou ao povo, como um todo, mas o efeito é o mesmo. O nome de Deus estar sobre você significa que você pertence a ele. Isso lhe impõe uma obrigação; igualmente, implica a certeza de proteção e de provisão. Quando Tatenai e companhia perguntam pelos nomes dos construtores, isso reflete como, no que se refere a eles, a reconstrução é um projeto humano. O autor do livro sabe que o que importa é o fato de o nome de Deus estar sobre o trabalho; assim, é um projeto divino.

Não obstante, uma vez mais, nada é direto. Novamente, não fica claro que a política irá trabalhar a favor da comunidade. Um registro babilônico cita Tatenai como governador da província de além-rio (oeste do Eufrates) nos dias de Dario. (Em Esdras 6, o próprio Tatenai irá se referir a alguém mais, provavelmente Zorobabel, como o governador dos judaítas, mas essa referência denota um nível de autoridade inferior; o governador de Jerusalém está subordinado a um governador com maior autoridade, tal como Tatenai, do mesmo modo que Tatenai estava subordinado a uma autoridade superior.) Isso significa que Tatenai não era uma pessoa local, como Reum, e que ele não representa os interesses de Samaria sobre e contra os de Judá. Sua indagação sobre o que os judaítas estão fazendo está aberta a descobrir que não há nenhuma ilegalidade quanto à obra. Assim, a providência divina segue fazendo a política favorecer os judaítas, pois eles recebem permissão para prosseguirem com o trabalho de reconstrução durante a investigação.

Não apenas o nome de Deus estava sobre eles; o olho de Deus também (v. 5). Zacarias 4:10 fala sobre os olhos de Deus sondarem toda a terra. Deus mantém o olhar sobre tudo, como dizem, não num sentido ameaçador, mas num sentido de reafirmação e de conforto. Tatenai e companhia são responsáveis, diante do governador, por manterem um olho sobre os eventos em Judá e, na passagem em questão, estão apenas cumprindo o seu dever. Alguém mais, todavia, mantém o olho sobre Judá.

ESDRAS **5:6-17**
A HISTÓRIA TODA

[6]Uma cópia da carta que Tatenai, governador de além-rio, e Setar-Bozenai e seus associados, os oficiais de além rio, enviaram ao rei Dario. [7]Eles enviaram uma mensagem a ele, e nela estava escrito o seguinte: "Ao rei Dario, todos os bons votos. [8]Seja conhecido ao rei que fomos à província de Judá, à casa do grande Deus. Ela está sendo construída com pedra lavrada, e madeira está sendo usada nas paredes. Essa obra está sendo feita diligentemente e está progredindo nas mãos deles. [9]Então, perguntamos a esses anciãos, como segue. Dissemos-lhes: 'Quem lhes deu ordem para reconstruir esta casa e completar este muro?' [10]Também perguntamos os seus nomes para torná-los conhecidos a ti, para que pudéssemos escrever o nome dos homens que estavam à frente deles. [11]Eles nos responderam desta forma: 'Somos servos do Deus dos céus e da terra. Estamos reconstruindo a casa que foi construída muitos anos antes dessa, quando um grande rei

de Israel a construiu e a completou. [12]Mas, porque nossos ancestrais irritaram o Deus dos céus, ele os entregou nas mãos de Nabucodonosor, o caldeu, rei da Babilônia. Ele destruiu esta casa e exilou o povo na Babilônia. [13]Contudo, no primeiro ano de Ciro, rei da Babilônia, o rei Ciro deu uma ordem para reconstruir esta casa de Deus. [14]Os utensílios da casa de Deus, ouro e prata, os quais Nabucodonosor retirou do palácio em Jerusalém e levou para o palácio na Babilônia, o rei Ciro também retirou do palácio da Babilônia e os entregou a alguém chamado Sesbazar, a quem ele designou governador'. [15]Ele lhe disse: 'Toma estes utensílios, vá e os deposite no palácio em Jerusalém. A casa de Deus deve ser reconstruída em seu lugar.' [16]Esse Sesbazar, então, veio. Ele deu início à reconstrução da casa de Deus, em Jerusalém, e a partir de então, até agora, ela tem sido reconstruída, mas não está terminada. [17]Agora, se for do agrado do rei, deve ser feita uma pesquisa na tesouraria do rei, na Babilônia, para ver se uma ordem foi dada pelo rei Ciro para a reconstrução desta casa de Deus, em Jerusalém. E que o rei nos envie a sua decisão sobre isso."

Certo amigo meu, viúvo, conheceu uma mulher que vivia sozinha há muitos anos e se apaixonou por ela. Sei, por experiência, que existem aspectos complexos no romance quando você está na meia-idade ou é mais velho (p. ex., em vez de buscar a aprovação dos pais, é preciso obter a aprovação dos filhos). Ele me contou que, no caso deles, ambos sabiam que o aspecto mais intrincado do desenvolvimento daquela relação era a necessidade de um contar ao outro toda a história de sua respectiva vida. O dilema é que havia aspectos na vida de cada um pelos quais eles sentiam uma profunda culpa. Meu amigo teve um caso extraconjugal que acredita não ter chegado ao conhecimento de sua esposa, mas outras pessoas sabiam, de modo que ele não tinha certeza se a verdade veio à tona; seja como for, agora ele sabia que essa nova relação precisava estar fundamentada na verdade e na transparência. Seu novo amor havia se envolvido com drogas anos antes e fizera coisas das quais se envergonhava muito, portanto ela não estava certa se o meu amigo ainda estaria interessado nela após conhecer toda a sua história. No entanto, ela sabia que precisava contar. (No fim, tudo acabou bem.)

Em Esdras e Neemias, os **judaítas** são corajosos em contar toda a sua história uns aos outros, a Deus, a nós, que lemos o livro, e, nesse caso, às autoridades **persas**. Uma vez mais, reconhecidamente, faz sentido presumir que os versículos 7-17 não apresentam a transcrição literal de uma carta enviada pelas autoridades provinciais ao imperador. O ensino teológico, presente na carta, não parece a classe de coisas que estariam em uma carta de um governador provincial ao seu superior. A carta expressa o que os judaítas precisavam reconhecer para si mesmos, na época, e o que os leitores judaítas do livro também deviam reconhecer. Todavia, isso não faz diferença quanto ao significado da carta; na verdade, dá mais ênfase às suas afirmações de fé e à sua disposição de contar toda a história.

O trecho vergonhoso do relato é que a necessidade de reconstruir o templo resultou da ira que os judaítas provocaram em Deus. Isso corrobora a declaração colocada nos lábios de Reum e companhia, em Esdras 4; isto é, que Jerusalém era uma cidade rebelde e perversa. O livro de Esdras jamais permite que os seus leitores evitem os fatos sobre a sua própria história. Eles sabem que não poderiam reclamar caso Deus os lançasse fora ou se as autoridades persas os proibissem de fazer o que desejavam para a glória de Deus. Não há desculpa, pois ofenderam tanto Deus quanto as autoridades imperiais. E, se eles ainda possuem capacidade de realizar algo, isso se deve à graça de Deus e das autoridades. Contar toda a história requer uma classe estranha de confiança em Deus, a certeza de que ele já conhece toda a história e que não há tanto a necessidade quanto a possibilidade de omitir algo dele; e, se Deus já sabe de tudo, que perigo há em outras pessoas a conhecerem?

Além de indicar que eles revelaram toda a história sobre si mesmos, a carta a Dario indica que eles contaram toda a história sobre Deus, "o grande Deus", "do Deus dos céus e da terra". A segunda expressão explica a primeira. Os livros de Esdras e Neemias são mais reticentes quanto ao uso do **nome** de Deus, ***Yahweh***, do que os livros anteriores, pelo menos quando falam a estrangeiros ou descrevem a fala dos estrangeiros. Os dois livros são mais propensos a usar descrições de Deus como as citadas aqui, para mostrar que o Deus deles não é uma simples divindade provincial, que não pode ser comparado a uma divindade superior como o deus da **Babilônia** ou da Pérsia. Os judaítas afirmam a destemida reivindicação de que o Deus desse insignificante povo provincial é, na realidade, o grande Deus, o Deus dos céus e da terra, o Deus cuja vontade é feita nos céus (não há outros deuses que rivalizam com a sua autoridade celestial), e que, portanto, também é cumprida na terra (não há imperadores humanos capazes de frustrar a sua vontade aqui). Eles são ousados o suficiente para colocar essas declarações nos lábios de seus superiores provinciais e, assim, transmiti-las ao próprio imperador.

A história implica que a afirmação de *Yahweh* como o Deus dos céus e da terra é comprovada pelo extraordinário fato de o grande Ciro emitir esse decreto e devolver os utensílios do templo. A mão de Deus pode operar de maneiras inimagináveis.

ESDRAS 6:1–15
ÀS VEZES, FICAMOS PERPLEXOS

[1]Então, uma ordem foi dada pelo rei Dario, e eles pesquisaram no prédio de documentos no qual os tesouros eram mantidos na Babilônia, [2]mas um rolo foi encontrado na fortaleza de Ecbatana, na província da Média. Nele estava escrito o seguinte: "Memorando. [3]No primeiro ano do rei Ciro, o rei Ciro emitiu uma ordem: 'A casa de Deus, em Jerusalém. A casa deve ser reconstruída, um lugar no qual as pessoas oferecerão sacrifícios, com suas fundações firmadas, sua altura de sessenta côvados [trinta jardas ou metros], sua largura de sessenta côvados, [4]três carreiras de pedras lavradas e uma carreira de madeira nova. O custo será pago pela casa do rei. [5]Igualmente, os utensílios da casa de Deus, ouro e prata, os quais Nabucodonosor retirou do palácio em Jerusalém e levou para a Babilônia, devem ser devolvidos, e [cada um] deve ir para o palácio em Jerusalém, para o seu lugar. Vocês devem depositá-los na casa de Deus.'"

[6]"Agora, Tatenai, governador de além-rio; Setar-Bozenai e seus associados, oficiais da província de além-rio, se afastem de lá. [7]Deixem o trabalho nessa casa de Deus em paz. O governador dos judaítas e os anciãos dos judaítas devem reconstruir essa casa de Deus em seu lugar, [8]e uma ordem é dada por mim sobre o que vocês devem fazer com esses anciãos dos judaítas para reconstruírem essa casa de Deus. O custo deve ser pago integralmente a esses homens com os recursos do rei, dos tributos de além-rio, para que [eles] não parem. [9]Qualquer que seja a necessidade — novilhos, carneiros e cordeiros para as ofertas queimadas ao Deus dos céus, trigo, sal, vinho e azeite, de acordo com a palavra dos sacerdotes em Jerusalém —, que lhe seja provida, dia a dia, sem falhar, [10]para que eles apresentem sacrifícios agradáveis ao Deus dos céus e orem pela vida do rei e de seus filhos. [11]E uma ordem é dada por mim para que, qualquer um que desafie essa mensagem, um pedaço

de madeira seja removido de sua casa e ele seja levantado e espancado sobre ela, e sua casa seja confiscada por isso. [12]E que Deus, que estabeleceu o seu nome ali, derrube qualquer rei ou povo que estenda a sua mão para desafiar [isso], para danificar essa casa de Deus em Jerusalém. Eu, Dario, emiti este decreto. Ele deve ser posto em prática integralmente."

[13]Então, em concordância com o que o rei Dario enviou, Tatenai, governador de além- rio, Setar-Bozenai e seus associados colocaram isso em prática plenamente. [14]Os anciãos dos judaítas construíram e fizeram progressos por meio da profecia de Ageu, o profeta, e de Zacarias, filho de Ido. Assim, eles reconstruíram e terminaram pela ordem do Deus de Israel e pela ordem de Ciro, Dario e Artaxerxes, rei da Pérsia. [15]Essa casa foi completada no terceiro dia do mês de adar; isso ocorreu no sexto ano do reinado do rei Dario.

Caso você seja um cristão que vive no Líbano, Iraque, Israel, Egito ou Irã, é possível que tema por seu futuro. Você sabe que é considerado um cidadão de segunda classe; nesses países, inúmeras pessoas perdem a vida pelo simples fato de serem cristãs. Se for um cristão na Jordânia, provavelmente viverá mais relaxado. Embora a população cristã do país seja proporcionalmente menor do que era cinquenta anos atrás, a comunidade cristã permanece sendo uma parcela aceitável do contingente nacional. Aparentemente, a figura-chave a encorajar a continuidade desse estado de coisas é o próprio rei da Jordânia, Abdullah II. Ainda que os cristãos vivam sob a lei islâmica, a exemplo dos demais, naquele país essa lei é administrada de uma forma que os cristãos podem conviver. Há uma espécie de complemento à ideia de que devemos dar a César o que é de César, e a Deus o que é de Deus. Igualmente, é dever de César entregar a Deus o que é de Deus. Quando os governantes provam ser pessoas que não são uma ameaça àqueles que agem com correção, mas que usam de severidade contra os que agem mal, eles estão cumprindo o seu dever diante de Deus, estejam cientes disso ou não; e, mesmo se agirem em prol de seus próprios interesses, estão cumprindo a sua vocação. Quando o Novo Testamento conclama as congregações a intercederem pelos reis e por aqueles revestidos de autoridade para que sejamos capacitados a viver de modo santo e pacífico, também somos incentivados a orar para que os governantes cumpram a vocação deles.

Dario faz isso, do mesmo modo que Tatenai e seus colegas. **Judá** é, com efeito, uma colônia **persa**, e outras passagens de Esdras-Neemias deixam claro que os judaítas, a exemplo de qualquer povo colonial, preferiam ter a sua liberdade em vez de serem governados pelos persas. Mas Paulo comenta, em Romanos 13, sobre as possibilidades benéficas do governo imperial provar a sua verdade aos judaítas. Em Jerusalém e outros lugares, como é o caso no Ocidente, as comunidades cristãs, com frequência, não se envolvem umas com as outras, e há um equivalente na história de Esdras 1—6, na tensão entre as comunidades que reconhecem ***Yahweh*** em Jerusalém e em Samaria. No entanto, não existe uma tensão real entre a comunidade de Jerusalém e as autoridades persas. Tatenai, como governador de toda a província do oeste do Eufrates, está fazendo o seu trabalho ao investigar o que está ocorrendo em Jerusalém e reportar a Dario; ele não tenta interromper a obra enquanto envia o seu relatório e aguarda a resposta. Não seria surpresa caso isso fizesse os judaítas redobrarem os seus esforços para avançar ainda mais na obra.

Por seu turno, Dario atesta a verdade sobre a alegação dos judaítas quanto à autorização de Ciro e o apoio ao trabalho no templo (repetindo, a palavra "palácio" refere-se à habitação real de Deus na terra), e não apenas confirma isso, mas aumenta o nível de apoio imperial para a obra. Os judaítas devem ter esfregado os olhos em descrença ao receberem a resposta do rei. Além de não parar a obra, o imperador pagará os custos da reconstrução. No relato sobre o decreto de Ciro, no início de Esdras, não há referência ao pagamento do imperador pelos custos da obra; ou seja, a decisão de Dario constitui boas-novas para a comunidade judaíta, que imaginou ter de levantar os próprios recursos (a crítica à procrastinação deles, em Ageu 1, pode ser coerente com essa possibilidade)? Afinal, precisamos ser realistas, não? Será que, convenientemente, os administradores coloniais se esqueceram desse pormenor no edito de Ciro? Não há problema no fato de a administração transmitir uma decisão sobre alguma nova política, mas o que a comissão de planejamento tem a dizer sobre a origem dos recursos necessários? Dario sabe que é preciso ter uma resposta a essa questão e a fornece. Seria normal esperar de Tatenai que ele assegurasse que os impostos pagos pelas colônias chegassem à administração imperial; além de não interromper a obra, agora ele é instruído a reciclar as taxas imperiais para a obra de reconstrução. Sim, os judaítas devem estar esfregando os olhos sem acreditar. Como poderiam imaginar que Deus operaria algo tão estupendo? Ninguém gosta de pagar impostos, mas e quando é possível vê-los retornando a você dessa forma?

A inovação adicional de Dario é para que uma subvenção imperial complementar cubra o custo dos animais e outras exigências para as ofertas no templo. Os olhos dos judaítas arregalam-se ainda mais de espanto. A justificativa para a ação de Dario, na verdade, nos ajuda a deduzir, pelo menos em parte, a lógica no edito original de Ciro. Os sacrifícios são, entre outras coisas, acompanhados por oração, e Dario sabe que precisa de toda oração que puder obter. Vale a pena apoiar pessoas que orarão por ele. Pode haver menos sabedoria nas ameaças que ele faz às pessoas que tentam frustrar as suas intenções, ou, talvez, hoje pensemos dessa forma por sermos fracos e/ou estarmos em negação pela maneira com que somos protegidos das ameaças de violência por parte de quem deveria nos proteger, ou seja, a polícia. Quando você detém autoridade, como um presidente ou rei, é preciso viver no mundo real.

Assim, a obra de reconstrução do templo é concluída pela ordem de Deus e pela ordem das autoridades imperiais. A história dos judaítas ilustra como não é preciso haver conflitos entre essas duas ordens. Agora, Esdras 4 já nos antecipou outra história sobre um período posterior, quando as coisas não funcionaram dessa maneira. Nesse caso, uma ordem imperial interrompeu a obra de reconstrução da cidade. Nesses contextos posteriores, havia pessoas em Judá que precisavam enxergar a possibilidade de a ordem divina e a ordem imperial trabalharem juntas em vez de atuarem em direções opostas, uma visão que lhes desse esperança e instruísse a oração deles, uma fé que estivesse além da imaginação humana. As comunidades cristãs em muitos países ao redor do mundo necessitam da mesma visão, a fim de receberem esperança e instrução para a oração, e seus companheiros de fé precisam dessa visão enquanto oram em favor deles, por aquilo que *sabemos* ser impossível.

ESDRAS **6:16-22**
CELEBRAÇÃO JUBILOSA

[16]Os israelitas, os sacerdotes, os levitas e o restante dos exilados realizaram a dedicação da casa de Deus com celebração. [17]Para a dedicação dessa casa de Deus, apresentaram cem touros,

duzentos carneiros, quatrocentos cordeiros e doze bodes, como oferta de purificação por todo o Israel, de acordo com o número de clãs de Israel. [18]Eles estabeleceram os sacerdotes em suas divisões e os levitas em seus grupos para o serviço de Deus em Jerusalém, de acordo com o que está escrito no livro de Moisés. [19]Os exilados realizaram a Páscoa no décimo quarto dia do primeiro mês, [20]porque os sacerdotes tinham purificado a si mesmos, e os levitas estavam totalmente puros, todos eles. Eles sacrificaram a Páscoa [a oferta] por todos os exilados, por seus sacerdotes irmãos e por si mesmos. [21]Os israelitas que tinham retornado do exílio, e todos os que tinham se separado da corrupção da nação na terra para unirem-se a eles na busca a *Yahweh*, o Deus de Israel, comeram. [22]Realizaram o Festival dos Pães Asmos durante sete dias com celebração, porque *Yahweh* os fez celebrar quando ele inclinou a mente do rei da Assíria em favor deles, para apoiá-los no trabalho da casa de Deus, o Deus de Israel.

O casal ao qual me referi em meus comentários sobre Esdras 5:6-17 diz, com frequência, que não consegue acreditar na experiência maravilhosa que lhe aconteceu. O homem jamais imaginou encontrar um novo amor, anos após o falecimento de sua esposa. A mulher expressa a sua admiração com mais intensidade ainda, por ela viver por sua conta durante vários anos e saber que, estatisticamente, a probabilidade de encontrar alguém era mínima. Pelo menos, era significativo o fato de ter saído com homens, de tempos em tempos, sem jamais imaginar ter um compromisso mais sério com um deles. E, então, aconteceu, quando ela não estava à procura de ninguém. Ela conheceu esse homem e logo soube que desejaria passar o resto de sua vida ao lado dele; e, miraculosamente, ele sentiu o mesmo sobre ela. A realização do impossível por parte de Deus mostrou que ela havia se acomodado a uma vida que parecia boa o suficiente (particularmente, à luz de seus erros do passado), mas tristemente inadequada para a visão que Deus tinha para ela. A celebração em seus corações, de seus amigos e de suas famílias era um deleite compartilhado por todos.

A dedicação do templo suscitou sentimentos desse naipe na comunidade **judaíta**. O salmo 90 pode nos ajudar a compartilhar deles. O texto diz que o povo fora consumido pela ira de Deus e que essa ira, como mostrou a carta de Tatenai em Esdras 5, era reconhecida por eles. Os judaítas sabiam ser merecedores daquela ira divina e, assim, viveram debaixo dela com dificuldades e tristeza por setenta anos ou, talvez, oitenta anos, o salmo especula.

Os exilados que retornaram sabem, agora, que o exílio chegou ao fim e eles voltaram. O tempo da ira acabou. O salmo 30, por sua vez, estabelece esse ponto. O subtítulo do salmo sugere que ele foi usado para a dedicação do templo, embora o próprio salmista se expresse como um indivíduo que, certa feita, sentiu-se seguro como recipiente do favor de Deus e, então, viu sua vida colapsar e parecer ter descido às profundezas do reino da morte. Deus, no entanto, não o deixou lá. Isso provou que a ira de Deus dura apenas um momento, mas o seu favor dura a vida toda (não nos parece assim quando estamos sob a ira divina, mas a experiência da libertação de Deus coloca a experiência da tribulação na perspectiva correta). O pranto pode durar uma noite, mas o júbilo vem pela manhã. Deus não permitiu que os inimigos do salmista se regozijassem sobre ele, mas transformou o seu pranto em dança, removeu os trajes de lamento que ele vestia e colocou nele vestes de alegria.

Esse seria o testemunho da comunidade que retornou do exílio, perplexa, uma vez mais, diante da maravilha operada por Deus que possibilitou a reconstrução do templo. Houve celebração, certamente, ainda que esse novo ato de dedicação tenha sido menos esplêndido que o original, descrito em 1Reis 8. A quantidade de animais sacrificados pode parecer grandiosa, mas o relato da primeira dedicação menciona 22 mil bois e 120 mil ovelhas. Além disso, não há menção aqui a uma nuvem que representa o esplendor de Deus encher o templo, como ocorreu na história anterior. Todavia, não há nenhuma indicação de que a comunidade está desapontada pelo evento que celebra ou sente que essa segunda dedicação seja menos importante que a primeira. A comunidade está, na verdade, perplexa pela graça de Deus. Em que pese não haver nuvem, a história implica que as pessoas sabiam que Deus estava presente ali para ser adorado e buscado por eles. Ciro é o herdeiro do antigo Império **Assírio** que, outrora, foi o agente da ira divina, de modo que, agora, é como se Deus estivesse usando os assírios como meio de exercer a sua misericórdia.

Outra característica distinta desse festival de dedicação é que ele envolve uma oferta de purificação, que não foi mencionada em relação à primeira dedicação. As pessoas que celebram estão contaminadas porque elas ou os seus ancestrais se envolveram no culto a outras divindades, razão pela qual foram levadas ao exílio. Estão impuras porque têm vivido lado a lado com estrangeiros que adoram outros deuses ou porque elas mesmas os cultuaram. Ao entrarem no santuário, essa comunidade corria o risco de contaminar, de corromper, o templo, impossibilitando a presença de Deus ali. Assim, a comunidade precisa de purificação. A possibilidade de apresentarem ofertas para efetivar essa purificação é outra demonstração do favor e da bondade de Deus, que deseja, uma vez mais, vir e habitar no meio de seu povo. Essa purificação requer a graça e a misericórdia de Deus, que provê os meios de limpeza; isso também demanda a recepção e a submissão das pessoas que realizam a oferta.

Toda a comunidade se uniu na celebração, e a narrativa enfatiza que, em algum sentido, isso significou todo o Israel. Por sua purificação, doze bodes foram oferecidos, o número que corresponde aos clãs israelitas (prefiro o termo "clãs" em vez de "tribos" porque o primeiro reflete o fato de todos eles pertencerem a uma mesma família). Trata-se de uma expressão particularmente concreta da convicção e da reivindicação de que essa comunidade representa todo o Israel. Esdras 4 descreveu, de modo mais realista, o povo envolvido na reconstrução como "Judá e Benjamim", os clãs que pertenciam ao antigo reino do Sul. No entanto, há entre eles algumas pessoas oriundas dos clãs do norte, que migraram para o sul por diferentes motivos, de modo que não é incorreto considerar a comunidade judaíta como representante dos doze clãs, além de ser teologicamente relevante. A comunidade em torno do templo realmente representa a fidelidade de Deus a Israel na sua totalidade. A questão segue sendo importante para a comunidade judaica no século XXI, cuja descendência física remonta à comunidade de pessoas que viveu em Judá após o exílio, ou a pessoas que constituíram a dispersão original.

O trabalho de reconstrução foi concluído no início do mês de adar, o último mês do ano. Convenientemente, isso significa que a dedicação do templo logo levou à celebração da Páscoa, algumas semanas mais tarde. A Páscoa é celebrada no início do ano, conforme essa forma de contar, seguida pelo Festival dos Pães Asmos. Os dois eventos celebram o êxodo do Egito; o Festival dos Pães Asmos (pão feito sem fermento), igualmente, marca o início da colheita de cevada. A comunidade reunida para a celebração dos dois festivais incluía todos os que tinham "se separado da corrupção da nação na terra", além daqueles que haviam retornado do exílio.

Quem são esses indivíduos? Eles incluem os que não são israelitas por nascimento — os quais, mais tarde, seriam chamados de prosélitos. A **Torá** explicita que estrangeiros podem participar da celebração da Páscoa caso eles estejam dispostos a se unir a Israel, o que envolve a circuncisão dos homens. Esses estrangeiros incluirão os que vieram de fora para residir em Judá por causa de alguma crise em sua terra natal que os obrigou a migrarem dessa forma. Igualmente, incluem pessoas que vivem no território de **Efraim**, samaritanos que professam o culto a ***Yahweh*** (que, agora, são aceitos na adoração do templo de uma forma que não foram quando quiseram participar da reconstrução) e estrangeiros residentes de descendência israelita que originariamente vieram daquela região. Ainda, o comentário oferece outro indício do reconhecimento da presença de um importante grupo de judaítas que não foi levado ao exílio.

Até aqui, o livro indicou que os construtores do templo estavam com medo "dos povos dos países vizinhos" e que o "povo do país" estava enfraquecendo os esforços para a reconstrução do templo, pelo menos subornando as autoridades para interromperem a obra. Isso também sugere que os construtores do templo podem ter feito uma vara para as suas próprias costas por sua posição intransigente em relação a esses outros judaítas. O princípio teológico por trás dessa atitude era evitar a contaminação do templo, algo crucial; assim, eles estavam preocupados com o risco representado pela presença desses judaítas, do mesmo modo que os estrangeiros. Mas a narrativa sobre a reconstrução do templo indica que eles reconheceram a necessidade de correr esse risco em seus relacionamentos com essas pessoas, enquanto consideravam a possibilidade de outros judaítas, além de forasteiros e pessoas do norte, participar das celebrações. A questão-chave é se conseguirão evitar que essas pessoas levem contaminação ao santuário, pois isso significaria um grande desastre.

A abertura da comunidade em relação a esses outros judaítas desconstrói qualquer antítese aguçada sobre quem constitui o verdadeiro povo de Deus. Sejam exilados ou pessoas que jamais foram ao exílio, a questão é se estarão abertos à purificação. Você pode vir do grupo que julga ser o correto, mas isso não lhe trará benefício algum se estiver em estado de impureza. Inversamente, as outras pessoas podem vir do grupo que você julga ser errado, mas elas se tornam aceitáveis a Deus caso se submetam à purificação de Deus. Os participantes da Páscoa podiam incluir exilados, pessoas que não foram levadas ao exílio, samaritanos ou estrangeiros; a única questão era: são pessoas comprometidas em fazer de *Yahweh* o único a quem elas "buscam" — o único a quem consultam por direção e por respostas às suas orações — e elas se submeteram à purificação de qualquer impureza que as afetassem?

ESDRAS 7:1-10
ENTRA O SACERDOTE-TEÓLOGO

[1]Após essas coisas, no reinado de Artaxerxes, rei da Pérsia, Esdras, filho de Seraías, filho de Azarias, filho de Hilquias, [2]filho de Salum, filho de Zadoque, filho de Aitube, [3]filho de Amarias, filho de Azarias, filho de Meraiote, [4]filho de Zeraías, filho de Uzi, filho de Buqui, [5]filho de Abisua, filho de Fineias, filho de Eleazar, filho de Arão, o sumo sacerdote — [6]aquele Esdras que subiu da Babilônia. Ele era um estudioso especialista no ensino de Moisés, o qual *Yahweh*, o Deus de Israel, tinha dado. O rei lhe concedeu todos os seus pedidos, de acordo com a mão de *Yahweh*, seu Deus, sobre ele. [7]Assim, alguns israelitas,

alguns sacerdotes, levitas, cantores, porteiros e assistentes subiram para Jerusalém, no sétimo ano do rei Artaxerxes.

[8]Ele chegou em Jerusalém no quinto mês (esse era o sétimo ano do rei), [9]porque o início da jornada, na Babilônia, ocorreu no primeiro dia do primeiro mês, e ele chegou a Jerusalém no primeiro dia do quinto mês, de acordo com a boa mão de seu Deus sobre ele, [10]porque Esdras havia dedicado sua mente a estudar o ensino de *Yahweh* e a observar e ensinar o estatuto e a regra em Israel.

Ontem, conversei com um arquiteto sobre a construção de igrejas, e discutimos sobre uma das questões básicas que envolvem esse tipo de projeto. Duas atividades centrais em uma igreja são a celebração da ceia do Senhor, ou santa comunhão, e o batismo, além da leitura e a exposição da Escritura na pregação. Ambas, celebração e exposição, são cruciais, mas é difícil expressá-las no projeto de um espaço para adoração. Trata-se de uma questão importante, pois a concepção do espaço tanto expressa quanto encoraja uma compreensão particular de fé na congregação. Muitas igrejas antigas são longas e estreitas, enquanto inúmeras igrejas modernas são similares a auditórios destinados a concertos, e isso constitui uma indicação reveladora de uma compreensão de fé no tocante à natureza da igreja e da adoração.

Um dos pontos fortes de Esdras é que ele tanto é um sacerdote quanto um professor. O relato da reconstrução do templo tem enfatizado a atividade dos sacerdotes na liderança de sua adoração; os sacerdotes desempenhavam um papel-chave na realização dos sacrifícios, e, no desenrolar da descrição do papel de Esdras, esse aspecto da adoração assumirá uma posição de destaque. A abertura de sua história sublinha suas credenciais sacerdotais. Ele pertence a uma linhagem que remonta a Arão, por meio de uma série de sacerdotes seniores. Isso pode ser importante, já que, presumidamente, ele foi obrigado a negociar ou a abrir o seu caminho junto ao sacerdote sênior e outros sacerdotes que já estavam cumprindo o seu ministério no templo. Todavia, os sacerdotes também tinham um papel no ensino da **Torá**, e Esdras também é um erudito ou teólogo, um perito na Torá e um sucessor tanto de Moisés quanto de Arão.

Os textos apócrifos ou deuterocanônicos contêm inúmeras outras obras que carregam o nome de Esdras. Um deles, comprovadamente escrito após os dias de Jesus, conta uma história sobre uma visão de Esdras. Na visão, a Torá é queimada, provavelmente durante a destruição de Jerusalém, em 70 d.C., mas Deus dita a Torá e o restante das Escrituras (mais setenta outros livros) a Esdras, que utiliza cinco escribas para escrevê-los. É "apenas um conto", mas a ideia é plausível, pois, em seus próprios dias, Esdras esteve associado com o processo pelo qual a Torá, em sua forma final, veio a existir, e, sendo assim, a sua missão a Jerusalém constitui o meio pelo qual esta versão final da Torá veio a ser implementada lá.

Seja qual for o processo pelo qual chegou à sua forma atual, a Torá é claramente descrita tanto como o ensino de Moisés quanto como o ensino de ***Yahweh***. Por um lado, é o ensino transmitido por meio de um agente humano, escrito em linguagem humana. Historicamente, desenvolveu-se durante séculos, desde os tempos de Moisés, passou pela história de **Efraim** e de **Judá**, e pelo exílio, durante o qual podemos imaginar pessoas como os sacerdotes tentando evitar a todo custo que o exílio **babilônico** não significasse a perda das tradições daquele povo, mas que também não permanecessem fossilizadas. O exílio ocorreu porque Judá não guardou o ensino de Moisés, esquecendo-se, intencionalmente, de suas exigências-chave; os judaítas não cultuaram apenas *Yahweh*, não repudiaram a adoração por meio de imagens, não evitaram vincular o **nome** de *Yahweh* a coisas alheias a ele.

Indivíduos como Esdras sabiam que não poderia haver futuro, a não ser que eles se comprometessem a viver conforme o ensino de Moisés. Embora não pudessem ter certeza de que *Yahweh* ainda desejaria ter algo a ver com eles novamente, os judaítas estavam certos de que nem haveria essa esperança caso não houvesse esse compromisso. Tudo o que podiam fazer era lançar-se à misericórdia de Deus. O compromisso de viver pelo ensino de Moisés, no futuro, era um sinal de que eles, genuinamente, depositavam as suas esperanças na misericórdia divina. Isso significava reafirmar as suas tradições, mas também descobrir como suas tradições precisavam ser reformuladas, a fim de haver alguma fundamentação em uma situação inusitada. Nessa visão muito posterior, na qual a Torá é queimada e perdida, Esdras ora pedindo a Deus que lhe envie o Espírito Santo para ele ser o meio de restaurar a Torá a Israel. Na Babilônia, o Espírito Santo esteve ativo ao inspirar os judaítas a preservar a Torá e a perceber como ela precisava ser reformulada com vistas ao futuro.

Em outras palavras, além de ser o ensino de Moisés (de Esdras e de tantos outros cujos nomes desconhecemos), a Torá que Esdras traz é o ensino de *Yahweh*, a dádiva graciosa pela qual Deus possibilita à comunidade os meios de ela mostrar que, dessa vez, está realmente comprometida com Deus. E, de fato, isso é confirmado. Após os dias de Esdras, os judaítas se tornaram um povo que cultuava somente *Yahweh*, que abdicou da confecção e do uso de imagens, que era cuidadoso com o uso do nome de *Yahweh* e que guardava o sábado. No Novo Testamento, não há qualquer menção aos judeus falhando em guardar essas expectativas básicas do ensino de

Moisés. Esdras tem sido descrito como o pai do judaísmo, e, nesse sentido, essa designação é apropriada.

Um dos elogios mais justos que se pode fazer a ele é dizer que se entregou ao estudo, à observância e ao ensino da Torá. Esdras não foi uma pessoa que estudou apenas por apreciar estudar; o seu estudo o motivou a ensinar. No entanto, ele não foi alguém que estudava e ensinava, mas que, ao fim de seu dia de trabalho, enrolava o seu manuscrito e se esquecia de seu ensino. Ao contrário, Esdras foi alguém que vivia de acordo com o que lia e ensinava. Ele observava a Torá.

O relato sobre a missão de Esdras principia-se nos informando que ela teve início "após essas coisas"; isto é, depois da reconstrução do templo. Pode-se facilmente imaginar que isso ocorreu um ano ou dois após os eventos do capítulo 6. Além do fato de Esdras ter vindo da Babilônia, essa presunção pode contribuir para a ideia de que ele teve algo a ver com o retorno dos judaítas do exílio. Todavia, não foi assim. A reconstrução do templo foi concluída em 516 a.C., mas Artaxerxes ascendeu ao trono da **Pérsia** em 465 a.C., de modo que a data correta do início da missão de Esdras é 458 a.C. (sugere-se, às vezes, que esse Artaxerxes, em cujo reinado Esdras viveu, na realidade era Artaxerxes II, o que torna a data de Esdras 398 a.C., cerca de meio século depois). "Após essas coisas", a aparentemente inofensiva introdução do capítulo obscurece o fato de que o relato avança mais de meio século. Há uma continuidade narrativa: Esdras 1—6 diz respeito à restauração do templo, enquanto Esdras 7—10 discorre sobre a restauração da comunidade. Todavia, Esdras viveu cerca de um século após a queda de Jerusalém e o transporte dos judaítas para o exílio na Babilônia. A mera reconstrução do templo não significava a reconstrução da comunidade. Claro que a edificação da comunidade está em constante desenvolvimento, jamais é concluída; cada geração e cada século precisam enfrentar novos desafios, como veremos na história de Esdras. Pode-se também questionar o motivo pelo qual a família de Esdras não aproveitou as oportunidades anteriores de retorno a Jerusalém. Eles não viviam no exílio, mas na dispersão. O próprio Esdras se tornou insatisfeito com aquela vida. Evidentemente, ele foi tomado de paixão pela Torá e pelo objetivo de vê-la adequadamente implementada em Jerusalém. Mas, repita comigo, "Esdras não teve nada a ver com o retorno do exílio".

ESDRAS **7:11-28**

O QUE DEVEMOS DAR E O QUE DAMOS PORQUE QUEREMOS

[11]Esta é uma cópia da carta que o rei Artaxerxes deu a Esdras, o sacerdote e erudito, letrado nos assuntos sobre os mandamentos e estatutos de *Yahweh* para Israel: [12]"Artaxerxes, rei dos reis, a Esdras, sacerdote e erudito na lei do Deus dos céus (e assim por diante). [13]Eis que uma ordem foi dada por mim para que qualquer um em meu reino, do povo de Israel e de seus sacerdotes e levitas, que voluntariamente se oferecer para ir a Jerusalém com você, possa ir. [14]Porque você é enviado pelo rei e por seus sete conselheiros a inquirir sobre Judá e Jerusalém nos termos da lei de seu Deus, que está em suas mãos, [15]e para levar prata e ouro que o rei e seus conselheiros entregaram como oferta voluntária para o Deus de Israel, cuja habitação está em Jerusalém, [16]e qualquer prata e ouro que você encontrar em toda a província da Babilônia, com a oferta voluntária do povo e dos sacerdotes que eles oferecem voluntariamente para a casa do Deus deles em Jerusalém. [17]Portanto, com esse dinheiro, adquira criteriosamente novilhos, carneiros e cordeiros, e suas ofertas de grãos e ofertas derramadas, e os apresente sobre o altar na casa do seu Deus em Jerusalém. [18]E o que parecer bom a você e aos seus irmãos fazer com o restante da

prata e do ouro, de acordo com a vontade de seu Deus, pode fazer. [19]Os utensílios confiados a você para o serviço da casa do seu Deus, entregue totalmente a Deus em Jerusalém. [20]O restante das necessidades da casa do seu Deus, que cabe a você prover, confie à tesouraria do rei. [21]Eu, rei Artaxerxes – por mim uma ordem é dada a todos os tesoureiros em além-rio, que qualquer coisa que Esdras, o sacerdote e erudito na lei do Deus dos céus, lhes pedir seja integralmente atendido, [22]até cem talentos de prata, cem medidas de trigo, cem medidas de vinho, cem medidas de azeite e sal sem limite prescrito. [23]Qualquer coisa que seja pela ordem do Deus dos céus deve ser plenamente provida para a casa do Deus dos céus, para que a ira não venha sobre o reino do rei e dos seus filhos. [24]E, a vocês, fazemos saber que a todos os sacerdotes, levitas, músicos, porteiros, assistentes e trabalhadores nesta casa de Deus não é permitido impor tributos, impostos e pedágios sobre eles. [25]E você, Esdras, de acordo com a sabedoria do seu Deus, que você possui, designe autoridades e juízes que que julguem todas as pessoas em além-rio, todos os que conhecem as leis do seu Deus, e torne-as conhecidas aos que não as conhecem. [26]Qualquer um que não observar a lei do seu Deus e a lei do rei, o julgamento será feito a ele plenamente, seja pela morte, pelo banimento, pelo confisco de bens ou pela prisão." [27]*Yahweh*, o Deus de nossos ancestrais, seja adorado, pois colocou na mente do rei desta forma para glorificar a casa de *Yahweh* em Jerusalém [28]e estendeu o compromisso a mim diante do rei, de seus conselheiros e de todos os poderosos oficiais do rei. Eu mesmo tomei coragem de acordo com a mão de *Yahweh* sobre mim e reuni os líderes de Israel para subir comigo.

Estou escrevendo no mês de janeiro e preciso arrumar tempo para trabalhar em minha declaração de renda. Uma das consequências disso é que saberei quanto paguei ao leão no ano passado e saberei se ainda "devo" algum valor. Minha suposição, ano após ano, é que eu deveria dar o dízimo — um décimo — do que ganho à minha igreja e a outras causas cristãs e filantrópicas. Isso é apenas o que eu devo fazer de acordo com as expectativas que Deus tem para comigo. Isso é o que "devo"; somente quando vou além do dízimo é que entro na esfera da escolha, na qual eu "escolho" dar. Essa é a diferença entre as obrigações e o que as traduções tradicionais mencionam como "ofertas voluntárias".

Trata-se de uma distinção que já encontramos em Esdras 1 e que reaparece aqui, na carta que expressa a comissão de Artaxerxes a Esdras (trata-se de outra passagem escrita em aramaico, a exemplo de parte do capítulo 4, pois é o idioma natural a ser utilizado pelo imperador). Artaxerxes reconhece que há ofertas prescritas por ***Yahweh*** para o templo em Jerusalém, mas ele faz contribuições além das que seriam necessárias para elas. Isso inclui os utensílios mencionados por ele, que não devem ser os mesmos retirados do templo em Jerusalém, no século anterior (os quais Ciro devolveu), mas novos. Ele antecipa que os **judaítas** em seu império também desejarão dar ofertas que não estão obrigados a dar.

O princípio da voluntariedade é expresso tanto na vida das pessoas quanto em suas ofertas. As pessoas não eram obrigadas a migrar para Jerusalém; era possível ser leal a *Yahweh* na **Babilônia** ou em Susã, em Londres ou em Los Angeles. Qualquer um que migra para Jerusalém está entregando a sua vida, o seu futuro, como oferta voluntária. Essas pessoas sabiam o que conhecemos pela leitura de Esdras e de Neemias, isto é, que as condições em Judá eram difíceis de inúmeras maneiras. Em nossos próprios dias, muitos judeus que "subiram" para a sua antiga terra natal, durante o século passado, conhecem esse fato. Esdras e seus contemporâneos descobrem-se tomados por uma paixão pelo templo, pelo florescimento da comunidade ao redor e pela personificação da **Torá** na vida dos judaítas

A exemplo de Ciro e Dario, Artaxerxes sabe que necessita de todas as orações e do auxílio divino que puder obter como imperador; assim, ele almeja assegurar tudo o que for possível para não fechar as portas para tais bênçãos. Sem dúvida, ele adotou uma posição similar diante das divindades de outros povos a ele subordinados, do mesmo modo que o fez em relação ao Deus de **Israel**, e, repetindo Ciro, tendemos a suspeitar que o rei era cínico em sua atitude e/ou que o seu receio da ira divina refletia uma fé equivocada. Ainda que seja plausível, o problema pode residir em nossas presunções, pois não há meios de saber quão cínica era a sua atitude. Sua prática, porém, suscita a questão se entregamos como ele entregou.

Os termos de sua carta indicam, com mais clareza que outros documentos, que a sua política era tentar garantir a estabilidade e a ordem em seu império, encorajando a implementação de uma colônia como Judá, de um conjunto de leis que os judaítas poderiam reconhecer como seu. Considerando a história das relações cristãs-islâmicas na Jordânia, às quais me referi nos comentários sobre Esdras 6, deparei com um fato interessante e levemente perturbador. Embora o rei Abdullah II, além de igualmente encorajar as boas relações entre as comunidades religiosas em seu país, tenha logrado êxito no uso de seu poder real para implementar consideráveis progressos sociais, educacionais, políticos e econômicos, os poderes do Ocidente o pressionam para que ele introduza avanços democráticos no sentido de dar maior poder a um governo eleito. O problema é que ele teria menos poder para encorajar esses desenvolvimentos positivos. Subsequentemente, a mídia noticiou a deposição do presidente da Tunísia e perguntou se o problema no mundo árabe é que, outrora, havia líderes dinâmicos, que apesar de autocratas e às vezes brutais, davam esperanças ao povo, os quais hoje não mais existem. Pode ser que a solução não seja uma democracia no estilo ocidental (que também se ressente de dinamismo e, atualmente, falha em dar esperança à população), mas uma autocracia melhor. O Oriente Médio, nos tempos do Antigo Testamento, era autocrático; às vezes, também era iluminado.

Caso Artaxerxes esteja tão preocupado com a estabilidade de seu império e com a promoção de seus próprios interesses quanto está em honrar a Deus, então esse fato intensifica a natureza surpreendente da forma em que Deus opera por meio dele. O ponto é refletido nas palavras de louvor de Esdras, acrescentadas à carta. Uma vez mais, elas fazem referência à mão de Deus sobre Esdras, expressão que aparece duas vezes na introdução de sua missão, no início do capítulo 7. A missão envolve uma extraordinária união do propósito imperial com o propósito divino. A introdução à missão fala de Artaxerxes assegurar cada pedido de Esdras, de modo que ou a ideia da missão veio de Esdras com a concordância do rei ou a ideia foi de Artaxerxes e Esdras disse: "Claro, mas vou precisar de alguns itens..." Seja como for, a mão de Deus estava envolvida na concordância de Artaxerxes quanto à natureza da missão. Como, frequentemente, ocorre, parecia impossível explicar os espantosos eventos envolvidos na comissão do rei sem vê-los como uma expressão do **compromisso** de Deus com Esdras.

Neste capítulo de Esdras e nos subsequentes, há certo entrelaçamento entre as palavras colocadas nos lábios de Esdras e aquelas que falam dele na terceira pessoa, o que sugere que o autor do livro, como um todo, seja alguém que tenha incorporado material com memórias de Esdras, além de outros, integrando-os ao livro.

ESDRAS 8:1–23
OUTRO ÊXODO

[1]Estes são os cabeças ancestrais e o registro das pessoas que subiram comigo da Babilônia, no reinado do rei Artaxerxes. [2]Dos descendentes de Fineias, Gérson. Dos descendentes de Itamar, Daniel. Dos descendentes de Davi, Hatus, [3]dos descendentes de Secanias. Dos descendentes de Parós, Zacarias, e com ele foram registrados os do sexo masculino, cento e cinquenta. [4]Dos descendentes de Paate-Moabe, Elioenai, filho de Zeraías, e com ele duzentos do sexo masculino. [5]Dos descendentes de Secanias, o filho de Jaaziel, e com ele trezentos do sexo masculino. [6]Dos descendentes de Adim, Ebede, filho de Jônatas, e com ele cinquenta do sexo masculino. [7]Dos descendentes de Elão, Jesaías, filho de Atalias, e com ele setenta do sexo masculino. [8]Dos descendentes de Sefatias, Zebadias, filho de Micael, e com ele oitenta do sexo masculino. [9]Dos descendentes de Joabe, Obadias, filho de Jeiel, e com ele duzentos e dezoito do sexo masculino. [10]Dos descendentes de Selomite, o filho de Josifias, e com ele cento e sessenta do sexo masculino. [11]Dos descendentes de Bebai, Zacarias, filho de Bebai, e com ele vinte e oito homens. [12]Dos descendentes de Azgade, Joanã, filho de Hacatã, e com ele cento e dez do sexo masculino. [13]Dos descendentes de Adonicão, os últimos, esses são os seus nomes: Elifelete, Jeiel e Semaías, e com eles sessenta do sexo masculino. [14]Dos descendentes de Bigvai, Utai e Zabude, e com eles setenta do sexo masculino.

[15]Então, eu os reuni junto ao rio que chega a Aava e acampamos ali por três dias. Olhei o povo e os sacerdotes, mas não encontrei nenhum levita ali. [16]Assim, convoquei Eliézer, Ariel, Semaías, Elnatã, Jaribe, Elnatã, Natã, Zacarias e Mesulão como cabeças, e Joiaribe e Elnatã como professores, [17]e os enviei a Ido, o cabeça, em Casífia, o lugar [de adoração], e coloquei palavras em sua boca para falar a Ido e a seu irmão, os atendentes de Casífia, o lugar [de adoração], para nos trazer ministros para a

casa do nosso Deus. [18]De acordo com a boa mão do nosso Deus sobre nós, eles nos trouxeram um homem de percepção, dos descendentes de Mali, filho de Levi, filho de Israel, Serebias e seus filhos e parentes, vinte pessoas, [19]e Hasabias, e com ele Jesaías, dos descendentes de Merari, seus parentes e seus filhos, vinte pessoas, [20]e dos assistentes que Davi e os oficiais tinham dado para o serviço dos levitas, duzentos e vinte servos; todos eles foram registrados pelo nome.

[21]Convoquei um jejum ali, junto ao rio Aava, para que nos humilhássemos diante do nosso Deus e buscássemos dele uma jornada segura para nós, nossos pequenos e todas as nossas posses, [22]porque fiquei embaraçado em pedir ao rei uma força e cavalaria para nos ajudar contra os inimigos na jornada, pois havia dito ao rei: "A mão do nosso Deus está sobre todos os que o buscam para o bem, mas a sua força e a sua ira estão sobre todos os que o abandonam." [23]Portanto, jejuamos e inquirimos de Deus sobre isso, e ele se deixou interpelar por nós.

Ontem, na igreja, o sermão assumiu a forma de uma discussão congregacional do evangelho para o dia, que foi sobre o chamado de Jesus aos seus primeiros discípulos. Karen fez o comentário inicial sobre quão prontamente os pescadores responderam. Kathleen falou sobre a necessidade de mantermos as nossas redes bem remendadas se quisermos pescar algo, e o comentário de Anthony foi sobre a relevância que ele podia ver nisso para a sua própria vida. Mais tarde, durante o culto, quando compartilhamos motivos de oração e de louvor, Julian nos contou como o Espírito Santo orientou o seu passo a passo sobre o que fazer quando acordou, semanas atrás, ciente de que havia algo errado com o seu coração; Gail pediu orações por seu marido que passara por um procedimento cirúrgico naquela semana, e oramos por Jamie, que estava sofrendo com dores em seu nervo ciático. Então, durante os anúncios, ouvimos que uma cruz, feita por Eardley, havia sido aprovada para ser usada em um novo centro de tratamento, aberto a pouca distância da nossa igreja. Após a publicação deste volume, um ou dois membros da congregação, provavelmente, o lerão e encontrarão, nesta página, os seus nomes e os nomes de suas irmãs e de seus irmãos na fé.

Imagino algo similar ocorrendo com as pessoas em **Judá** ao lerem as listas de nomes presentes em Esdras. "Esse sou eu! Esse é o meu pai! Esse é o meu avô!" Além disso, a lista chama a atenção para as grandes reuniões familiares que ocorreriam em Jerusalém, porque a lista de **cabeças ancestrais** é (não surpreendentemente) muito similar à lista de Esdras 2. Aquele capítulo contém uma lista de pessoas que migraram para Judá durante um século ou mais; a lista do capítulo 8, com números muito mais modestos, oferece um retrato instantâneo das pessoas que fizeram essa mudança com Esdras. Ainda que você não tivesse parentesco com nenhuma dessas pessoas, a lista vividamente transmite o fato de que a missão de Esdras envolve pessoas reais. (Apenas os homens são citados, porque naquele contexto social eles, normalmente, eram os chefes de família.) Considerando que, de modo algum, essa ocasião significou que a totalidade de judaítas havia feito essa mudança, a missão de Esdras levou essas pessoas a deixarem membros de sua família estendida na **Babilônia**. Todavia, também significou que eles se uniram a outros familiares em Judá.

Um dos motivos da necessidade de haver **levitas** na jornada é que a **Torá** retrata como uma das funções dos levitas o transporte de objetos sagrados, tais como os utensílios para uso nos serviços do templo, doados por Artaxerxes. No entanto, isso aponta para outro significado da presença dos levitas. No século anterior, antes de a conquista do Império Babilônico pelos **persas** possibilitar o retorno do primeiro grupo de exilados, da Babilônia para Judá, as promessas de Deus a eles, em Isaías 40—55, previam que o êxodo futuro da Babilônia seria similar ao êxodo original de Israel, do Egito para Canaã. A jornada dos primeiros exilados que saíram da Babilônia, descrita no início do livro de Esdras, seria uma espécie de repetição do êxodo (que pode ser visto sendo concluído com a construção do templo nos dias de Salomão). Agora, a própria jornada de Esdras, pouco menos de um século depois, é outra repetição do êxodo, designado a liderar as ofertas no templo. Uma das implicações dessa compreensão é que o novo êxodo não foi um movimento único, ocorrido uma vez e concluído, de modo que seria muito ruim perder essa chance. Na verdade, cada geração tem a oportunidade de decidir que, embora seus pais, avós e bisavós tenham decidido permanecer na Babilônia, eles mesmos poderiam fazer a mudança.

Entretanto, uma reconstituição adequada do êxodo precisa envolver Israel como um todo, e isso significa que precisa haver alguns levitas, porque eles possuem um lugar proeminente na história do êxodo original. Não sabemos por que nenhum levita se voluntariou, originariamente, para se unir à comitiva de Esdras. Um dos motivos pode ser o fato de que um pequeno número de levitas não sacerdotais (levitas não pertencentes à linhagem de Arão) tenha sido exilado; eles não eram tão importantes quanto os sacerdotes. E/ou, talvez, o fato de haver poucos deles significava que eles possuíam empregos satisfatórios em Casífia, caso esse fosse realmente um lugar de adoração, como concluí na tradução acima (a sua localização é indeterminada). Para eles, então, haveria mais sacrifícios envolvidos ao mudarem para Judá.

Ao que parece, a reunião junto ao rio Aava tinha tanto uma função religiosa quanto prática. O "rio" é um dos canais que distribuem as águas do rio Eufrates ao redor da Babilônia, os "rios da Babilônia" junto aos quais os judaítas costumavam se reunir e lamentar o exílio (salmo 137). No contexto da atitude singular da administração persa, eles têm um motivo muito mais encorajador para aquela reunião. Religiosamente, eles precisam buscar a proteção e o auxílio de Deus para aquela viagem. Eles reforçaram a sua oração impondo sobre si mesmos uma "humilhação", sob a forma de um jejum. O ponto sobre o jejum não é a autodisciplina; ele é designado a reforçar a oração deles por proteção e auxílio, para mostrar sinceridade diante de Deus. O Antigo e o Novo Testamentos parecem muito tranquilos quanto à ideia de reforçar a oração dessa forma, com o intuito de chamar a atenção de Deus. Deixar de comer mostra quão sérios somos nesse pedido a Deus.

Curiosamente, Esdras está ainda mais motivado a invocar Deus por causa de outro testemunho que deu sobre a sua confiança em Deus e no compromisso divino de não "abandoná-lo". Ele, agora, percebe quanto a sua ousadia pode ter sido precipitada, imprudente, estúpida ou presunçosa, ao declarar o que Deus estava fazendo por ele (especialmente em público, diante de um rei) e, então, ser deixado vulnerável diante dos inimigos quando o rei poderia ter providenciado alguma proteção, particularmente se o rei fosse movido por Deus a fazer isso. No livro de Neemias, descobriremos que Neemias não comete esse erro, pois é um indivíduo sistematicamente prático. Todavia, parece que a estratégia envergonhada de Esdras e o seu jejum são eficazes. Deus "se deixa interpelar" e assegura ao povo que suas orações foram ouvidas. Agora, eles precisam apenas esperar para ver como as coisas realmente funcionam no cumprimento da reafirmação divina, para ver se, de fato, concluirão a jornada em segurança.

ESDRAS 8:24-36
A MÃO DE DEUS

[24]Separei doze dos oficiais sacerdotais, Serebias, Hasabias e dez dos seus irmãos, [25]e pesei diante deles a prata, o ouro e os utensílios, a contribuição para a casa do nosso Deus que o rei, seus conselheiros e seus oficiais, e todo o Israel, que estava presente, levantaram. [26]Pesei e entreguei nas mãos deles a prata, seiscentos e cinquenta talentos; os utensílios de prata, cem talentos; o ouro, cem talentos; [27]as tigelas de ouro, vinte, no valor de mil dáricos; e dois utensílios de um bom e reluzente bronze, tão precioso quanto o ouro. [28]Eu lhes disse: "Vocês são sagrados para *Yahweh*, e os utensílios são sagrados, e a prata e o ouro são uma oferta voluntária a *Yahweh*, o Deus dos nossos ancestrais. [29]Sejam diligentes e cuidem deles até os pesarem diante dos oficiais dos sacerdotes e levitas, e dos oficiais ancestrais de Israel, em Jerusalém, nas câmaras da casa de Deus." [30]Então, os sacerdotes e os levitas receberam a prata, o ouro e os utensílios que foram pesados e os levaram a Jerusalém, para a casa do nosso Deus. [31]Partimos do rio Aava no décimo segundo dia do primeiro mês e fomos para Jerusalém. A mão do nosso Deus esteve sobre nós, e ele nos salvou das mãos de inimigos e de emboscadas durante a jornada. [32]Chegamos a Jerusalém, permanecemos ali três dias, [33]e, no quarto dia, a prata, o ouro e os utensílios foram pesados na casa do nosso Deus e entregues nas mãos de Meremote, filho de Urias, o sacerdote, e com ele Eleazar, filho de Fineias, e com eles os levitas Jozabade, filho de Jesua, e Noadias, filho de Binui, [34]por quantidade ou por peso com respeito a tudo. Todo o peso foi registrado naquela mesma hora. [35]Os exilados que vieram do cativeiro apresentaram ofertas queimadas ao Deus de Israel, doze touros por todo o Israel, noventa e seis carneiros, setenta e sete cordeiros e doze bodes, como uma oferta de purificação. Tudo foi uma oferta queimada a *Yahweh*. [36]Eles entregaram os decretos do rei aos sátrapas do rei e aos governadores de além-rio, e eles apoiaram o povo e a casa de Deus.

Há outro aspecto no modo de Esdras falar que me faz lembrar do casal que mencionei em meu comentário sobre os capítulos 5 e 6; aqueles que, inesperadamente, haviam se apaixonado quando nenhum deles era mais tão jovem como outrora. Ambos não criam que aquele fato extraordinário fosse apenas algo corriqueiro, mas consideravam um milagre. Eles poderiam facilmente ter se desencontrado; não houve um milagre visível, nem raios e trovões no céu. Mas parece maravilhoso demais para ser visto como uma mera ocorrência casual. Eles não falam disso como algo realizado pela própria mão de Deus, mas poderiam fazê-lo.

Essa é a expressão de Esdras. Variantes dela surgiram seis vezes. Foi a mão de Deus: que levou o rei a concordar com tudo o que Esdras solicitou; o motivo de Esdras expressar a Artaxerxes a sua convicção de que a comitiva chegaria a Jerusalém em segurança; que providenciou alguns **levitas** para completar a comitiva; que os protegeu durante a jornada; que levou a jornada a bom termo. O uso dessa expressão particular implica um paradoxo. Quando a mão de alguém está sobre você, você sente, não há como se enganar ou não perceber. No entanto, a maneira de Esdras usar essa expressão sugere algo que não é perceptível ou visível no sentido físico. Há uma espécie de intuição religiosa que sente e vê a mão de Deus, embora não seja apenas um sentimento ou uma fé cega, porque, Esdras poderia dizer, se você crê na realidade de Deus em tudo, a explicação mais racional do que aconteceu é atribuir o fato às mãos invisíveis de Deus.

Portanto, Esdras fala como um homem de fé. Talvez ele tenha sido pouco prático ao impossibilitar a oferta da proteção imperial para a viagem. Todavia, ele é muito prático na maneira de assegurar que a carga extremamente valiosa da comitiva alcançasse o seu destino. Não seria surpresa se todo aquele ouro e toda aquela prata sumissem durante a jornada de quase 1.300 quilômetros e que membros inescrupulosos de sua própria comitiva fossem os responsáveis pelo desaparecimento dessa carga; daí o lembrete de que a carga é sagrada, motivo pelo qual ela é confiada aos sacerdotes. Roubá-la seria um ato de sacrilégio, e todos estão bem cientes de que isso seria extremamente perigoso.

Pode-se imaginar que a chegada segura da comitiva levaria à apresentação de ofertas no templo, não apenas porque isso fora comissionado por Artaxerxes. As ofertas são, na maioria, múltiplos de doze, o que, uma vez mais, sugere a ideia de que eles representam todo o Israel com seus doze clãs. As ofertas queimadas, dadas integralmente a Deus, são uma expressão de louvor. As ofertas de purificação constituem um reconhecimento de que o povo que sempre viveu longe de Jerusalém contém um acúmulo de contaminação. Vivendo na **Babilônia**, eles não poderiam ter se purificado da contaminação em razão do envolvimento de sua comunidade com deuses estrangeiros, um dos motivos pelos quais suas famílias foram, anteriormente, exiladas. Terão acumulado a contaminação regular que resulta do contato com a morte e outras experiências que não poderiam evitar e não podem levar essa contaminação para o interior do santuário. Seria um grande alívio saber que isso poderia ser resolvido e que eles poderiam participar do culto regular no templo.

ESDRAS **9:1-4**
A IMPORTÂNCIA DA SEPARAÇÃO

[1]Quando essas coisas foram concluídas, os oficiais se aproximaram e me disseram: "O povo de Israel, os sacerdotes e os levitas não se separaram dos povos dos países, [mas agiram] de acordo com as práticas abomináveis dos cananeus, dos hititas, dos ferezeus, dos jebuseus, dos amonitas, dos moabitas, dos

> egípcios e dos amorreus, [2]porque eles tomaram algumas filhas deles para si mesmos e para seus filhos, e a semente sagrada foi misturada com os povos dos países, e a mão dos oficiais e supervisores tem sido a primeira a transgredir." [3]Quando ouvi essa coisa, rasguei as minhas vestes e o meu manto, puxei os cabelos da minha cabeça e da minha barba e sentei-me chocado. [4]Todos os que tinham temor pelas palavras do Deus de Israel reuniram-se a mim por causa da transgressão dos exilados. Permaneci sentado, em choque, até a oferta da tarde.

Anos atrás, choquei os membros do nosso grupo de estudo bíblico, ao dizer que não conseguia entender como cristãos podiam visitar Las Vegas. Novamente, os choquei, mais tarde, ao expressar uma observação similar sobre um deles que pretendia celebrar o seu trigésimo aniversário viajando pela trilha do uísque, no Kentucky. Isso é, em parte, algo cultural; as pessoas, nos Estados Unidos, parecem capazes de aceitar Las Vegas pelo que ela é e não se preocupar muito se, entre outras características, ela for abusiva e autoindulgente, e isso se aplica a muitos cristãos. Claro que a cultura britânica, da qual venho, também é exploradora e autoindulgente, à sua própria maneira, e os cristãos também não questionam as coisas. Poucos de nós são afetados por qualquer coisa que poderia ser chamada de obtusidade puritana.

O povo israelita foi chamado para ser diferente das culturas vizinhas, mas Israel raramente logrou viver de acordo com o seu chamado, embora os ministérios de Esdras e Neemias tenham, talvez, significado um ponto de virada nessa questão. Quando Deuteronômio discorre sobre as práticas abomináveis dos povos vizinhos a Israel, ele se refere a práticas como a confecção de imagens idólatras, a adoração a outros deuses, ao sacrifício de um filho ou de uma filha, à prática de adivinhação e à consulta aos mortos. A história que vem depois de Deuteronômio, em Reis e Crônicas, observa, de tempos em tempos, que essas são as práticas toleradas pelos líderes de Israel e por seu povo, o que os levou a serem expulsos daquela terra, da mesma forma que os seus antecessores. Esdras fornece uma lista padrão desses povos — os cananeus, os hititas, os ferezeus, os jebuseus e os amorreus. O processo pelo qual esses povos desapareceram foi, na verdade, lento e gradual, e assim, por séculos, a sua forma de culto constituiu uma tentação para os israelitas. Entretanto, nos dias de Esdras não há mais cananeus, hititas, ferezeus, jebuseus e amorreus em **Judá**. Esse pode ser um dos motivos de a passagem incluir os amonitas, os moabitas e os egípcios, citados em outras passagens de Deuteronômio e também presentes nos dias de Esdras; Amom e Moabe são províncias do Império **Persa**, a exemplo de Judá. Todavia, o ponto geral sobre a menção a esses povos é a presunção de que a **Torá** definiu um princípio sobre as relações com outros povos, princípio esse aplicável aos relacionamentos com os povos existentes ao tempo de Esdras e Neemias.

Os livros de Esdras e de Neemias não explicam por que os judaítas se casaram com pessoas de outras comunidades. O pano de fundo pode ser análogo àquele aplicado à comunidade judaica dos dias atuais, do mesmo modo que a outros grupos étnicos no Ocidente. O exílio significou a saída de grande parte da liderança e das pessoas das classes mais nobres de Jerusalém e de Judá, e o vácuo resultante foi sendo ocupado, nas décadas posteriores, por muitas pessoas com iniciativa e recursos oriundas das regiões vizinhas que, então, se tornaram aquelas com poder e prestígio em Judá. Para os judaítas, casar-se com pessoas dessas famílias significaria dar um passo à frente na vida e também mais segurança. Essas dinâmicas afetavam tanto judaítas não levados para o exílio quanto aqueles que retornaram da **Babilônia** para Judá.

A Torá não proíbe o casamento com não israelitas, e famosas figuras, como José e Moisés, casaram-se com pessoas fora da comunidade. Embora a história enfatize a identidade moabita de Rute, isso não sugere haver algo controverso em relação ao casamento com nenhum de seus maridos israelitas. A base para a inadequação do casamento misto não é étnica. Esdras 9 deixa claro que o casamento misto em si não é o problema, mas a adesão religiosa dos casais envolvidos. É aqui que Rute estabelece o padrão; ela chega ao conhecimento de ***Yahweh***. Em contraste, os casamentos reportados em Esdras são aqueles que envolvem uma concessão quanto ao compromisso religioso. Mesmo que o marido continue a reconhecer *Yahweh*, a esposa pode seguir na prática de sua própria religião. Embora a Torá associe as "práticas abomináveis" listadas acima aos povos cananeus e seus contemporâneos, elas também estão presentes entre outros povos; tais práticas são comuns na observância religiosa tradicional no Oriente Médio e em outros lugares. Portanto, não seria surpresa se essas práticas ainda fossem observadas nos dias de Esdras, independentemente da identidade étnica exata do povo envolvido.

O problema quanto à mistura da semente sagrada com os povos dos países vizinhos, por meio dos casamentos, é que a família é uma unidade. Se um dos cônjuges cultua outros deuses ou pratica a adivinhação (ou quer entregar um dos filhos em sacrifício), isso afeta todo aquele lar. Mesmo que um dos cônjuges seja leal a *Yahweh* e cumpra as exigências da Torá, tais práticas contaminam toda a família. Não há como evitar o comprometimento da identidade da família israelita. Isso envolve uma **transgressão**, uma falha em relação aos direitos de *Yahweh* sobre Israel.

Por esse motivo, a ação sobre os casamentos mistos é o primeiro retrato da atividade de Esdras que o livro apresenta e, na verdade, a questão sobre a qual o restante do livro se concentra. A história de Esdras, no capítulo 7, principia-se com "após essas coisas", sem indicar que sessenta anos haviam se passado, e algo similar pode ter ocorrido com a abertura do capítulo 9, "quando essas coisas foram concluídas". Talvez não seja correto assumir que a história em Esdras e Neemias seja contada em ordem cronológica. Às vezes, a narrativa bíblica nos relata coisas em ordem de importância em vez de em ordem cronológica. Apenas em Neemias 8 é que lemos sobre Esdras, o professor, dando algum ensino, mas não seria surpresa se o relato em Esdras 9 fosse uma resposta a uma atividade de ensino na qual ele já estava engajado. As pessoas envolvidas são descritas como Israel, incluindo os sacerdotes e os **levitas**, o que implica que não estão restritas a determinado grupo dentro da comunidade. Esdras, mais tarde, se refere às pessoas como os exilados. Caso isso tenha ocorrido algum tempo após a chegada da comitiva de Esdras, essa referência pode incluir alguns dentre os que chegaram com ele e também pessoas que fizeram a jornada da Babilônia para Judá ao longo do século anterior. Não seria surpresa, igualmente, se incluísse descendentes dos judaítas que jamais foram exilados, mas que se identificavam com a comunidade que passou a ser liderada por aqueles que retornaram do exílio. Tais pessoas podem ter se acostumado a uma relação mais relaxada com os povos vizinhos e até aos casamentos mistos. Assim, o foco nessa ação, imediatamente após o relato sobre a chegada de Esdras, reflete a sua importância. Trata-se de uma questão de vida ou morte para a comunidade. O propósito de Deus para que Israel seja luz para o mundo, de abençoar o mundo por meio de Israel, depende da continuidade da existência da comunidade israelita com o seu testemunho sobre quem o verdadeiro Deus é e sobre como as pessoas podem se relacionar com ele. Se Israel deixar de existir, o propósito fracassa. Há um bom motivo para Esdras entrar em estado de choque. As expressões físicas de seu horror, ao ouvir sobre a transgressão, são reações de alguém que está lamentando e sofrendo, como alguém enlutado.

ESDRAS **9:5-15**
COMO FAZER A CONFISSÃO DO SEU POVO

[5]Na oferta da tarde, saí de minha aflição e com minhas vestes e o manto rasgados, caí de joelhos e estendi as mãos para *Yahweh*, meu Deus, [6]e disse: "Meu Deus, estou por demais embaraçado e envergonhado para levantar o meu rosto diante de ti, meu Deus, porque nossos atos rebeldes se elevaram acima de nossa cabeça, e a nossa ofensa é grande e se estende aos céus. [7]Desde os dias de nossos ancestrais até este dia, a nossa ofensa tem sido grande, e em nossos atos rebeldes nós, nossos reis, nossos sacerdotes temos sido entregues nas mãos dos reis dos países, com espada, cativeiro, pilhagem e vergonha de rosto, até este dia. [8]Mas, agora, por um breve tempo, tem havido graça de *Yahweh*, nosso Deus, que nos deixou um grupo de sobreviventes e nos deu uma posição em seu santo lugar. Nosso Deus tem iluminado os nossos olhos e nos dado uma pequena vida em nossa servidão. [9]Porque somos servos, mas, em nossa escravidão, o nosso Deus não nos abandonou; antes, estendeu o compromisso a nós diante dos reis da Pérsia. Ele nos tem dado vida, levantado a casa do nosso Deus, colocado no lugar as suas ruínas e nos dado uma cerca em Judá e em Jerusalém. [10]Mas, agora, o que podemos dizer, nosso Deus, depois disso? Porque abandonamos os teus mandamentos [11]que decretaste pelas mãos de teus servos, os profetas, dizendo: 'O país no qual vocês estão entrando para tomar posse é um país contaminado pela contaminação dos povos dos países por meio de suas

práticas abomináveis com as quais eles o têm enchido, de uma extremidade a outra, com a sua impureza. [12]Por isso, agora, não deem as suas filhas aos filhos deles, não tomem as filhas deles para os seus filhos, nem busquem o bem-estar ou o benefício deles jamais, para que vocês possam ser fortes, comerem do melhor da terra e capacitarem os seus filhos a possuí-la para sempre.' [13]Depois de tudo o que veio sobre nós por causa de nossos atos perversos e das nossas grandes transgressões, quando tu, nosso Deus, contiveste [a tua punição] aquém da nossa desobediência e nos deste um grupo de sobreviventes como esse, [14]iremos novamente quebrar os teus mandamentos e nos dar em casamento a povos caracterizados por essas práticas abomináveis? Não ficarias irado conosco e nos eliminarias sem poupar ninguém e sem deixar um grupo de sobreviventes? [15]*Yahweh*, Deus de Israel, tu és justo, porque somos deixados como um grupo de sobreviventes neste dia. Aqui estamos diante de ti com as nossas ofensas, porque não podemos estar na tua presença por conta delas."

Certo dia de agosto, quando eu ainda era aluno do seminário, estava dirigindo para casa com um amigo, após almoçar com o reitor de uma paróquia em Londres. "Ele é um grande sujeito", observei, "por isso é uma pena ele ser tão ríspido", ao comentar sobre um diálogo entre ele e a sua empregada antes de sairmos. "Mas você é exatamente assim", meu amigo replicou. "Não sou, não!", protestei. "Sim, você é", ele insistiu, lembrando uma discussão recente na qual eu estivera envolvido (significativamente, não consigo lembrar o motivo). Sem perceber, eu estava ilustrando como vemos as nossas próprias faltas em outra pessoa. Portanto, quando vemos uma falha em alguém mais, devemos nos perguntar se também podemos vê-la em nós. Diz-se sobre um professor judeu, na Ucrânia, chamado Zusya, que ele sentia os pecados das pessoas que encontrava como se fossem seus e culpava-se por eles. Talvez ele tenha aprendido essa lição; ou, talvez, o fato de sentir os pecados de outras pessoas como seus próprios significasse que ele se identificava com elas, independentemente de ser caracterizado pelos mesmos pecados.

Quando Esdras ora, ele busca a misericórdia de Deus por "nossos atos rebeldes". Talvez ele tenha ciência de que pode ser tentado a agir da mesma forma que os seus companheiros **judaítas**; contudo, mais provavelmente, ele está se identificando com o povo que se submeteu a esses casamentos mistos. Uma indicação é que ele não está apenas se identificando pessoalmente com a desobediência deles, mas identificando a comunidade como um todo com esse ato. A ação de uma minoria afeta o todo. Uma semana atrás, um jovem, que estava mentalmente perturbado, começou a atirar em um evento político e matou nove pessoas. O episódio gerou constrangimento e comoção nacional, levando as pessoas a se questionarem: "O que há de errado conosco?" Ainda, gerou um sentimento de vergonha nos familiares daquele jovem. Temos consciência de que não podemos simplesmente alegar: "Não temos nada com isso; foi apenas o ato isolado de um perturbado mental." Estamos conectados uns aos outros como famílias, comunidades e nações. A mancha e a culpa daquela ocorrência se espalham do indivíduo para a família, para a comunidade e para a nação.

Esdras sabe que a mancha e a culpa dos casamentos mistos afetam Judá como um todo e ora à luz desse fato. O evento da oferta da tarde é o tempo natural para orar; a oração acompanha o sacrifício, e este acompanha a oração, de maneira que a palavra e a ação caminham juntas. A cada dia, os sacerdotes oferecem sacrifícios ao amanhecer e ao entardecer. A manhã é a hora em que as pessoas podem dedicar o novo dia a Deus e buscar a bênção divina sobre ele; o anoitecer é o momento em que as pessoas podem olhar para trás em agradecimento e contrição. Nesse dia, em particular, o foco da contrição deles é algo muito sério. Recordar a nossa história como povo de Deus, regularmente, desenvolve a consciência de quem somos. A oração de Esdras nos lembra de que uma das formas de olhar essa história é vê-la como uma ilustração de quão frequentemente erramos, e que esse é o olhar que as pessoas necessitam naquele momento, quando se reúnem para fazer suas orações da tarde.

A posição usual para a oração, na Escritura, é apresentar-se diante de Deus como nos apresentamos diante de um rei, com as mãos estendidas em apelo, embora diante de Deus ou de um rei se possa, igualmente, ajoelhar-se, num sinal de auto-humilhação, para enfatizar a condição e a necessidade do pedido. Esdras se mantém em uma posição de auto-humilhação diante de Deus durante o dia. Ele, agora, coloca-se de joelhos, mas adota aquela segunda posição de oração, estendendo as mãos a Deus. Como acontece quando a comunidade oferece sacrifícios, a oração é, portanto, não apenas uma questão de sentimentos e de palavras, mas envolve toda a pessoa.

O elemento grave sobre a contaminação da comunidade é que ela é consistente com a vida das pessoas ao longo dos séculos. Reconhecidamente, a história de Israel durante os séculos anteriores não sugere que a população comum tenha se envolvido muito em casamentos mistos, ao contrário dos reis, especialmente Salomão, por interesses diplomáticos. No entanto, o povo de Deus sempre é muito hábil em descobrir novas formas de cair em confusão moral, e é isso o que emerge no contexto de Esdras. Assim, naquele contexto, o casamento misto era uma expressão particular de *transgressão* (que leva ao desvio do caminho certo, aquele que levará ao destino almejado) e uma forma de *ofensa* (em não dar a Deus o que lhe é devido). O povo falhara em aprender com o que havia ocorrido ao longo de sua história. A rebeldia e a ofensa dos seus ancestrais resultaram no exílio, e a própria submissão do povo ao domínio imperial continua até "este dia".

O comentário de Esdras sobre a continuidade dessa sujeição indica que a sua disposição de trabalhar com as possibilidades oferecidas pela flexibilidade do imperador da **Pérsia** não significa que ele simplesmente aceita a condição colonial de Judá. Não obstante, ele reconhece que a situação não está tão ruim quanto um século atrás. O povo continua sendo o receptor final da bênção de Deus. O retorno dos judaítas da **Babilônia** para Judá, possibilitado por Deus, era algo que eles não mereciam. As profecias em Isaías 40—55 explicitam que os exilados não aprenderam nada com a queda de Jerusalém ou mesmo com o exílio. A liberdade para retornar e reconstruir o templo resultou, única e exclusivamente, da graça divina. Daí o motivo pelo qual os judaítas não desapareceram da história do mesmo modo que outros povos (isto é, os ferezeus, os hititas, os jebuseus...).

Eis por que eles ainda têm uma posição em Jerusalém. Paradoxalmente, a vida de um morador de tenda lhes fornece uma metáfora para retratar a sua capacidade de se restabelecerem na cidade. Eles são como as pessoas que foram capazes de cravar firmemente as estacas de sua tenda no solo e, assim, garantir a estabilidade da tenda. Utilizando outra metáfora, a graça de Deus é o motivo pelo qual eles são semelhantes a pessoas que foram enfraquecidas pela falta de comida e de água, mas foram revigoradas, e agora os seus olhos brilham. Eis por que há vida neles, apesar de a sua posição social ainda ser de servos do Império Persa, pessoas sem direitos políticos ou independência. Daí o motivo de Jerusalém e Judá estarem cercados por uma cerca metafórica, a exemplo de uma vinha (uma imagem comum para o povo de Israel), que garantirá a proteção deles contra animais selvagens, isto é, dos ataques dos povos vizinhos.

É essa expressão da graça de Deus que torna a transgressão da comunidade escandalosa e inexplicável. Eles sabiam que uma base para Deus lhes dar a terra era a transgressão dos habitantes locais; Deus não expulsou os cananeus simplesmente porque eles estavam no caminho. Mas, agora, os judaítas é que estão trazendo para o coração da comunidade a mesma transgressão. O que eles tinham na cabeça? A obrigação colocada sobre eles incluía que não deveriam buscar o bem-estar ou o benefício dos cananeus. Existem contextos nos quais o povo de Deus deve radicalmente dissociar-se dos malfeitores, a exemplo da igreja em Corinto, que não deveria ter nenhuma associação com os que se diziam cristãos, mas eram imorais sexualmente, entregando-os a Satanás (1Coríntios 5).

Esdras associa as instruções sobre esse assunto aos profetas, o que é um pouco estranho, pois, na realidade, elas não provêm dos Profetas, mas da **Torá**, de passagens como Deuteronômio 7. Todavia, isso nos faz lembrar que há um sentido no qual as instruções em Deuteronômio são proféticas. Elas vêm por meio de Moisés, que é chamado profeta, e traçam um paralelo aos desafios de profetas como Oseias. Ainda, historicamente, havia uma interação entre a Torá, em geral, Deuteronômio, em particular, e as ênfases desses profetas. A Torá os influenciou, e eles influenciaram as formulações que aparecem na Torá.

A oração é encerrada com um paradoxo. Esdras ora na posição de representante de um povo que está diante de Deus com suas ofensas, mas que, ao mesmo tempo, reconhece que não pode estar na presença de Deus por causa delas. Sua oração, portanto, envolve ousadia e hesitação. Esdras sabe que Deus está certo e não possui fundamento nenhum para apelar pela misericórdia de Deus, e ele não o faz; apenas se ajoelha e expressa o seu apelo sem palavras.

ESDRAS **10:1-5**
ONDE HÁ COMPROMISSO, HÁ ESPERANÇA

[1]Enquanto Esdras está suplicando e confessando, chorando e se prostrando diante da casa de Deus, uma grande congregação de Israel — homens, mulheres e crianças — reuniu-se a ele porque o povo estava chorando profusamente. [2]Secanias, filho de Jeiel, dos descendentes de Elão, respondeu a Esdras: "Transgredimos contra o nosso Deus e permitimos que mulheres estrangeiras dos povos da região viessem viver conosco. Mas, agora, há esperança para Israel, apesar disso. [3]Então, agora, selemos uma aliança com o nosso Deus para mandar embora todas as mulheres e aqueles nascidos delas, pela decisão do meu senhor e daqueles que estão em temor pelo mandamento do nosso Deus. Isso deveria ser feito de acordo com o ensino. [4]Estabeleça isso, porque essa matéria repousa sobre você, e estamos com você. Tome coragem e aja." [5]Esdras assim definiu e fez os sacerdotes, os levitas e todo o Israel jurarem agir de acordo com essas palavras, e eles juraram.

Estudantes se apaixonarem enquanto estão no seminário é uma ocorrência bem comum e, normalmente, isso é motivo de regozijo. O problema no caso em questão é que envolvia duas alunas, o que significava que o amor entre elas precisava ser mantido em segredo do seminário, cujos "padrões comunitários" exigem o compromisso de restringir a atividade sexual a um casamento heterossexual. Embora desejassem se casar, na época o casamento entre pessoas do mesmo sexo ainda não tinha se tornado uma realidade, mas elas estabeleceram um compromisso uma com a outra e passaram a usar alianças (não no dedo habitual), que simbolizavam esse compromisso. O relacionamento também levantou questões sobre a vocação delas, porque uma havia sentido o chamado de Deus ao ministério, mas, a exemplo do seminário, a denominação também exigia a restrição da atividade sexual a uma união heterossexual. Desse modo, por um período elas mantiveram relações sexuais, mas, com o passar do tempo, sentiram que a natureza secreta da união resultava na falta de integridade em relação à sua denominação, além de problemas caso o relacionamento delas se tornasse conhecido. Assim, a um grande custo pessoal, desistiram de qualquer expressão sexual em seu relacionamento, que se tornou celibatário.

Em nossa cultura, existem algumas sobreposições entre as questões levantadas pelos relacionamentos entre pessoas do mesmo sexo e aquelas suscitadas pelo casamento com mulheres estrangeiras na comunidade **judaíta** nos dias de Esdras. A história do relacionamento entre as minhas duas amigas despertará sentimentos fortes nas pessoas em, pelo menos, duas direções distintas. Algumas se indignarão pelo fato de essa relação de amor ter sido frustrada pelas regras do seminário e da denominação (uma igreja próxima à minha casa exibe um cartaz declarando: "Nós cremos na igualdade no casamento"). Outras se indignarão pelo engano deliberado do casal, comportando-se como se afirmassem a posição da denominação quando, na realidade, não fazem isso, minando-a secretamente. (Caso queira saber, solidarizo-me com a posição adotada por elas após algum tempo. Reconheço que a Escritura não aponta para a aceitação de uniões entre pessoas do mesmo sexo, mas compreendo a posição de pessoas que sentem atração pelo mesmo sexo e que precisam lidar com todas as questões que isso envolve.)

Igualmente, sentimentos intensos são despertados pelos casamentos descritos em Esdras 9 e pela ação proposta por Secanias e aceita por Esdras. No contexto da nossa cultura ocidental, podemos nos escandalizar pela proposta de Secanias e, assim, precisamos ver a lógica por trás dela, sugerida pelo capítulo 9. Aceitar essas uniões conjugais coloca em risco a própria existência de Israel, já reduzido a um pequeno remanescente. Além disso, no contexto ocidental, *o* foco do casamento é o amor entre duas pessoas, porém essa ênfase é uma singularidade da cultura do Ocidente. Em grande parte dos contextos culturais, o casamento envolve inúmeras outras questões (como a solidificação das relações entre diferentes comunidades, ou a provisão de um contexto no qual os filhos possam crescer ou garantir o cuidado às mulheres); a ênfase predominante em um relacionamento pessoal é uma distinção cultural nossa. Sim, gosto dela também; mas ainda continua sendo uma singularidade nossa. Não há nenhum motivo específico que leve a pensar que esses judaítas e suas respectivas esposas amonitas ou moabitas se casaram com base no amor, não no fortalecimento das relações entre as comunidades ou para possibilitar que homens solteiros achassem uma esposa e iniciassem uma família que ajudaria no cuidado da propriedade familiar.

Uma indicação do fato que o amor não seria o motivo principal para os casamentos é a menção na oração de Esdras: "Por isso, agora, não deem as suas filhas aos filhos deles, não tomem as filhas deles para os seus filhos..." O casamento é uma questão familiar e comunitária, não algo que ocorre simplesmente porque duas pessoas se conhecem e se apaixonam. A implicação não é que jovens são obrigados a se casar contra a vontade; os relatos do Antigo Testamento sobre os casamentos, tipicamente, retratam um processo no qual o casal tem o direito de se pronunciar de uma forma ou de outra. No entanto, as dinâmicas do processo são muito distintas das ocidentais. Além disso, a estranha referência de Esdras sobre não buscarem o bem-estar ou o benefício dos povos vizinhos é sugestivamente justaposto a essa descrição do processo pelo qual os casamentos ocorrem. As uniões conjugais destinam-se a trazer bem-estar e prosperidade para um lado, para o outro ou para ambos. Em outras palavras, os cônjuges têm uma lógica econômica. Bem, agora estamos num terreno que os ocidentais podem reconhecer, pois o desenvolvimento econômico pode ser considerado o nosso bem supremo! Os judaítas são proibidos de olhar para a vida sob essa ótica.

A maneira pela qual os sentimentos intensos operam na outra direção em Judá também significa que a história nada diz sobre o que ocorre às esposas que receberam o divórcio e aos seus filhos. Essa omissão não implica que foram simplesmente abandonados no deserto para sobreviverem por conta própria (a julgar pelos relatos sobre Noemi, Rute e Orfa, elas retornariam às suas famílias de nascença). Isso simplesmente reflete o fato de que o que acontece a elas e aos seus filhos não é a questão central da história. Reconhecidamente, mesmo se as bases para as uniões fossem as considerações práticas que acabamos de descrever, os casamentos poderiam muito bem ter se desenvolvido em vínculos amorosos e devotados, a exemplo do que, regularmente, ocorre com os casamentos arranjados; e, pelo menos, em alguns casos, a separação causaria sofrimento aos membros dessas famílias. Esse fato nos lembra que fazer a coisa errada pode levar a consequências terríveis no longo prazo, mesmo se nos arrependermos da ação. Na verdade, acertar as coisas é que causa problemas. O fato de Davi ter se arrependido de sua ação com Bate-Seba e Urias (2Samuel 12) não significa que a sua vida voltou a ser como era antes. Seu filho morreu, e sua história sugere que o seu relacionamento com Deus e com sua família, a partir de então, jamais foi o mesmo. Sempre há um preço a ser pago pela transgressão, e, frequentemente, outras pessoas, não os transgressores, é que o pagam.

Devemos, talvez, presumir que as pessoas não apenas perceberam que Esdras estava orando e confessando daquela maneira, mas também perceberam o conteúdo do que ele disse. Certamente, esperava-se que os ouvintes e leitores deste livro, nas décadas posteriores, aprendessem com o conteúdo de sua oração, assim como espera-se que aprendamos com as orações que Paulo faz por suas congregações e relata a elas em suas cartas. Já observamos que Esdras não faz nenhum pedido a Deus para perdoar o povo por seus atos. A sua oração ilustra algo sobre a natureza da "confissão". Embora a confissão de pecados, na Escritura, seja uma expressão de tristeza, ela não envolve ir a Deus para expressar como estamos tristes, pelo menos não da mesma forma que é para os cristãos modernos. Similarmente, a confissão de fé não envolvia ir a Deus para expressar gratidão na mesma medida que é para nós. A confissão envolve fazer um relato efetivo do erro que cometemos ou dos grandes feitos de Deus.

Mas, então, a oração pode implicar que não podemos insistir em suplicar a Deus para perdoar a comunidade por suas ações quando ela mesma nada fez a respeito do malfeito. Por implicação, talvez seja possível pedir a Deus que não deixe a sua ira cair sobre a comunidade como ela merece e, por meio disso, encerrar a questão. A proposta de Secanias é que abre a possibilidade de a ação de Deus ser antecipada, em vez de ser meramente adiada, ou a possibilidade de uma oração como a de Esdras solicitar perdão (há inúmeros homens chamados Secanias em Esdras-Neemias, e não temos certeza se este Secanias pode estar identificado com um dos outros). Secanias sabe que com Deus nunca termina até que acabe. "Há esperança para Israel apesar disso", se a comunidade agir. Ela precisa assumir um novo compromisso com Deus, selar uma **aliança** especial com Deus sobre esse assunto, uma espécie de cláusula adicional ou adendo à conhecida aliança do povo com Deus, reafirmando um aspecto daquele tratado. A própria **Torá** não lida com a questão sobre o que as pessoas deveriam fazer caso ignorassem a expectativa de não contrair matrimônio com pessoas que cultuam outros deuses, de modo que a proposta para que os homens se separassem de suas respectivas esposas estrangeiras não emerge diretamente da Torá. No entanto, está de acordo com a Torá no sentido de buscar restaurar o *status quo* previsto por ela.

ESDRAS 10:6-44
AÇÃO DIFÍCIL

[6]Esdras levantou-se de seu lugar diante da casa de Deus e foi para a câmara de Joanã, filho de Eliasibe. Enquanto esteve ali, ele não comeu comida e não bebeu água, porque estava lamentando a transgressão dos exilados. [7]Eles emitiram uma proclamação em Judá e em Jerusalém a todo o povo do exílio: que eles deveriam se reunir em Jerusalém. [8]Qualquer um que não viesse em três dias, de acordo com a decisão dos oficiais e dos anciãos, toda a sua propriedade seria devotada, e ele seria separado da congregação dos exilados. [9]Assim, todos os homens de Judá e de Benjamim se reuniram em Jerusalém em três dias; era o nono mês, o vigésimo dia. Todo o povo assentou-se na praça diante da casa de Deus, tremendo por causa da matéria e por causa das chuvas. [10]Esdras, o sacerdote, levantou-se e lhes disse: "Vocês transgrediram. Trouxeram mulheres estrangeiras para suas casas, aumentando as ofensas de Israel. [11]Mas, agora, confessem a *Yahweh*, o Deus de seus ancestrais, e façam a vontade dele. Separem-se dos povos do território e das mulheres estrangeiras." [12]Toda a congregação respondeu em alta voz: "Sim, [está imposto] a nós agir de acordo com a sua palavra. [13]Entretanto, a companhia é grande e o tempo é de chuvas. Não temos o vigor para permanecermos do lado de fora, e o trabalho não é

para um dia ou dois porque nos tornamos muitos na rebelião sobre essa matéria. [14]Nossos oficiais deveriam representar toda a congregação, e qualquer um em nossas cidades que trouxe uma mulher estrangeira para a sua casa deveria vir em tempos determinados, e com ele os anciãos de cada cidade e suas autoridades, até afastarmos de nós a ira ardente do nosso Deus por causa dessa matéria." [15]Apenas Jônatas, filho de Asael, e Jaseias, filho de Ticvá, posicionaram-se contra isso; Mesulão e Sabetai, o levita, os apoiaram. [16]Assim, o povo do exílio agiu dessa maneira; Esdras, o sacerdote, [e] os homens que eram os cabeças ancestrais, para cada família ancestral, e todos eles pelo nome, separaram-se e assentaram-se no primeiro dia do décimo mês, para investigarem a matéria. [17]Eles terminaram com todos os homens que tinham trazido mulheres estrangeiras para casa no primeiro dia do primeiro mês.

[18]Foram encontrados entre os filhos dos sacerdotes que trouxeram mulheres estrangeiras para casa: Jesua, filho de Jozadaque, e seus irmãos, Maaseias, Eliézer, Jaribe e Gedalias. [19]Eles apertaram as mãos [em garantia] para mandarem embora suas esposas e ofereceram uma oferta de restituição, um carneiro do rebanho, pela ofensa deles. [20]Dos filhos de Imer, Hanani e Zebadias. [21]Dos filhos de Harim, Maaseias, Elias, Semaías, Jeiel e Uzias. [22]Dos filhos de Pasur, Elioenai, Maaseias, Ismael, Natanael, Jozabade e Eleasa. [23]Dos levitas, Jozabade, Simei, Quelaías (isto é, Quelita), Petaías, Judá e Eliézer. [24]Dos cantores, Eliasibe. Dos porteiros, Salum, Telém e Uri. [25]Dos israelitas: dos filhos de Parós, Ramias, Jezias, Malquias, Miamim, Eleazar, Malquias e Benaia. [26]Dos filhos de Elão, Matanias, Zacarias, Jeiel, Abdi, Jeremote e Elias. [27]Dos filhos de Zatu, Elioenai, Eliasibe, Matanias, Jeremote, Zabade e Aziza. [28]Dos filhos de Bebai, Joanã, Hananias, Zabai e Atlai. [29]Dos filhos de Bani, Mesulão, Maluque, Adaías, Jasube, Seal e Jeremote. [30]Dos filhos de Paate-Moabe, Adna, Quelal, Benaia, Maaseias, Matanias, Bezalel, Binui e Manassés. [31]Dos filhos de Harim, Eliézer, Issias, Malquias, Semaías, Simeão, [32]Benjamim, Maluque e Semarias.

[33]Dos filhos de Hasum, Matenai, Matatá, Zabade, Elifelete, Jeremai, Manassés e Simei. [34]Dos filhos de Bani, Maadai, Anrão, Uel, [35]Benaia, Bedias, Queluí, [36]Vanias, Meremote, Eliasibe, [37]Matanias, Matenai, Jaasai, [38]Bani, Binui, Simei, [39]Selemias, Natã, Adaías, [40]Macnadbai, Sasai, Sarai, [41]Azareel, Selemias, Semarias, [42]Salum, Amarias, José. [43]Dos filhos de Nebo, Jeiel, Matitias, Zabade, Zebina, Jadai, Joel e Benaia. [44]Todos estes tinham tomado esposas estrangeiras, e havia algumas delas que eram mulheres que tinham gerado filhos.

Certo feriado prolongado, quando eu ainda era garoto, fomos em uma viagem de família para a casa de uma tia que morava no litoral. Quando estávamos próximos do nosso destino, meu pai ficou irritado por ser obrigado a dirigir, por algum tempo, atrás de um caminhão lento e decidiu fazer uma ultrapassagem quando a estrada parecia livre, apesar da linha dupla contínua entre as faixas sinalizando "não ultrapasse", que estava lá por um bom motivo. A estrada estava prestes a dar um mergulho, o que impediu o meu pai de ver que, na verdade, a pista não estava livre. Como resultado, colidimos com um carro que vinha na direção contrária. Ninguém ficou ferido, mas meu pai foi levado ao tribunal, pagou uma multa, e a infração foi devidamente registrada em sua habilitação. Após certo tempo, é permitido retirar esse registro da habilitação. Alguns anos mais tarde, perguntei ao meu pai por que ele não solicitara a remoção. Ele respondeu que queria deixar a lembrança do erro que havia cometido, talvez como um lembrete para mim também.

Pergunto-me por que Esdras inclui a lista dos homens que se submeteram a casamentos mistos? Imediatamente após o evento, a publicação da lista, certamente, provocaria um sentimento de vergonha entre os homens presentes nela, embora eles pudessem olhar para a lista com o mesmo sentimento que meu pai olhava para o registro da infração em sua habilitação. Estar entre os transgressores, mas manter segredo sobre isso e viver em constante preocupação de que alguém mais descubra, ou jamais falar a respeito, mesmo que seja do conhecimento de outros, pode ser uma carga ainda mais pesada do que o sentimento de vergonha de alguém que, pelo menos, fez algo a respeito. A confissão diante de outras pessoas e, claro, diante de Deus, resulta em uma espécie de alívio.

Portanto, o fato de o capítulo listar homens que fizeram a coisa certa pode até lhes dar um sentimento de honra. Eles erraram, mas corrigiram o erro. O motivo de incluir a lista no livro talvez tenha sido o de fazer uma declaração mais ampla diante de Deus. Trata-se de uma demonstração de seriedade em relação aos casamentos mistos que, de fato, prejudicavam o compromisso com *Yahweh*. A nota quase cômica sobre as dificuldades de permanecer por causa da chuva sublinha o ponto. O final do nono mês, quando o ano começa com a Páscoa, implicaria dezembro, o período das primeiras chuvas de inverno.

Esdras, aparentemente, vai para a câmara de Joanã, filho de Eliasibe, com o objetivo de redigir a proclamação que vem a seguir. Nos dias de Neemias, havia um sacerdote sênior chamado Joanã, que era neto de um homem chamado Eliasibe, mas, se a missão de Esdras ocorre ao tempo de Artaxerxes I, é provável que este seja outro Joanã. "Devotar" a propriedade de alguém significaria que ela seria dedicada a Deus e incluída entre os ativos do templo. A sanção final, mencionada na proclamação, significa que um homem casado com alguém de outra comunidade teria que fazer uma escolha sobre a qual das comunidades ele pertence. Ele pode ser um amonita ou um moabita, se assim desejar, e servir às divindades amonitas ou moabitas, ou pode ser um judaíta e servir a *Yahweh*. Ele não pode tentar combinar lealdades e deve escolher a quem deseja servir.

A resposta de Esdras à assembleia explicita o ponto que emerge de sua oração e da proposta de Secanias. Quando as coisas dão errado, o arrependimento exigido necessita envolver a confissão (a contribuição de Esdras) e um retorno ao cumprimento da vontade de Deus (a ação que resulta da proposta de Secanias). Todavia, há um terceiro elemento na resposta. Em adição, os sacerdotes oferecem uma oferta de restituição. Talvez a história presuma que eles apresentaram a oferta em benefício de todos os homens envolvidos, ou pode ser que a condição sacerdotal deles torna a sua culpa especial. Seja como for, a natureza de uma oferta de restituição é oferecer algo que simbolicamente compense o mal cometido. A oferta reforça o fato de as pessoas estarem trocando a sua fidelidade.

Esdras 9 e 10 compartilham uma característica presente em inúmeras outras histórias bíblicas: não comentar sobre a correção ou o erro do que está sendo relatado. No caso em questão, o texto não diz que Esdras fez a coisa certa, embora a sua atitude geral em relação a Esdras implique, fortemente, que o sacerdote-erudito agiu com correção. Com frequência, a Bíblia fala de pessoas realizando atos que ela não aprovaria, embora não faça isso de modo explícito. Assim, podemos indagar se o livro deixa uma abertura para questionarmos se a ação de Esdras se encaixa no restante da Escritura. Talvez não haja uma ação ideal a ser tomada por Esdras; romper os casamentos foi, de fato, uma ação terrível, mas, por outo lado, aceitar simplesmente aquela prática poderia colocar em risco o futuro da comunidade. Poderia significar o desaparecimento da comunidade judaica, a exemplo do que ocorreu com os amonitas e moabitas, e, consequentemente, a inexistência da igreja cristã. Seria uma atitude sábia pensarmos duas vezes antes de assumirmos, como leitores ocidentais, que podemos ver o certo e o errado com mais clareza do que Esdras.

NEEMIAS

NEEMIAS 1:1–4

UM GRUPO DE SOBREVIVENTES, ATRIBULADOS E MISERÁVEIS

[1]Os atos de Neemias, filho de Hacalias. No mês de quisleu, no vigésimo ano, quando eu estava na fortaleza de Susã, [2]Hanani, um dos meus irmãos, veio, ele e alguns homens de Judá, e lhes perguntei sobre os judaítas, o grupo de sobreviventes que restou do exílio, e sobre Jerusalém. [3]Eles me disseram: "O povo que restou do exílio, está em grande dificuldade e desgraça lá na província. O muro de Jerusalém está destruído, e os seus portões foram queimados." [4]Quando ouvi essas coisas, sentei-me, e chorei e lamentei por dias. Fiquei jejuando e suplicando diante do Deus dos céus.

Uma semana após nos mudarmos para a Califórnia, a princesa Diana faleceu em um acidente de carro. Ao longo das semanas seguintes, acompanhei perplexo os relatos na mídia sobre a reação nacional na Grã-Bretanha. Em menor escala, esse sentimento de perplexidade ressurge, de tempos em tempos, enquanto acompanho ou leio sobre os acontecimentos que envolvem o meu país de origem e o que os britânicos (supostamente) estão pensando. Isso ocorreu esta semana, ao assistir ao filme *O discurso do rei* e ler os relatos do noticiário com respeito às reações causadas por ele na Grã-Bretanha. As pessoas, com frequência, me questionam sobre algum aspecto da vida britânica, e tenho de lembrar a mim e a elas que catorze anos se passaram desde que me mudei para os Estados Unidos. Agora, tenho apenas um pouco mais de conhecimento sobre a Grã-Bretanha do que qualquer outra pessoa que vive aqui e confia nas informações da mídia para compreender o que está ocorrendo do outro lado do Atlântico. Com certa vergonha, percebo que, hoje, oro mais regularmente pelos Estados Unidos e pela igreja aqui do que pela Grã-Bretanha e a igreja britânica (mudarei isso amanhã mesmo).

Neemias, aparentemente, nada sabia sobre como estava a situação em **Judá**. Susã era uma das capitais mais importantes do Império **Persa**, localizada a oeste da própria Pérsia e, portanto, não muito distante da **Babilônia**. A maneira mais óbvia de ler a história é considerar que o rei ainda é Artaxerxes I e que o ano é o vigésimo de seu reinado (445 a.C.). A data é, portanto, um século após Ciro primeiramente encorajar os judaítas a saírem da Babilônia para Judá, com o objetivo de reconstruir o templo, e metade do período de domínio do Império Persa, derrubado por Alexandre, nos anos 330 a.C. Treze anos haviam se passado após a missão de Esdras, mas há quem defenda que um ou os dois, na verdade, pertenceram ao reinado posterior de Artaxerxes II. No capítulo 8, descobriremos que Esdras ainda está em Jerusalém, embora também descobriremos, no capítulo 13, que Neemias fez, pelo menos, uma viagem de volta a Susã, e talvez Esdras tenha feito algo similar.

A forma com que as notícias chegaram por meio dos irmãos de Neemias e de alguns outros judaítas indica a possibilidade de haver movimentação entre Jerusalém e a capital persa, embora possa insinuar que (a exemplo de Esdras e Neemias), Hanani e comitiva estivessem envolvidos na administração imperial e na supervisão de Judá; eles não foram para Judá apenas para visitar a família ou gozar férias. A descrição da comunidade como "o grupo de sobreviventes que restou do exílio" poderia incluir tanto aqueles que haviam retornado do exílio na Babilônia quanto os que não foram levados para a capital babilônica, mas que tinham sobrevivido ao exílio em Judá mesmo e que se identificaram com a comunidade liderada pelas pessoas regressas da Babilônia, ao longo do século anterior. Todavia, a expressão indica que a comunidade ainda é pequena e vive precariamente; é apenas um grupo de sobreviventes. A questão é sublinhada pela descrição adicional de que eles estão em "grande dificuldade e desgraça". Já sabemos, do livro de Esdras, sobre as tensões entre Judá e as demais comunidades locais (as subprovíncias persas vizinhas são: Samaria, Asdode, Edom, Moabe e Amom), e pode-se imaginar que a complexidade dessas relações intensificaria o sentimento de vergonha dos judaítas pelas condições precárias nas quais viviam.

O problema era mais sério do que uma sensação de constrangedora humilhação, à qual as pessoas poderiam apenas dar de ombros. Uma cidade necessita de muros e portões para sua proteção; até mesmo Susã é uma cidade fortificada. No século XXI, os muros impressionantes de Jerusalém, com seus portões, constituem apenas uma atração turística, mas no século V a.C. podiam potencialmente ser uma questão de vida ou morte. Em Jerusalém, os muros estavam em ruínas, e os portões queimados. Embora seja possível que Hanani esteja simplesmente reportando que a cidade ainda está na mesma condição desde a sua destruição pelos babilônios, o efeito devastador desse relatório sobre Neemias pode sugerir que algum outro desastre tenha ocorrido mais recentemente, e somente naquela ocasião é que a notícia chegou a Susã; Hanani não está apenas se referindo a uma situação prolongada de dificuldades e de desgraça. Não há outros registros desse evento, mas estaria de acordo com os relatos sobre as conturbadas relações na região, e não seria surpresa caso os judaítas fossem mais eficazes na reconstrução do templo e na solução dos casamentos mistos do que no combate a um cerco pelos inimigos.

NEEMIAS 1:5-11A
OUSADIA COMO SERVO DE DEUS

[5]Eu disse: "Ó *Yahweh*, Deus dos céus, Deus grande e assombroso, que guarda a aliança e o compromisso com os que se dedicam a ele e guardam os seus mandamentos! [6]Por favor, que os teus ouvidos se tornem atentos e os teus olhos estejam abertos para ouvir a súplica do teu servo, que estou fazendo hoje diante de ti, dia e noite, por teus servos, os israelitas, fazendo confissão quanto às falhas dos israelitas das quais somos culpados em relação a ti. Eu e meus ancestrais falhamos. [7]Agimos muito danosamente em relação a ti. Não guardamos os mandamentos, os estatutos e a regras que ordenaste a Moisés, teu servo. [8]Lembra-te da palavra que ordenaste a Moisés, teu servo: 'Se vocês, povo, forem infiéis, eu os espalharei entre os povos, [9]mas, se vocês se voltarem para mim e guardarem os meus mandamentos e os cumprirem, mesmo se o povo disperso estiver na extremidade dos céus, de lá eu os reunirei e os trarei para o lugar que escolhi para o meu nome habitar.' [10]E eles são os teus servos e o teu povo que redimiste por teu grande poder e tua forte mão. [11a]Ó meu Senhor! Por favor, que os teus ouvidos se tornem atentos à súplica deste teu servo e à súplica dos teus servos que desejam reverenciar o teu nome. Capacita o teu servo a ter sucesso hoje e lhe dê compaixão diante deste homem."

Ontem, na igreja, estávamos discutindo sobre as "Bem-aventuranças" de Jesus, ou as bênçãos no Sermão do Monte, até chegarmos a uma discussão amistosa sobre o que temos de fazer como discípulos de Jesus ou, antes, sobre as implicações do fato de essas bem-aventuranças não focarem o que temos de fazer; antes, elas são endereçadas a pessoas que não podem fazer muito, que são pobres de espírito, pranteadores, humildes, famintos ou perseguidos. Alguém comentou sobre como as mulheres no Sudão que são estupradas ainda se regozijam em Deus, enquanto outra lembrou que muitos haitianos, mesmo após o terremoto, ainda estavam se regozijando em Deus. Mais adiante, uma mulher da congregação revelou que a discussão possibilitou a ela virar uma página em seu relacionamento com Deus. Ela é passionalmente comprometida em trabalhar para o triunfo da justiça e, igualmente, zanga-se com Deus por não tornar este mundo mais justo; ela compreendeu que não precisava carregar toda essa carga sobre os ombros e também perder de vista o que Deus está realizando.

A oração de Neemias levanta algumas questões relacionadas. Ele ora como alguém que está comprometido com sua oração, e o faz com um senso de urgência para que Deus entre em ação da maneira que apenas ele é capaz; além disso, reconhece a falha do povo em favor do qual ora. Sua reação ao ouvir as notícias sobre Jerusalém nos faz lembrar a reação de Esdras ao ser informado sobre os casamentos mistos, embora expressa em termos distintos. Neemias se senta (em choque, a exemplo de Esdras?), pranteia e lamenta como uma pessoa enlutada pela morte de alguém. O salmo 137 expressa o compromisso dos **judaítas** exilados na **Babilônia** de jamais se esquecerem de Jerusalém; o judaíta Neemias, em Susã, aceita o mesmo compromisso e reage às informações sobre a situação em Jerusalém como se fosse a morte de um ente querido. Por outro lado, o seu jejum compara-se à ação de Esdras e de sua comitiva quando se preparavam para a jornada até Jerusalém, e sua súplica assemelha-se à atitude de Esdras ao ouvir sobre os casamentos mistos.

A oração de Neemias começa com as duas formas de confissão que já observamos em relação à oração de Esdras. Primeiro, há confissão sobre quem Deus é; trata-se de uma característica comum da oração na Bíblia. É o fundamento de tudo o que vem a seguir. Oramos porque Deus é o Deus que nos convidou a orar a ele pelo **nome**, o nome ***Yahweh***, o Deus que não é simplesmente alguém em um relacionamento pessoal conosco, mas o Senhor todo-poderoso (o Deus dos céus). Invertendo os pontos, esse Deus é grande e assombroso, mas também é o Deus que guarda a **aliança** e o **compromisso**, confiável por ser fiel a palavras e ações. O espinho na carne que Neemias sabe que precisa reconhecer é que somente podemos apelar a essas qualidades divinas se formos pessoas dedicadas a Deus (o verbo é tradicionalmente traduzido por "amor", mas isso significa uma lealdade abnegada, não apenas uma emoção) e que guardam os seus mandamentos. A exemplo do ser humano, é possível que Deus guarde a aliança e o compromisso mesmo se a outra parte no relacionamento não agir assim. Todavia, seríamos tolos caso presumíssemos isso, do mesmo modo que um marido infiel à sua esposa presume que tudo ficará bem se ele apenas expressar o seu arrependimento.

Esse espinho na carne é um qualificativo sério para Neemias. Ele sabe que o seu povo não tem sido fiel à sua posição no relacionamento. Uma vez mais, a exemplo de Esdras em sua oração, Neemias sabe que precisa reconhecer a história transgressora de Israel ao longo dos séculos. Caso a destruição dos muros e portões de Jerusalém seja um fato recente, então isso constitui um abalo secundário dos eventos de 587 a.C. e, portanto, do castigo que esses eventos incorporaram. Em outras palavras, embora as ações daquela geração possam ter levado aos seus problemas atuais, não há sugestão ou indicação de que é assim. Do mesmo modo que ele sabe que precisa se identificar com as transgressões de seu povo para fazer confissão delas, também sabe que a geração atual precisa se identificar com as transgressões dos seus antepassados e confessá-las. Não há indícios de que os pecados de uma geração não sejam visitados na próxima.

Portanto, Neemias sabe que necessita reconhecer as falhas de seu povo; essa é a palavra no original, regularmente traduzida por "pecados", mas "falhas" é o seu significado básico. Neemias age seriamente em relação a essa falha; ele a usa em três ocasiões, fazendo confissão "quanto às falhas dos israelitas das quais somos culpados em relação a ti. Eu e meus ancestrais falhamos". Pode-se dizer que é lugar-comum, mas, se for assim, a referência subsequente a "dano" é bem menos clichê. Essa palavra é também repetida para sublinhar o ponto — mais textualmente, "com dano nós agimos danosamente". É a palavra utilizada por Esdras para se referir a danificar o templo. É como se o povo estivesse buscando prejudicar Deus ou os interesses divinos quando falharam em cumprir o que Deus disse, como se almejassem atacar Deus.

No entanto, Neemias igualmente sabe que a mesma **Torá** que advertiu quanto às consequências da falha deliberada, também prometeu que o castigo não significaria o fim. De certa forma, Deus é, na verdade, semelhante a uma esposa cujo marido pode ter a esperança de que ela o receberá de volta, caso houver transformação real em sua vida. Além disso, a exemplo de Moisés, Neemias pode apelar para o fato de que abandonar Israel contraria os interesses de Deus porque isso significa, em primeiro lugar, desperdiçar todo o esforço divino para redimir Israel do Egito.

Há, ainda, uma base adicional para a sua oração, embora ela envolva um paradoxo. Do mesmo modo que Esdras, Neemias se identifica com o seu povo em sua transgressão.

Ele sabe que não podemos alegar que a falha da nossa nação ou da igreja pertence a elas, não a nós; somos parte de nossa nação e de nossa igreja e estamos implicados tanto no futuro da nação quanto no da igreja. Todavia, Neemias segue apelando para o fato de que ele é um servo de Deus. Ele aplica a expressão "servos de Deus" ao seu povo, o mesmo que falhou e causou danos, mas, evidentemente, essa é uma espécie de descrição honorária; o comportamento deles não era fiel e servil. No entanto, quando Neemias se autodenomina servo de Deus, ele quer expressar que está genuinamente comprometido com o seu Senhor. O ponto é explicitado por referir-se a servos que reverenciam o nome de Deus — em outras palavras, pessoas que sabem quem Deus é e que se comportam de acordo com esse conhecimento. Reverenciar a Deus envolve fazer o que ele diz. Além da falha duradoura por parte dos servos de Deus, Neemias quer que Deus perceba o compromisso de servos como ele e Hanani e considere mais o segundo fato do que o primeiro. Em favor deles, ele está preparado para dizer: "Estou disposto a fazer qualquer coisa que me pedires para compensar a ofensa que causamos a ti — apenas diga-me o que é." Neemias, portanto, coloca-se em uma posição de servo incondicional de seu senhor.

Nas circunstâncias particulares em que se encontra, ele sabe que a primeira coisa que necessita é que o rei Artaxerxes sinta alguma compaixão por ele. Essa não é uma virtude real regular, embora haja a possibilidade de o seu relacionamento particular com o rei poder levá-lo a se preocupar com algo que preocupa Neemias, caso contrário ele jamais se importaria com a precária condição de uma cidade obscura na extremidade de seu império.

Neemias sabe como apelar a Deus para obter o que, passionalmente, deseja para o seu próprio povo.

NEEMIAS 1:11B–2:10

OUSADIA (E DISCRIÇÃO) COMO SERVO DO REI

[1:11b]Ora, eu mesmo era o copeiro do rei.

CAPÍTULO 2

[1]Então, no mês de nisã, no vigésimo ano do rei Artaxerxes, quando o vinho estava diante dele, peguei o vinho e o servi ao rei. Eu jamais estivera perturbado na frente dele, [2]de maneira que o rei me disse: "Por que a sua face está perturbada? Você não está doente. Isso pode ser apenas perturbação de mente." Fiquei com muito medo, [3]mas disse ao rei: "Vida longa ao rei! Por que a minha face não estaria perturbada quando a cidade que é o lugar de sepultamento de meus ancestrais está devastada e os seus portões foram consumidos pelo fogo?" [4]O rei me disse: "O que você está pedindo?" Supliquei ao Deus dos céus [5]e disse ao rei: "Se for do agrado do rei e se o teu servo parecer agradável diante de ti, que me envies para Judá, para a cidade que é o lugar de sepultamento de meus ancestrais, para que eu possa reconstruí-la." [6]O rei me disse, com a consorte assentada ao seu lado: "Quanto tempo demorará a sua jornada? Quando você voltará?" Isso pareceu agradável diante do rei, ele me enviou, e eu lhe dei uma data. [7]Disse ao rei: "Se for agradável ao rei, que me sejam dadas cartas aos governadores de além-rio para que me deixem passar até chegar a Judá [8]e uma carta a Asafe, guardião do parque do rei, para que ele possa me dar madeira para cobrir os portões da fortaleza que pertence a casa, para o muro da cidade e para a casa à qual devo ir." O rei as deu a mim de acordo com a boa mão de meu Deus sobre mim. [9]Fui aos governadores de além-rio e lhes entreguei as cartas do rei; o rei enviou comigo oficiais do exército e cavalaria. [10]Mas, quando Sambalate, o horonita, e Tobias, o servo amonita, ouviram, muito os desagradou que alguém tivesse vindo inquirir sobre a boa sorte dos israelitas.

Amigos meus fazem "orações-flecha" por coisas como uma vaga de estacionamento. Na origem, essa expressão refere-se a uma oração como a que segue: "Senhor Jesus Cristo, Filho de Deus, tem misericórdia de mim, um pecador" — a espécie de oração que pode ser feita a qualquer momento do dia como parte do "orai sem cessar", mas pode também denotar uma oração breve mais específica expressada em meio a alguma necessidade prática. Com frequência, agradeço a Deus por uma vaga de estacionamento conveniente e por outras bênçãos triviais, embora tenha dificuldades em fornecer a base teológica para essa ação; Deus interveio para fazer aquele motorista sair da vaga ou o seu movimento estava inserido no plano de Deus para o mundo desde o princípio? Às vezes, digo a Deus: "Seria ótimo se [...] (por exemplo, eu encontrasse uma vaga rapidamente, pois estou atrasado para a reunião)." Todavia, falta-me a convicção ou a fundamentação teológica para, de fato, orar por algo que, na verdade, é apenas uma questão de conveniência.

Não estou certo se Neemias me consideraria um homem sem fé. Ele é um homem prático, com os pés no chão e realista; parte de sua reação às notícias sobre Jerusalém é, obviamente, a de se comprometer a tentar fazer algo a respeito. Mas, entretecido com esse aspecto de suas características pessoais, a história o retrata como um homem que ora. Eu não ficaria surpreso se ele orasse com seus olhos na direção de Jerusalém, durante os sacrifícios da manhã e da tarde, a exemplo de Daniel (e Esdras, suspeito eu). Sabemos que orar foi a sua primeira reação após ouvir as más notícias sobre a cidade de seus ancestrais.

O encerramento da sua oração indica que Neemias tem consciência de que necessita se tornar o agente de alguma ação com respeito à sua preocupação por Jerusalém. Mas, com base nisso, não deveríamos concluir que sempre devemos ser as pessoas a resolver as questões pelas quais oramos. É fácil a oração se tornar um meio indireto de nos exortarmos a assumir a responsabilidade por algo. Embora seja possível usar a oração como uma forma de escapar da ação, na cultura ocidental, pelo menos, temos a propensão de considerar que tudo depende de nós, e a nossa oração passa a ser uma mera formalidade. A palavra para oração que Neemias usa é suplicar ou apelar. É uma palavra regularmente ouvida em um tribunal, que seria usada por uma pessoa implorando por justiça ou misericórdia em uma situação em que não pode fazer nada.

Logo após a súplica, com a qual responde às notícias sobre Jerusalém, é que ele faz uma oração-flecha no curso de sua conversa com o rei. Neemias vivia em Susã como um importante membro do grupo de serviçais do rei. Exercendo a função de copeiro, ele era responsável pela adega de vinhos; igualmente, teria a responsabilidade de provar o vinho do rei para assegurar que a bebida não estava envenenada. Esse ofício poderia significar que era próximo ao rei, como companhia e confidente, e o desenvolvimento dos eventos indica que ele, de fato, estava em uma posição de fazer uso dessa condição. Ele não está precisando achar uma vaga de estacionamento; antes, sabe que esse é o momento no qual deve agir em relação ao seu compromisso de tentar fazer algo a respeito das notícias vindas de Jerusalém. Ele sabe que as chances de se ausentar do trabalho são reduzidas por ser o braço direito do rei nos assuntos domésticos. Sabe que, de qualquer forma, necessita da autorização e do apoio imperial para fazer algo em relação à situação de Jerusalém. Todavia, ele também sabe que, na função de copeiro, o seu pedido está muito além de sua faixa salarial. Pode-se dizer que ele está pedindo por uma inversão de papéis. Em vez de ele fazer o que o rei pede, quer que o rei faça o que ele está solicitando. A concessão de seu pedido irá requerer algo próximo a um milagre.

Talvez a sua oração anterior, pedindo compaixão, esteja relacionada com o temor que ele, agora, expressa. Normalmente, presume-se que o temor de Neemias resulte de uma regra de etiqueta que exige que os serviçais do rei sempre estejam sorridentes e alegres; ao executar o seu serviço, o servo deve deixar as questões pessoais do lado de fora. As histórias em Daniel e Ester mostram quão voláteis os reis podem ser.

A reação do rei ao ver o olhar abatido no rosto de seu copeiro pode sugerir compaixão em vez de afronta, mas Neemias também sabe que, provavelmente, terá uma única oportunidade de obter a aprovação do rei para o plano que está desenvolvendo em sua mente. Uma vez mais, ele mostra que é um homem tanto de ação quanto de oração. Neemias revela diretamente o motivo de seu abatimento, e a ênfase quanto ao fato de Jerusalém ser o local no qual os seus ancestrais estão sepultados seria algo premeditado para sensibilizar o rei no contexto de uma cultura na qual o local de sepultamento de familiares era merecedor de grande respeito. Nesse estágio, Neemias nada menciona sobre os muros da cidade.

Quando Artaxerxes responde positivamente à sua explanação é que Neemias expressa a sua oração-flecha. Artaxerxes diz: "Está certo! O que você quer que eu faça?", ou, talvez, "O que você quer fazer?". Isso significa que o rei evita punir Neemias por sua aparência triste. Mas será que a consideração e a compaixão do rei por ele chegarão ao ponto de autorizá-lo a ir para Jerusalém e fazer algo pela situação ali? A compaixão real por Neemias se estenderá à cidade? Esse é o tema de sua oração-flecha. Não está claro o motivo de a presença da rainha ser mencionada. Talvez o fato de os dois homens terem companhia torne mais difícil para o rei atender ao pedido de Neemias, para não parecer fraco diante de sua consorte; ou, talvez, isso explique em parte o motivo de Artaxerxes estar benevolente naquele, aparentemente, jantar privado, em lugar de uma ocasião de Estado, quando uma mulher não estaria presente. Se for assim, trata-se de um daqueles fatos incidentais que contribuíram para a oração de Neemias receber uma resposta favorável.

Neemias prossegue em sua praticidade; ele necessita de recursos. A exemplo do que ocorreu na reconstrução do templo, ele será capaz de reutilizar as pedras das ruínas do muro, mas precisará de madeira para suas torres, portões e para a proteção do templo e a fortificação ao norte do monte do templo que guardava o acesso a ele. A referência à própria casa de Neemias sugere ser a residência de sua família, que precisará ser reconstruída da mesma forma que grande parte da cidade. O nome judeu do guardião imperial do parque florestal do rei indica que a sua localidade está na área de **Judá**, e faria sentido Neemias usar a madeira local em lugar de transportá-la de Susã (a palavra para "jardim" é o termo **persa** *pardes*, do qual deriva a palavra "paraíso" — embora a palavra não seja usada com esse sentido no Antigo Testamento).

Neemias, igualmente, precisa ser capaz de provar a sua autorização para realizar o trabalho quando encontrar os administradores de Artaxerxes responsáveis pela supervisão da província. A sabedoria do pedido logo emerge na menção à irritação de Sambalate, o horonita, e de Tobias, o amonita, sobre os quais ainda ouviremos muito mais. A descrição de Sambalate como o horonita é intrigante, embora possa sugerir que ele, na verdade, fosse um judaíta de Bete-Horom, a oeste de Jerusalém. Mais relevante ainda é o fato de um documento judaico do Egito mencioná-lo como um governador de Samaria, o que se encaixa em comentários posteriores em Neemias. A designação de Tobias como um servo amonita pode sugerir que ele era um dos subordinados de Sambalate, talvez responsável por Jerusalém, caso essa cidade fosse governada de Samaria. Se essa realmente fosse a posição dos dois homens, isso explicaria o motivo de eles estarem irritados ao ouvirem sobre a interferência de Neemias nas questões concernentes a Jerusalém.

NEEMIAS 2:11—3:14
TALENTOS NÃO SÃO REQUERIDOS

[11]Após chegar a Jerusalém e estar lá por três dias, [12]saí à noite, eu e alguns poucos homens. Não contei a ninguém o que meu Deus havia colocado em minha mente fazer por Jerusalém, e não havia nenhum animal comigo, exceto o animal no qual cavalgava. [13]Passei pela porta do Vale, à noite, na direção da fonte do Dragão e da porta do Monturo. Examinei os muros de Jerusalém que haviam sido violados e seus portões que haviam sido consumidos pelo fogo. [14]Passei à porta da Fonte e ao tanque do rei, mas não havia espaço para o animal debaixo de mim passar. [15]Assim, subi o vale, à noite, examinei o muro e, então, retornei e atravessei o portão do Vale. Portanto, retornei, [16]e os supervisores não sabiam aonde eu havia ido ou o que estava fazendo; ainda não havia contado aos judaítas, aos sacerdotes, aos supervisores e ao restante dos responsáveis pelo trabalho.

[17]Então, disse-lhes: "Vejam o problema no qual estamos, pois Jerusalém está devastada e seus portões foram consumidos pelo fogo. Venham, vamos reconstruir o muro de Jerusalém e não mais estaremos em desgraça." [18]Contei-lhes sobre a mão do meu Deus, que fora boa sobre mim, e também das palavras que o rei me havia dito, e eles disseram: "Vamos começar e reconstruir." Assim, eles fortaleceram as suas mãos para a boa

obra. [19]Mas quando Sambalate, o horonita, Tobias, o amonita, e Gesém, o árabe, ouviram, eles zombaram de nós e nos desprezaram. Eles disseram: "O que é isso que vocês estão fazendo? Estão se rebelando contra o rei?" [20]Retornei-lhes uma mensagem e lhes disse: "O Deus dos céus — ele nos capacitará a ter sucesso. Nós, os seus servos, começaremos e construiremos. Para vocês, não haverá parte, direitos ou honra em Jerusalém."

CAPÍTULO 3

[1]Então, Eliasibe, o sumo sacerdote, e seus irmãos sacerdotes foram e reconstruíram a porta das Ovelhas. Eles a consagraram e colocaram suas portas no lugar. Depois, construíram o muro até a torre dos Cem, que consagraram, e até a torre de Hananeel. [2]Próximos a ele, os homens de Jericó construíram. Próximo a ele, Zacur, filho de Inri, construiu. [3]Os filhos de Hassenaá construíram a porta do Peixe, a cobriram e colocaram no lugar suas portas, ferrolhos e barras. [4]Próximo a eles, Meremote, filho de Urias, filho de Hacoz, reparou. Próximo a eles, Mesulão, filho de Berequias, filho de Mesezabel, reparou. Próximo a eles, Zadoque, filho de Baaná, reparou. [5]Próximo a eles, os tecoítas repararam, mas os seus nobres não dobraram o pescoço ao serviço do seu senhor. [6]A porta Jesana, Joiada, filho de Paseia, e Mesulão, filho de Besodias, repararam; eles a cobriram e colocaram no lugar suas portas, ferrolhos e trancas. [7]Próximo a eles, Melatias, o gibeonita, e Jadom, o meronotita, repararam (homens de Gibeom e Mispá sob o domínio do governador de além rio). [8]Próximo a eles, Uziel, filho de Haraías, (ourives) reparou. Próximo a ele, Hananias, dos perfumistas, reparou, mas deixaram de fora Jerusalém até o muro Largo. [9]Próximo a eles, Refaías, filho de Hur, oficial sobre metade do distrito de Jerusalém, reparou. [10]Próximo a eles, Jedaías, filho de Harumafe, reparou em frente da sua casa. Próximo a ele, Hatus, filho de Hasabneias, reparou. [11]Uma segunda seção, Malquias, filho de Harim, e Hassube, filho de Paate-Moabe, repararam, bem como a torre dos Fornos.

[12]Próximo a ele, Salum, filho de Haloês, oficial sobre metade do distrito de Jerusalém, reparou, ele e suas filhas. [13]A porta do Vale, Hanum e os habitantes de Zanoa repararam. Eles a construíram e colocaram no lugar suas portas, ferrolhos e trancas, e mil côvados da muralha até a porta do Monturo. [14]A porta do Monturo, Malquias, filho de Recabe, oficial sobre metade do distrito de Bete-Haquerém, reparou; ele a construiu e colocou no lugar suas portas, ferrolhos e trancas.

Nesta semana, uma tira de quadrinhos do *New Yorker* retratava um caubói solitário cujo cavalo carrega adesivos de para-choque em seu dorso traseiro, com mensagens, por exemplo: "Como está a minha cavalgada", fornecendo um número de telefone para a resposta; "Eu dou passagem a cactos"; e "Minha filha é estudante de honra no rancho de meu amigo". Enquanto os quadrinhos me fizeram imaginar mentalmente Neemias montado em seu cavalo, o último adesivo me fez pensar. Isso me lembrou da convicção de que cada criança é especial; parece uma ideia contraintuitiva; rouba o significado do termo "especial", ainda que alguém afirme a sua preocupação em declarar que toda criança importa. Por seu turno, isso me fez pensar na palavra de Paulo em 1Coríntios 12 sobre os diferentes dons presentes no corpo de Cristo, com base na qual as pessoas, às vezes, concluem que todos possuem o seu dom. Creio que essa conclusão desvaloriza o significado da ideia de dons. Não é necessário possuir um dom para ser um membro importante do corpo.

Na reconstrução dos muros de Jerusalém, ninguém possui um talento especial. Ou melhor, muitas pessoas tinham dons especiais, mas os seus dons eram irrelevantes para o projeto (nos termos de 1Coríntios, é mais importante que as pessoas sejam exemplos vivos de dedicação em relação às necessidades do próximo do que exerçam os seus talentos). Havia um ourives e um perfumista envolvidos, mas seus dons eram totalmente irrelevantes para a obra. Havia sacerdotes, mas o seu trabalho regular no serviço de Deus era, igualmente, secundário para aquele projeto, e eles não usaram a sua vocação como desculpa para não se envolverem na reconstrução dos muros. Igualmente, havia administradores ou supervisores, mas eles não usaram a sua função como motivo para evitar usar espátulas. Havia pessoas de Jericó e Tecoa, que não usaram o fato de serem habitantes de outras cidades como uma desculpa para se esquivar do trabalho (embora, aparentemente, algumas pessoas importantes de Tecoa tenham achado coisas mais prioritárias para fazer) e pessoas de Gibeom e Mispá (que não usaram o fato de serem moradores dessas províncias e, portanto, de estarem sob a autoridade do governador de Samaria, ou por ser inapropriado a eles estarem associados ao esforço de reconstrução). Havia tanto mulheres quanto homens, ainda que essa laboriosa atividade pudesse ser considerada como trabalho de homem.

Não sabemos o suficiente sobre a extensão e a planta de Jerusalém, ou a localização de seus diferentes portões, para ter certeza da rota seguida por Neemias ou do curso do trabalho de reconstrução, embora esteja claro que os nomes são citados no sentido anti-horário em torno da cidade. Neemias faz a sua pesquisa durante a noite, provavelmente porque pretende definir as dimensões do projeto antes de começar a envolver as pessoas em sua realização. Ele sai pela porta do Vale, a oeste, e segue na direção sul, para a porta do Monturo, e então vira rumo ao norte e sobe em direção à região leste da cidade, retornando à porta inicial. Naquele lado da cidade, as elevações são, em geral, muito íngremes, o que explica o fato de Neemias não poder seguir no dorso de seu animal durante todo o percurso, fazendo-o parcialmente a pé. Da mesma forma, a complexidade geral da parte sul do muro pode explicar o motivo de essa área ser a única, de fato, investigada por Neemias; a parte norte seria menos problemática.

Quando o trabalho de reconstrução é iniciado, naturalmente um número suficiente de sacerdotes aceita a responsabilidade pelo trecho do muro próximo ao templo; a porta das Ovelhas fica no canto nordeste, e seu nome, provavelmente, deriva do fato de ser o caminho pelo qual as ovelhas, destinadas ao sacrifício no templo, entravam na cidade. Embora, no devido tempo, todo o muro viesse a ser dedicado, seria natural que os sacerdotes desejassem consagrar imediatamente a seção do muro próxima ao templo, por sua importância para o santuário ou por ser relevante haver uma referência extra ao fato de eles terem consagrado essa parte do muro. As torres são, talvez, parte da fortaleza que pertencia ao templo, sobre as quais Neemias mencionou a Artaxerxes. A narrativa da reconstrução move-se na direção oeste e, então, segue para o sul, para a porta na qual Neemias começou e para a porta do Monturo, no extremo sul. O relato cobre uma área muito mais ampla do que aquela investigada por Neemias, mas a referência ao abandono de parte da cidade sugere que o muro de Neemias abrange uma área menor do que aquela existente antes do exílio.

Imagino ser possível dizer que o próprio Neemias possuía um dom especial como o líder daquele projeto, embora a Bíblia dificilmente fale da liderança como um dom espiritual. Antes, a Bíblia fala em termos de servos de Deus em vez de líderes do povo. Na verdade, "servo de Deus" foi a expressão de Neemias sobre si mesmo no capítulo 1. Sua profissão também o envolvia agindo como um servo do rei, e, agora, ele precisará servir ao seu projeto e às pessoas envolvidas nele. No entanto, fundamentais para servir nesse projeto são as qualidades associadas com liderança: iniciativa de chegar em Jerusalém, obter os recursos, investigar o muro, estabelecer a natureza do trabalho a ser feito e inspirar a liderança da cidade no envolvimento com o projeto.

Mais de uma vez, a história sugere que Neemias não se sente intimidado pela oposição tanto quanto pela magnitude da tarefa. Como parece ocorrer sempre, tão logo as pessoas começam a fazer a obra de Deus, surgem adversários contra elas; o padrão perpassa Esdras e Neemias. Além de Sambalate e Tobias, da região norte de Jerusalém, agora há referência a Gesém, o árabe, que também é citado fora do Antigo Testamento e parece ter sido um governante na região sul de **Judá**. Talvez esse envolvimento explique a relutância da liderança em Tecoa (no extremo sul de Judá) em se envolver no projeto de Neemias.

A resposta de Neemias aos oponentes expressa a grandeza de sua confiança no contexto do escárnio deles. Seus adversários estão certos quanto à reconstrução de Neemias ameaçar os interesses deles sobre o controle de Judá. Ele declara que aqueles opositores não terão parte, direitos ou honra em Jerusalém. Tudo isso pertence a Deus, que o reivindicou ao colocar o seu **nome** ali, um sinal de afirmação de propriedade. Neemias está afirmando que os seus adversários serão desapontados e não terão autoridade ali. Judá pode permanecer sob o controle da **Pérsia**, mas será independente das demais subprovíncias da região.

NEEMIAS 3:15—4:6
QUE O ESCÁRNIO DELES RECAIA SOBRE ELES

[15]A porta da Fonte, Salum, filho de Col-Hozé, o oficial sobre o distrito de Mispá, a reparou; ele a construiu, cobriu e colocou no lugar as suas portas, ferrolhos e trancas, e [reparou]

o muro do tanque de Siloé, pertencente ao jardim do rei, até os degraus que descem da cidade de Davi. [16]Depois dele, Neemias, filho de Azbuque, oficial sobre metade do distrito de Bete-Zur, reparou até em frente dos túmulos de Davi e o tanque artificial e a casa dos guerreiros. [17]Depois dele, os levitas repararam: Reum, filho de Bani. Próximo a ele, Hasabias, oficial sobre metade do distrito de Queila, reparou para o seu distrito. [18]Depois dele, os seus irmãos repararam: Bavai, filho de Henadade, oficial sobre metade do distrito de Queila. [19]Próximo a ele, Ézer, filho de Jesua, oficial sobre Mispá, reparou uma segunda seção, em frente da subida para o contraforte das armas. [20]Depois dele, Baruque, filho de Zabai, com extremo zelo; ele reparou uma segunda seção, do contraforte até a entrada da casa de Eliasibe, o sumo sacerdote. [21]Depois dele, Meremote, filho de Urias, filho de Hacoz, reparou uma segunda seção, da entrada da casa de Eliasibe até o fim da casa de Eliasibe. [22]Depois dele, os sacerdotes, os homens da área em derredor, repararam. [23]Depois deles, Benjamim e Hassube repararam em frente da casa deles. Depois deles, Azarias, filho de Maaseias, filho de Ananias, reparou próximo a sua casa. [24]Depois dele, Binui, filho de Henadade, reparou uma segunda seção, desde a casa de Azarias até o contraforte e a esquina. [25]Palal, filho de Uzai: desde em frente do contraforte e a torre que sai da casa do rei, a torre superior que pertence ao pátio da guarda. Depois dele, Pedaías, filho de Parós [26](os assistentes que viviam em Ofel, desde a frente da porta das Águas para o leste e a torre que sobressai). [27]Depois dele, os tecoítas repararam uma segunda seção, desde a frente da grande torre que sobressai até o muro de Ofel. [28]Acima da porta dos Cavalos, os sacerdotes repararam, cada um em frente da sua casa. [29]Depois deles, Zadoque, filho de Imer, reparou em frente da sua casa. Depois dele, Semaías, filho de Secanias, guardião da porta Oriental, reparou. [30]Depois dele, Hananias, filho de Selemias, e Hanum, sexto filho de Zalafe, repararam uma segunda seção. Depois deles, Mesulão, filho de Berequias, reparou em frente da sua moradia. [31]Depois dele, Malquias, dos ourives, reparou até a casa dos assistentes e dos comerciantes, em frente da porta da Inspeção, até o aposento superior na esquina. [32]Entre o aposento superior na esquina até a porta das Ovelhas, os ourives e os comerciantes repararam.

CAPÍTULO 4

[1]Quando Sambalate ouviu que nós estávamos reconstruindo o muro, isso o enfureceu. Ele ficou muito irritado, mas zombou dos judaítas [2]e disse diante de seus irmãos e do exército samaritano: "O que aqueles frágeis judaítas estão fazendo? Deixarão isso para si mesmos? Sacrificarão? Terminarão hoje? Trarão à vida as pedras dos montes de entulho, quando estão queimadas?" [3]Tobias, o amonita, estava ao seu lado, e disse: "Seja o que for que estejam construindo, se uma raposa subisse ali, ela romperia o muro de pedra deles."

[4]"Ouve, nosso Deus, porque nos tornamos um objeto de abuso. Que a desgraça deles se volte contra as suas próprias cabeças. Torne-os em espólios em uma terra de cativeiro. [5]Não cubra as suas transgressões ou ofensas de diante de ti. Isso não deve ser apagado porque eles foram ofensivos diante dos construtores."

[6]E reconstruímos o muro, e todo o muro se fechou até estar pela metade. A mente das pessoas estava em fazer isso.

Certa ocasião, estávamos indo para um concerto na universidade da Califórnia, e meu amigo apontou para um edifício e disse: "Eu construí aquele prédio" (quando ele era estudante de engenharia). Minha esposa disse, enquanto olhávamos a foto de um museu de arte, num livro à mesa de café: "Eu construí isso" (quando era gerente de projetos). O meu pai, certo dia, trouxe um livro para casa, quando eu ainda era um menino, e disse: "Eu imprimi esse livro" (ele era um operador de impressora). Um de meus filhos, recentemente, se formou em engenharia: espero vê-lo, um dia, apontando para um programa de gerenciamento de inundações e dizer: "Eu desenvolvi esse programa." Meu cunhado é instalador de carpetes; em sua casa, ao olhar para o carpete, logo penso: "Foi o John (ele também é John) que o instalou." Quando alguém admira o meu suéter, posso dizer: "A minha sogra o tricotou." Após a reforma da minha cozinha, gosto de dizer: "O Joe fez isso." Quando me sento no pátio do meu outro filho, penso: "Isso é obra do Steven." A minha enteada se casou, perto de alguns apartamentos com vista para a praia, porque: "O meu avô os construiu."

A lista de pessoas envolvidas na reconstrução do muro de Jerusalém assemelha-se às demais listas em Esdras-Neemias, mas suspeito que essa teve uma relevância maior para os leitores e seus filhos e netos. Seria motivo de orgulho ver os nomes de pais, mães, avôs e avós presentes naquela lista. As gerações posteriores saberiam que a segurança delas e o orgulho da sua cidade se deviam, em grande parte, às pessoas listadas ali. O registro segue movendo-se ao redor da cidade no sentido anti-horário, até o lado leste, com suas encostas íngremes. Isso conduz a história próximo à fonte de Giom e ao túnel de Ezequias, que transporta as águas da fonte até o tanque de Siloé. Ela abre caminho passando pelo palácio e seus arredores, retornando à esquina nordeste e à área do templo, na qual começou. A quantidade de detalhes sobre a sua rota pode sugerir que esse seja um novo muro, que não segue o curso do muro antigo, em ruínas, e há evidências arqueológicas de que o muro reconstruído seguia acima da encosta íngreme e, portanto, de construção mais fácil do que o anterior, como parte da aceitação de Neemias em circundar uma área menor do que a cidade tivera outrora. Novamente, administradores proeminentes de regiões externas a

Jerusalém se envolveram com o trabalho. Ainda, inúmeros trabalhadores participaram da reconstrução de um segundo trecho do muro, além do primeiro.

A lista parece resumir os resultados finais da obra; o comentário sobre Sambalate, então, nos leva de volta a uma etapa anterior no processo, quando esse oponente se irrita com o que está acontecendo e passa a desdenhar da obra. A sua contrariedade reflete a consciência de que o sucesso do esforço de reconstrução, de fato, trará maior segurança e independência à cidade, além do incremento moral de seus habitantes e dos **judaítas**, em geral, que estão envolvidos na obra. O seu escárnio visa, de imediato, reafirmar o seu próprio povo, mas a oração de Neemias indica que os construtores tinham ciência disso e também reflete o desejo de Sambalate de interromper a reconstrução; zombar dos esforços daquelas pessoas pode ter esse efeito. Ele suscita dúvidas sobre a capacidade dos judaítas para concluir esse ambicioso projeto por conta própria ("deixando isso para si mesmos"). Quanto tempo a reconstrução irá demandar? Mais de um dia ou dois! Será possível transformar aquele entulho novamente em um muro? Pedras queimadas não podem ser, simplesmente, reassentadas. Será que os judaítas conseguirão alcançar o ponto no qual possam oferecer ações de graças ou sacrifícios de dedicação pela conclusão da obra? No que diz respeito ao sacrifício, já conhecemos a resposta, porque no início da lista dos trabalhadores há uma referência à consagração da primeira seção restaurada do muro. Ou, talvez, a questão de Sambalate seja relativa aos sacrifícios que acompanham as orações, o que significa que ele está questionando se os trabalhadores verão uma resposta às suas petições. Caso seja isso, trata-se de uma indagação perigosa, pois constitui um desafio para que Deus mostre que as orações, de fato, são respondidas.

A oração pelo juízo divino em resposta ao escárnio de Sambalate e Tobias traça um paralelo com as orações em Salmos e no Novo Testamento. Certamente, foi com o livro de Salmos que Neemias aprendeu a orar. Os judeus e cristãos modernos sentir-se-iam mais confortáveis se as pessoas na Bíblia não orassem assim, mas a própria Bíblia indica que não há nada de errado em fazer isso. Os que assim pensam tendem a ser pessoas que não estão vivendo em meio a uma crise como a que Neemias e sua comunidade estavam experimentando. Uma das relevâncias dessas orações é que elas estão nos lábios de pessoas que oram pelo julgamento de seus inimigos em vez de agir contra eles. Nenhum grupo de extermínio saiu de Jerusalém em direção a Samaria para atingir Sambalate. As orações são uma expressão de confiança em Deus, de que ele trará juízo, além de expressar o desejo de que a honra de Deus seja vingada.

Embora o registro da oração levante questionamentos por parte dos leitores modernos, outra questão que surge é por que esse relato da oração aparece no livro. Talvez um dos pontos seja o de neutralizar o resultado intencionado pelas palavras de Sambalate e de Tobias, ou seja, o de destruir o moral dos construtores. A oração, então, tem como objetivo parcial encorajar os construtores, lembrando-lhes que Sambalate e Tobias são pessoas que não possuem a mesma base de esperança que eles. A inclusão do relato sobre a oração no livro poderia ter função similar para os seus futuros leitores. Todavia, embora Apocalipse 6 registre a aceitação de Deus por uma oração dessa espécie, Neemias 4 não revela o que Deus pensou sobre ela, ainda que a presença desse registro na Bíblia signifique a desonra final para Sambalate, ao passo que Neemias e seu povo terminem sendo honrados.

Se a oração, a exemplo do escárnio, teve como objetivo ser ouvida pelos construtores e por Deus, mas, ao contrário do escárnio, também objetivava encorajá-los, esse objetivo foi aparentemente alcançado. Além disso, os descendentes desses construtores e futuros leitores do livro serão testemunhas dos fatos: "Meus pais, avós e bisavós, os meus ancestrais, construíram esse muro. Sou a evidência de que a palavra e a reivindicação de Deus sobre este lugar vivem."

NEEMIAS 4:7–23
ESPADA E ESPÁTULA, FÉ E ESPERANÇA

[7]Quando Sambalate, Tobias, os árabes, os amonitas e os asdoditas ouviram que a restauração havia chegado aos muros de Jerusalém e que as partes violadas começavam a ser fechadas, isso os irritou, [8]e todos eles planejaram juntos ir à luta contra Jerusalém e causar confusão nela. [9]Suplicamos ao nosso Deus e colocamos no lugar uma vigilância sobre [os trabalhadores], de dia e de noite, por causa deles. [10]Mas Judá disse:

> "A força do carregador tem falhado, e há tanto entulho. Nós mesmos não somos capazes de reconstruir o muro."

[11]E os nossos adversários disseram: "Antes de eles perceberem ou virem, iremos chegar entre eles e os mataremos, e pararemos o trabalho." [12]Quando os judaítas que viviam perto deles vieram, eles nos disseram, dez vezes, de todos os lugares: "Voltem para nós." [13]Então, eu os posicionei nas partes mais baixas do lugar, atrás do muro, nos pontos expostos – posicionei o povo por famílias com suas espadas, lanças e arcos. [14]Olhei, levantei-me e disse aos cabeças, aos supervisores e ao restante do povo: "Não tenham medo deles. Lembrem-se do Senhor, aquele que é grande e assombroso, que luta por seus irmãos, seus filhos e filhas, suas esposas e seus lares." [15]Quando os nossos inimigos ouviram que isso tinha se tornado conhecido por nós e que Deus havia frustrado a decisão deles, voltamos ao muro, todos nós, cada qual ao seu trabalho. [16]Mas, daquele dia em diante, metade dos meus rapazes fazia o trabalho e

metade portava espadas, escudos, arcos e armadura, com os oficiais por trás de toda a casa de Judá, [17]que construía o muro. Os carregadores de cestas transportando coisas: cada um realizava o trabalho com uma das mãos e com a outra segurava a arma. [18]Os construtores, cada qual estava cingido com sua espada ao seu lado, mas construindo. A pessoa que soava o chifre ficava próximo de mim. [19]Eu disse aos cabeças, aos supervisores e ao restante do povo: "Há muito trabalho, e isso está espalhado, e estamos divididos no muro, distantes uns dos outros. [20]No lugar onde ouvirem o som do chifre, reúnam-se ali a nós. Nosso Deus — ele lutará por nós." [21]Assim, fazíamos o trabalho com metade portando lanças, desde a chegada do amanhecer até as estrelas aparecerem. [22]Além disso, naquela ocasião, eu disse ao povo: "Cada homem e seu rapaz devem se alojar dentro de Jerusalém, e eles serão um guarda para nós de noite e trabalho de dia." [23]Eu, meus irmãos, meus rapazes e os homens na guarda atrás de mim não tirávamos as nossas roupas. Cada pessoa — a sua arma permanecia em sua mão.

Quando os meus alunos leem a parte do Antigo Testamento que inclui Neemias, com frequência eles desejam escrever artigos sobre liderança. Pensando bem, seja qual for o texto do Antigo Testamento que estejam estudando, isso sempre os leva a escrever sobre o tema. Meu coração naufraga quando eles pedem para escrever sobre liderança, embora não espere que eles entendam o motivo disso. A nossa cultura é profundamente preocupada com liderança e, assim, as pessoas presumem que essa também seja a preocupação da Bíblia, porque esperamos que ela foque questões que nos preocupam. Parte do motivo pelo qual a Bíblia não demonstra muito interesse nesse tema é que seu interesse reside mais no que Deus tem feito para consertar o mundo. Se preferir, a Bíblia está interessada na liderança de Deus, não na nossa. Não há dúvidas quanto a Neemias ser, a exemplo de Esdras, um grande líder; o ponto que tento esclarecer aos meus alunos é que não há indícios de que a sua história esteja presente na Escritura para que ele sirva como um modelo de liderança para, digamos, os pastores. A história de Neemias é parte da história de Deus. O erro não está em buscarmos modelos de liderança em sua história, mas em nosso foco de buscar na Bíblia respostas às nossas questões em vez de nos concentrarmos na agenda bíblica.

Contudo, sim, ele é um grande líder, e isso só ocorre por ele ser um grande servo de Deus e, por conseguinte, um servo do projeto e do povo de Deus, os construtores. Neemias lida com uma situação na qual o seu próprio povo corre o risco de desistir, e os seus oponentes parecem próximos de lograr êxito na tentativa de frustrar os seus planos. O desafio que ele impõe a si mesmo e aos seus compatriotas é monumental. Sambalate não estava exagerando quando chamou a atenção para as dimensões da tarefa de transformar ruínas queimadas em um muro novamente. Os **judaítas** concordam sobre a quantidade de entulho e já estão cansados de tanto transportá-los; eles querem desistir. Suas palavras são prosaicas, mas eles as expressam como linhas de uma poesia, estruturada de forma similar à estrutura de uma oração de lamento e protesto, com três palavras na primeira parte de cada linha, mas apenas duas na segunda metade; a linha expressa perplexidade da mesma maneira com que a vida os deixa perplexos. O pedido para voltar a nós parece como a súplica das pessoas que moram distantes de Jerusalém e, portanto, mais perto do território daqueles outros povos. Observamos na lista das pessoas envolvidas na reconstrução que muitos vieram de fora de Jerusalém, de cidades como Jericó, Tecoa, Queila e Bete-Zur, todas elas mais próximas da fronteira com esses vizinhos hostis que a própria cidade de Jerusalém. Os seus habitantes estão assustados com o fato de seus homens os terem abandonado nessa situação perigosa.

Além do mais, os oponentes de Neemias lançam mão de truques sujos para assegurar que a tarefa não seja concluída. Se eles chegassem com armas em punho, seria apenas um blefe? Eles tinham mesmo a intenção de ir à luta ou, simplesmente, estavam tentando amedrontar os judaítas e fazê-los desistir? Seriam Sambalate e os seus associados os responsáveis pela destruição do muro, que fora reportada a Neemias em Susã? Pelo relato da história, as pessoas contrárias ao projeto continuam crescendo em número. Primeiramente, eram apenas Sambalate e Tobias, o seu aliado. Então, surge Gesém, o misterioso árabe. Agora, unem-se os amonitas e os asdoditas. A situação política faz do envolvimento deles uma manobra esperada. Dentro da província **persa** de além-rio, na região oeste do Eufrates, a subprovíncia de Judá está cercada pelas subprovíncias de Samaria, ao norte, Asdode, a oeste, Edom ou Idumeia, ao sul (a área sobre a qual Gesém exercia influência), e Amom, a nordeste (Moabe fica a leste, mas o mar Morto está localizado entre Judá e Moabe e, assim, não há uma fronteira comum entre eles). Portanto, todos os seus vizinhos estão, agora, envolvidos na pressão sobre Judá; todos possuem interesse em diminuir a confiança e autossuficiência dos favoritos de Artaxerxes.

Desse modo, Neemias adota três ações, além de não desistir. Primeiro, ele ora, o que não surpreende, pois essa foi a sua primeira reação quando as más notícias chegaram aos seus ouvidos, em Susã. Ao se ver diante de uma crise, a oração é a sua reação instintiva.

Segundo, Neemias estabelece uma vigilância e equipa os trabalhadores com armas, além das ferramentas. Alguns mantêm a guarda, enquanto outros prosseguem no trabalho de reconstrução, ou, ainda, alguns trabalhadores seguem reparando o muro com armas na mão. Neemias mantém ao seu lado um homem que pode soar o alarme para alertar os trabalhadores de qualquer ataque iminente e reuni-los para empreender uma defesa coletiva em vez de mantê-los espalhados em pequenos grupos ao longo da rota do muro, como eles estavam.

Terceiro, ele faz algo em relação à moral do povo. Neemias reúne o povo como um todo, por suas famílias, em um local aberto — talvez a referência sobre ser um local exposto significa uma expressão de força e de frieza diante de qualquer representante dos vizinhos hostis que estiver na cidade. O povo se reúne com suas armas, e Neemias lhes fala da mesma forma que Josué ou Gideão teriam falado. Ele os encoraja a não terem medo, não por estarem bem armados ou por superestimarem os inimigos, mas por causa de quem o Deus deles é.

"Nosso Deus — ele lutará por nós." No entanto, isso não significa que eles ficarão de braços cruzados, assistindo à batalha. A presença de suas armas indica que Neemias não vê nenhum conflito entre confiança e ação, entre fé e luta. Por outro lado, ele não oferece nenhum sinal de uma ação agressiva em relação aos aliados. Não haverá nenhum ataque preventivo. Neemias está apenas expressando que os judaítas não esperarão deitados para serem pisoteados. Eles não atacarão, mas, com certeza, se defenderão. A demonstração de compromisso com a tarefa de reconstrução, apesar das ameaças, é suficiente para fazer os inimigos recuarem e motiva os judaítas a retomarem o trabalho e concluí-lo, levando-os a terem os seus nomes registrados e mantidos vivos neste livro, um testemunho da fé deles que vive até hoje, para nós.

NEEMIAS 5:1-5
O DESAFIO MORAL DA COMUNIDADE

[1]Houve um grande clamor por parte do povo e de suas esposas em relação aos seus irmãos judaítas. [2]Havia alguns dizendo: "Com nossos filhos e filhas — somos muitos. Precisamos obter grãos para comer e viver." [3]Havia outros dizendo: "Nossos campos, nossas vinhas, nossos lares — nós os estamos penhorando para conseguir grãos durante a fome." [4]E havia alguns dizendo: "Temos emprestado dinheiro para o imposto do rei sobre os nossos campos e vinhas. [5]Ora, somos da mesma carne que os nossos irmãos, os nossos filhos são como se fossem deles, mas eis que estamos sujeitando os nossos filhos e as nossas filhas à servidão. Algumas de nossas filhas têm sido sujeitadas. Não há poder em nossas mãos enquanto nossos campos e vinhas pertencerem a outras pessoas."

Duas ou três semanas atrás, compramos um sofá novo e conseguimos um desconto de dez por cento porque aceitamos o cartão de crédito oferecido pela loja e lançamos o valor da compra nele. Esta semana, a fatura do cartão de crédito chegou, com a oferta habitual de fazer o pagamento mínimo, mas, agora, com a informação obrigatória sobre quanto pagaríamos ao longo de dois anos caso pagássemos o mínimo permitido. A resposta é cerca de vinte por cento a mais. Eis como funciona um cartão de crédito. Agora, se você comprasse os volumes anteriores desta série, *O Antigo Testamento para todos*, a sua ação me possibilitaria pagar o valor total da fatura, o que devo fazer antes que me esqueça (perdoe-me um instante, enquanto faço o pagamento). Por outro lado, tenho uma amiga que perdeu o emprego e precisou usar o cartão de crédito para comprar comida. Ela não teve alternativa, exceto pagar os vinte por cento a mais de juros pelo dinheiro gasto em alimentação. Na cultura ocidental, emprestar dinheiro é uma forma de ganhar dinheiro, e as pessoas que pagam o preço são exatamente aquelas que não podem arcar com esses custos.

No Antigo Testamento, o empréstimo é uma forma de mostrar compaixão aos mais necessitados, não um meio de ganhar dinheiro. A **Torá** proíbe cobrar juros sobre os empréstimos a indivíduos. A usura não envolve fazer empréstimos com cláusulas particularmente injustas; significa qualquer cobrança de juros sobre um empréstimo. A Torá, portanto, salvaguarda a posição de alguém que assume o risco de fazer um empréstimo ao pressupor a prática da servidão temporária do endividado; isto é, uma pessoa que enfrenta dificuldades econômicas e não consegue prover para sua família pode aceitar um empréstimo de suprimentos de outra pessoa e comprometer membros de sua família ou ela própria ao trabalho da pessoa que lhe fez o empréstimo, por seis anos, pagando o empréstimo por meio do trabalho. (Seria do interesse de todos que os filhos fossem os primeiros a trabalhar dessa maneira, para que o cabeça da família pudesse continuar trabalhando na propriedade da família, visando à sua recuperação econômica; mas *filhos* não significa, necessariamente, crianças — com a mesma facilidade, significa adolescentes e jovens adultos.) A preocupação da Torá é assegurar que a prática da servidão seja regulada de uma forma adequada. As traduções, em geral, referem-se a pessoas que trabalham sob esse regime como escravos, mas essa palavra é equivocada — servos é uma tradução melhor. Esses servos não são uma propriedade da pessoa para as quais trabalham, e o senhor deles não pode maltratá-los. A exemplo de nossas regras sobre o crédito, as regras na Torá visam proteger os necessitados, embora elas sejam mais generosas que as leis das modernas nações cristãs.

A sequência de eventos em Neemias sugere que as dificuldades econômicas que afetam o povo em **Judá** estão relacionadas com o programa de reconstrução do muro. De modo irônico, parece que algumas esposas e filhos de judaítas que não precisaram se divorciar estavam experimentando, pelo menos, um tempo tão difícil quanto as esposas e filhos dos judaítas que se divorciaram. Obviamente, os homens empenhados na reconstrução do muro não podem trabalhar em suas propriedades, mas o fato de os protestos virem de esposas tanto quanto de seus maridos reflete algumas presunções quanto à base sobre a qual a vida israelita funcionava, pelo menos em teoria. Cada família recebeu um pedaço de terra para cultivar, e essa era uma operação conjunta na qual o papel de maridos e respectivas esposas era complementar, a fim de assegurar o funcionamento capaz da família. No entanto, o egoísmo humano, regularmente, manifesta uma engenhosidade monumental em contornar salvaguardas impostas para restringir a ganância e proteger os necessitados, da mesma forma que nos desviamos da implementação de nossas próprias regras sobre o crédito e outras questões econômicas. De fato, diz-se haver dezenas de milhares de garotas trazidas aos Estados Unidos, a cada ano, com a promessa de poderem estudar em troca de trabalhos servis, mas que acabam trabalhando em regime similar à escravidão. Igualmente, os Profetas deixam claro como o tipo de sistema apresentado na Torá não estava em funcionamento séculos antes de Neemias. Pessoas que se saíram bem financeiramente eram capazes de expulsar fazendeiros menos afortunados, astutos, competentes e trabalhadores de suas terras, de maneira que estes terminavam como trabalhadores nas fazendas de outras pessoas ou mudavam-se para a área urbana. Caso abrissem um negócio ali, podiam lograr êxito, mas sempre estariam vulneráveis às oscilações econômicas ou de outras áreas.

O primeiro grupo de manifestantes parece ser formado por pessoas assim, moradores de Jerusalém que precisam alimentar as suas famílias, mas são impedidos de fazer isso por estarem trabalhando na reconstrução do muro – sua força de trabalho incluía pessoas de diferentes ofícios, como perfumistas, ourives e comerciantes. Assim, não conseguiam ganhar dinheiro para comprar trigo e assar pão, algo básico para a família. Essas pessoas são as primeiras a cujo *clamor* o capítulo se refere. A própria palavra usada expressa gravidade extrema; é o termo usado em relação ao grito emitido pelo sangue de Abel derramado no solo, quando ele foi morto por seu irmão; a mesma palavra utilizada para descrever o lamento dos israelitas oprimidos no Egito. É assim que os hierosolimitas estão tratando uns aos outros.

O segundo grupo abrange pessoas que ainda possuem a sua terra, talvez nas imediações de Jerusalém ou, ainda, em uma das localidades mais distantes, mencionadas na lista de trabalhadores, entre elas Tecoa e Gibeom. Para participar da reconstrução do muro, eles teriam abandonado o trabalho em suas propriedades e acrescentam um fator a mais para consideração: a ocorrência de colheitas pobres e, portanto, de uma onda de fome. A fome como um desastre natural não é mencionada em Esdras-Neemias, embora haja referências a colheitas escassas em Ageu, Malaquias e Joel, o suficiente para indicar que essa ocorrência era constante. Contudo, o ponto levantado por esse grupo pode, uma vez mais, ser o fato de serem obrigados a abandonar o trabalho em suas fazendas, o que levou a colheitas aquém do que ocorreria com o cultivo e o cuidado contínuos da lavoura e insuficientes para alimentar as famílias e providenciar sementes para o futuro plantio. Desse modo, eles precisaram tomar emprestado de famílias em melhores condições e, assim, correm o risco de seguir a mesma experiência já referida pelos profetas, isto é, de perder a sua propriedade de forma permanente caso não sejam capazes de sanar as suas dívidas.

O terceiro grupo aponta para um fardo diferente. A globalização é um ônus sobre pessoas comuns. Ser parte do Império **Persa** pode trazer benefícios para este grupo, em troca do pagamento de taxas imperiais, embora eles não consigam enxergá-lo. Essa obrigação também exerce pressão sobre o meio de vida deles. Portanto, uma vez mais, se eles estão apenas vivendo para garantir a própria subsistência, produzindo o mínimo para sobreviverem, a obrigação de entregar vinte por cento aos cofres imperiais a fim de manter o estilo de vida ao qual o imperador e sua corte estão acostumados os força a entrarem em dívidas. O seu lamento, então, não é de que eles precisam arrendar as suas propriedades para outra família, mas de que são forçados a vender o trabalho de seus familiares a outras famílias. Na cultura do Ocidente, consideramos como garantido a venda de nossa mão de obra — o trabalho significa ser empregado por alguém. No entanto, o ideal do Antigo Testamento é que as pessoas trabalhem para si mesmas no contexto da família. Vender o próprio trabalho é algo estranho no pensamento do Antigo Testamento, mesmo que seja por alguns anos para pagar as dívidas da família; isso rompe a ligação familiar.

Os que protestam indicam o fato de todos, num contexto mais amplo, pertencerem à mesma família daqueles aos quais eles entregam, temporariamente, os seus filhos. Nesse contexto mais amplo, essas pessoas são "os nossos irmãos". A visão que a Torá estabelece diante do povo é que Israel é a família em larga escala. Você não cobra juros sobre os empréstimos dentro da família, cobra? Esse grupo de manifestantes também se refere a essas pessoas como "da mesma carne" e observa que "nossos filhos são como se fossem deles". A implicação é que, por trás do vínculo familiar, está a ligação humana. Pode-se dizer que a humanidade como um todo é a família em larga escala. Como seres humanos podem cobrar juros de outro ser humano em necessidade? (Em outras palavras, o argumento do Antigo Testamento pode não discorrer sobre o que chamaríamos de juros comerciais, incluindo aquele oferecido pela loja a mim e à minha esposa; mas versa sobre usar o infortúnio ou o autossacrifício de outra pessoa como um meio de ganhar dinheiro.)

Um grande projeto, a exemplo da reconstrução do templo ou dos muros da cidade, afeta a economia de toda a região pela necessidade de levantar recursos para viabilizá-lo. Expressando em termos teológicos, isso exige sacrifícios por parte da comunidade. No entanto, é possível haver pessoas dispostas e preparadas para fazer sacrifícios em prol de Deus e da comunidade, enquanto outras estão propensas a ver o projeto como um meio de obter lucros para si mesmos em vez de um sacrifício.

NEEMIAS **5:6-19**
COLOCANDO O SEU DINHEIRO ONDE O SEU CORAÇÃO ESTÁ

[6]Fiquei muito irritado quando ouvi o clamor deles e essas palavras. [7]Quando o meu pensamento me aconselhou, contendi com os cabeças e os supervisores e lhes disse: "Vocês estão emprestando com usura, cada qual contra o seu irmão?" E levantei uma grande assembleia sobre eles. [8]Disse-lhes: "Resgatamos os nossos irmãos judaítas que foram vendidos aos gentios, tanto quanto estava em nós. Vocês realmente irão vender os seus irmãos para que eles possam ser vendidos a nós?" Eles ficaram em silêncio. Não conseguiram encontrar palavras. [9]Eu disse: "O que vocês estão fazendo não é bom.

Vocês não andarão em reverência a Deus para evitar a desgraça diante dos gentios, nossos inimigos? [10]Na verdade, eu, meus irmãos e meus rapazes lhes estamos emprestando prata e grãos. Vamos acabar com essa usura. [11]Deem de volta os seus campos, suas vinhas, suas oliveiras e seus lares, e a porcentagem sobre a prata, os grãos, o vinho e o azeite que vocês lhes estão emprestando." [12]Eles disseram: "Daremos de volta e não buscaremos mais nada deles. Agiremos, portanto, como você está dizendo." Então, convoquei os sacerdotes e fiz [o povo] jurar para agirem de acordo com esta palavra. [13]Também sacudi o meu bolso e disse: "Que Deus assim sacuda qualquer homem que não cumprir esta palavra de sua casa e de sua propriedade. Que ele se torne sacudido assim e esvaziado." Toda a assembleia disse: "Amém" e louvou a *Yahweh*, e o povo agiu de acordo com esta palavra. [14]Além disso, desde o dia em que fui comissionado para ser governador na nação de Judá, do vigésimo até o trigésimo segundo ano do rei Artaxerxes, doze anos, eu e os meus irmãos não comemos a comida do governador. [15]Os governadores anteriores, que estavam antes de mim, colocaram um fardo sobre o povo, e pela comida e vinho para um [dia] tomavam deles quarenta siclos de prata. Além disso, os seus rapazes dominavam sobre o povo. Eu não fiz assim, por reverência a Deus. [16]E mais, apoiei o trabalho sobre este muro; não adquiri terra, e todos os meus rapazes foram reunidos ali para o trabalho. [17]Os judaítas e supervisores, cento e cinquenta no total, e as pessoas que vinham a nós das nações que estavam ao nosso redor, estavam à minha mesa. [18]O que era preparado para cada dia: um boi, seis ovelhas escolhidas e aves, eram preparados por mim, e, num intervalo de dez dias, todos os tipos de vinhos em quantidades. Mas, com isso, eu não busquei a comida do governador, porque o serviço era pesado sobre este povo. [19]Lembra-te de tudo o que fiz para este povo, meu Deus, para o bem, por mim.

Recentemente, li uma história sobre uma adolescente de Atlanta que viu uma Mercedes coupê preta de um lado da rua e um desabrigado pedindo por comida no outro. Ela comentou com o seu pai que, se o motorista tivesse um carro mais barato, o outro homem poderia ter uma refeição. A sua mãe perguntou-lhe: "O que você quer fazer então? Vender a nossa casa?" Algum tempo depois, eles fizeram exatamente isso, usaram metade dos rendimentos na aquisição de uma casa menor e doaram a outra metade para apoiar um projeto que patrocina ações em saúde, pequenos financiamentos, alimentação e outros programas, em benefício de quarenta vilarejos em Gana. O relato prossegue falando sobre a bênção que essa atitude lhes trouxe. Havia um sentimento real de que eles estavam melhor, como família, em uma casa menor, contrariando o conceito anterior dos pais daquela garota. Agora a união entre eles era maior, pois a casa menor propiciava um ambiente familiar mais amigável, embora não tenha sido esse benefício o fator motivador que os levou a realizar aquela ação.

Não sabemos a extensão dos sacrifícios feitos por Neemias. A implicação de sua reivindicação é que ele estava bem de vida o suficiente para trabalhar sem recompensa ou apoio financeiro. No doar, atribui-se tanta importância ao que se deixou quanto ao que se doou; muitas pessoas podem dar substancialmente e ainda possuir mais do que o suficiente. O ponto de Neemias é que ninguém terá qualquer oportunidade de sugerir que ele realizou o seu trabalho motivado pelo que poderia lucrar com ele. Muitos na liderança cristã podem dizer que ganham mais do que se estivessem trabalhando em um emprego secular, e creio ser um deles, embora eles, como eu, poderiam também afirmar que obtêm mais satisfação do trabalho cristão que realizam. Então, a questão da motivação não é solucionada apenas pela análise de contas bancárias e de bens materiais que tais pessoas possuem.

Neemias não sugere que realiza o seu trabalho para se beneficiar; na realidade, a sua história, até aqui, sugere o contrário. No entanto, esse fato não significa que ele se opõe a obter benefícios dele; na verdade, ele pede a Deus que assim seja. A exemplo de sua oração pedindo julgamento sobre os seus opositores, ele não sugere que precisamos censurar as nossas orações. Não sentir a necessidade de fazê-lo novamente tem o efeito de libertá-lo da obrigação de agir em seu próprio benefício. Ele ora pelo julgamento de seus inimigos e, portanto, não busca, ele mesmo, exercer juízo sobre eles; Neemias e seus inimigos sabiam que deixar a punição para Deus pode ser mais ameaçador do que se o julgamento estivesse nas mãos de Neemias ou do restante da comunidade humana. Ele também ora para promover o bem com o seu compromisso com a comunidade e, portanto, não busca agir para garantir a sua prosperidade. Neemias é livre para usar os seus recursos em benefício de outras pessoas porque é livre para orar dessa forma. Deus é o seu verdadeiro empregador.

O ponto mais específico sobre esse aspecto da história de Neemias é a sua relevância em relação à posição das outras pessoas que estão bem de vida. Como de costume, Neemias se inflama pelo que ouve; regularmente, ele é uma pessoa cujas emoções sempre estão à flor da pele e que mostra como isso pode ser frutífero na geração de ações. Há algo de errado com você caso não se sinta perturbado ao ouvir más notícias sobre o povo de Deus e compelido a orar e a fazer algo a respeito; ou não considera uma afronta quando inimigos ameaçam causar mais problemas para seus irmãos e irmãs e não desafia Deus a agir em benefício deles ou adota uma ação que lhes possibilite uma defesa. Algo não está certo se você não se indigna quando pessoas de Deus agem como descrito nesse capítulo e não se sente compelido a confrontá-las com firmeza. Neemias, a exemplo de Saul, mostra como a ira pode ser um fruto do Espírito, uma capacidade usada por Deus para que o certo prevaleça. Reconhecidamente, é válido observar que, nessa ocasião, ele pensa antes de falar; Neemias permite que o seu pensamento o aconselhe (aproveitando essa levemente estranha, mas sugestiva formulação). Após ele ouvir os protestos e sentir a ira crescendo em seu íntimo, é quase possível ouvi-lo dizer: "Acalme-se, Neemias, pense nessa questão um pouco antes de abrir essa sua boca grande." Então, ele confronta a liderança e convoca uma reunião da comunidade, pois, afinal de contas, trata-se de uma questão comunitária.

Aqueles que estão exercendo pressão econômica sobre o povo como um meio de obter lucro são "os cabeças e os supervisores". Os dois grupos irão se sobrepor. O primeiro grupo compreende os chefes das famílias, que estão usando a situação para melhorar a sua condição familiar às custas de outras famílias, por meio das condições impostas aos empréstimos que eles concedem. O segundo, abrange pessoas que exercem alguma responsabilidade administrativa na cidade e que, portanto, estão em posição de fazer o mesmo pelo modo de operarem a lei. Como bem sabemos, com base em nosso próprio mundo, os mais ricos e aqueles dotados de poder estão sempre em posição de obter vantagem sobre os necessitados e os impotentes. Assim, o abismo entre os ricos e os pobres se amplia a cada década. E podemos não enxergar que estamos agindo dessa maneira. Os cabeças e supervisores estavam envolvidos naquele projeto de reconstrução da comunidade. Aparentemente, eles não tinham percebido que estavam exaurindo a comunidade nesse outro aspecto da vida dos judaítas.

Neemias precisa posicionar-se para mostrar que não está se valendo do fato de pertencer a uma família com recursos financeiros ou de sua autoridade. Ele e seus associados estão emprestando prata e grãos ao povo (isto é, dinheiro), e — ele sugere — não estão cobrando juros; outras pessoas precisam fazer o mesmo. (Ou, talvez, queira dizer que ele e seus associados *estão* cobrando juros — embora presumivelmente não com os nefastos resultados descritos nos protestos, caso contrário mais precisaria ser dito —, mas que eles também cessarão essa cobrança.) A presença de pessoas à mesa de Neemias exemplifica como a união comunitária pode tornar possível alcançar o grande sacrifício envolvido na reconstrução, sem, contudo, levar a comunidade à servidão. Os adversários da comunidade, então, têm menos vulnerabilidades a explorar.

Em um dos conjuntos de regras da **Torá** que lida com a pobreza e a servidão por dívidas, Levítico 25 aborda a possibilidade de os israelitas tomarem emprestado de estrangeiros e terminarem como servos deles e estabelece a expectativa de que os membros de sua família mais ampla possam redimi-los da servidão. Neemias indica que a comunidade tem agido assim, quando necessário. Mas não é consistente com a prática comunitária que um **judaíta** seja colocado em uma posição servil por outro e que isso faz a comunidade parecer insensata aos olhos daqueles dos quais as pessoas foram compradas de volta. A referência "aos gentios, nossos inimigos" dificilmente significará que todos os gentios devem ser vistos como inimigos, mas terá em mente as pessoas citadas em outras passagens do livro como "nossos inimigos", isto é, Sambalate, Tobias, Gesém e outros representantes dos povos vizinhos.

Levítico 25 também torna a maneira pela qual as pessoas lidam com a pobreza do seu próximo como um aspecto do viver reverente a Deus, e Neemias faz o mesmo. Não se pode separar a política econômica da maneira com que Deus espera que nos tratemos mutuamente

NEEMIAS 6:1–19
NÃO CONFIE EM NINGUÉM

[1]Quando foi reportado a Sambalate, Tobias, Gesém, o árabe, e ao restante dos nossos inimigos, que havíamos reconstruído o muro e que nenhuma brecha mais permanecia nele (embora, até aquela época, eu não houvesse colocado as portas nos seus lugares), [2]Sambalate e Gesém enviaram mensagem a mim, dizendo: "Venha, vamos nos encontrar em Quefirim, no vale de Ono." Mas esses homens estavam tentando me fazer o mal, [3]por isso enviei-lhes ajudantes, dizendo: "Estou realizando um grande projeto. Não posso descer. Por que o projeto deveria cessar enquanto eu o deixo e desço até vocês?" [4]Sambalate enviou-me de acordo com essa mensagem quatro vezes, e lhe enviei de volta, de acordo com essa mensagem. [5]Sambalate enviou o seu rapaz a mim, de acordo com essa mensagem, uma quinta vez, mas com uma carta aberta em sua mão. [6]Nela, estava escrito: "É reportado entre as nações (e Gesimo diz) – você e os judaítas estão planejando se rebelar. Eis por que estão reconstruindo o muro. Você será o rei deles, de acordo com essas palavras, [7]e você também colocou no lugar profetas para proclamar em Jerusalém sobre você, que 'há um rei em Judá'. Isso, agora, será reportado ao rei, de acordo com essas coisas. Portanto, venha e vamos nos encontrar, agora." [8]Enviei-lhe mensagem, dizendo: "Nada, conforme essas coisas que você está dizendo, aconteceu, porque você as está inventando de sua própria mente", [9]porque todos eles estavam nos intimidando, dizendo [para si mesmos]: "As mãos deles cessarão do projeto, e ele não será realizado." Assim, agora, fortalece as minhas mãos.

[10]Eu mesmo fui à casa de Semaías, filho de Meetabel, quando ele estava restrito. [Semaías] disse:

"Vamos nos encontrar na casa de Deus, dentro do palácio [de Deus],
Vamos fechar as portas do palácio, porque eles estão vindo para matá-lo.
De noite, eles estão vindo para matá-lo."

[11]Eu disse: "Uma pessoa como eu fugirá? E quem, como eu, pode entrar no palácio e viver? Eu não irei." [12]Percebi que Deus não o tinha enviado, pois ele falou a profecia sobre mim porque Sambalate e Tobias o tinham contratado. [13]Para esse fim, ele foi contratado – para que eu ficasse com medo e agisse e, portanto, cometesse uma ofensa, e eles teriam um motivo com o qual me infamar. [14]Meu Deus, lembra-te de Tobias e de Sambalate, de acordo com esses atos deles, e também de Noadia, a profetisa, e do restante dos profetas que estão me intimidando.

[15]Mas o muro foi terminado no vigésimo quinto dia de elul, depois de cinquenta e dois dias. [16]Quando todos os nossos inimigos ouviram, todas as nações ao nosso redor ficaram com medo e caíram grandemente aos seus próprios olhos. Reconheceram que essa obra havia sido feita por Deus. [17]Também, naqueles dias, os cabeças dos judaítas estavam enviando muitas cartas a Tobias, e cartas de Tobias estavam vindo até eles, [18]pois muitas pessoas em Judá estavam sob juramento a ele, porque ele era genro de Secanias, filho de Ara, e Joanã, seu filho, havia se casado com a filha de Mesulão, filho de Berequias. [19]Além disso, eles estavam falando diante de mim sobre as boas obras dele e estavam transmitindo as minhas palavras a ele, quando Tobias enviou cartas para me intimidar.

Na semana passada, não consegui acessar os meus *e-mails*. Concluiu-se que o problema era algo com a memória cache, um componente no computador que armazena dados; sua operação destinava-se a garantir a segurança de meus *e-mails*, mas, na verdade, o seu problema era excesso de zelo. Ao longo da mesma semana, tentei usar a nova página virtual do meu médico para agendar uma consulta, o que envolvia registrar e dar uma série de informações obscuras, tais como a cidade natal de minha mãe, além de definir uma senha suficientemente "forte", tudo isso com o objetivo de garantir a segurança dos meus dados médicos. Todavia, mesmo após fazer tudo isso, não logrei o desejado acesso ao sistema, o que me obrigou a fazer uma antiquada ligação telefônica, depois do fim de semana. Há alguém que realmente queira ler os meus *e-mails* ou ver a minha ficha médica? Qual a importância disso?

Caso eu fosse Neemias, teria que me preocupar com essa questão. Ele precisa ser astuto. O vale de Ono está no meio do percurso entre Jerusalém e Samaria; portanto, é um lugar plausível para um encontro entre Sambalate e Neemias, mas também fica cerca de trinta quilômetros ao norte de Jerusalém, o que demandaria alguns dias de ausência para Neemias — caso voltasse. O mais provável é que ele desaparecesse misteriosamente, um infortúnio que poderia, então, ser atribuído a bandidos ou aos beduínos, a exemplo dos sequestradores de José. A viagem por um país aberto sempre será cheia de percalços e perigos.

A trama subsequente de Sambalate é ainda mais sutil e perigosa (o Gesimo, citado por ele, é o mesmo Gesém, que aparece em outras passagens, apenas uma derivação do mesmo nome). Todos sabem que povos como os **judaíta**s preferiam ser independentes a estar sob o controle **persa**, ou, pelo menos, ter um governante nominal próprio, que tivesse autoridade local, ainda que fosse obrigado a aceitar a política externa persa e garantir que os impostos fossem pagos. Os aliados de Sambalate, em Jerusalém, tinham conhecimento sobre alguns líderes judaítas, como Zorobabel, descendente da linhagem real judaíta, que havia sido governador em Jerusalém, e, portanto, sabiam que os habitantes da cidade mantinham os descendentes de Zorobabel no radar (uma lista aparece em 1Crônicas 3). Decerto, os hierosolimitas esperavam, novamente, ver um governante davídico no trono de Jerusalém. A promessa de Deus a Davi implicava que isso ocorreria.

Tudo bem, mas Neemias não nasceu da linhagem davídica, pelo que sabemos, embora o seu comportamento pudesse lembrar o de um rei, ao proclamar que as dívidas deveriam ser canceladas. Na verdade, talvez o pertencimento à linhagem davídica seja apenas secundário na promessa de Deus, não necessitando de uma leitura tão literal; três séculos mais tarde, a linhagem de governantes em Jerusalém era de sacerdotes em vez de descendentes de Davi. Tudo o que eles precisavam para designar Neemias como rei era de uma palavra profética, a exemplo das que chegaram a Samuel, instruindo-o a ungir Saul e, então, o próprio Davi, uma palavra declarasse que Deus estaria, agora, ungindo Neemias.

Na realidade, a profecia está funcionando ao contrário, para desacreditar Neemias. O motivo de Sambalate e seus colaboradores, em Jerusalém, conseguirem imaginar como Neemias pode manobrar o seu acesso ao trono com a ajuda de um profeta é o que os leva a planejar a desonra de Neemias com o auxílio de alguns profetas, caso ele não caísse na armadilha de empreender uma viagem ao vale de Ono. Apesar de as palavras de Semaías serem bem plausíveis em conteúdo, elas são proferidas em ritmo de poesia, como a reclamação de Judá, no capítulo 4. No Antigo Testamento, o ritmo de verso é apropriado para palavras que pretensamente vêm de Deus, já que é apropriado a palavras dirigidas a Deus. Isso propicia um verniz de plausibilidade à reivindicação implícita de Semaías de que a intenção de Deus está por trás de seu convite. Ele precisa dessa camada de veracidade, pois Semaías está propondo que Neemias ignore a regra da **Torá** que permite apenas aos sacerdotes o acesso ao interior da casa ou do palácio de Deus, o templo. Pessoas leigas poderiam ir aos pátios do templo para a adoração e para a oferta de sacrifícios, mas não ao interior do santuário em si. Acessar aquele local é arriscar ser mortalmente atingido em vez de se proteger contra um atentado. Semaías é o agente de Sambalate (a causa de ele estar "restrito", isto é, incapacitado de ir ao templo, pode ser alguma contaminação temporária que cessaria ao anoitecer).

Com base no relato presente nos capítulos inaugurais de Neemias, poderíamos imaginar que as pessoas, em geral, cooperavam entusiasticamente com Neemias no projeto de reconstrução, embora haja inúmeros indícios de que a situação real não era bem essa. Embora a lista de participantes, no capítulo 3, possa impressionar, ela promove uma reflexão sobre quem não é ali mencionado. E quanto a pessoas de outras profissões, além dos perfumistas, ourives e comerciantes? E as pessoas de outras cidades, além de Tecoa, Bete-Zur e uma ou duas mais? Tecoa foi a única cidade na qual os nobres não viram nenhum motivo que colocasse em perigo os negócios da cidade pela alocação de recursos destinados à reconstrução em Jerusalém? Os protestos do povo sobre a situação econômica indicam insatisfação com o projeto, e a ação exigida dos mais abastados não ajudará a posição de Neemias junto a eles.

Os parágrafos derradeiros do capítulo 6 explicitam mais a oposição enfrentada por Neemias na cidade. Não era simplesmente um problema relacionado aos inimigos em outras subprovíncias. Há oposição e intrigas também no círculo interno. Caso Neemias tivesse um sistema de mensagem eletrônica ou uma página virtual, certamente ela teria sido violada. Ele precisa ser astuto como uma cobra e, ao mesmo tempo, inofensivo como uma pomba. Ele é essa espécie de homem, o que contribui para o seu sucesso. A reconstrução é concluída apenas porque "a obra havia sido feita por Deus". Mas a declaração, em seu contexto, descontrói. A reconstrução é concluída somente porque o trabalho foi feito por Neemias, que é alguém muito perspicaz. Os construtores, decerto, não poderiam lograr êxito sem Deus, mas o muro também não seria reconstruído sem Neemias. Ele consegue discernir quais vozes provêm de Deus e quais pessoas estão trabalhando contra Deus, mesmo quando elas parecem razoáveis e/ou preocupadas com o seu bem-estar. Ainda, Neemias é capaz de discernir sobre convites politicamente tentadores para encontros que poderiam atenuar a possibilidade de piora da situação ou ajudar a encontrar um meio-termo, mas que, na verdade, significam, na melhor das hipóteses, apenas distração e, na pior, a sabotagem de todo o projeto.

NEEMIAS 7:1–73A
TRABALHANDO NO CONTEXTO DAS PROMESSAS DE DEUS

[1]Quando o muro foi reconstruído e coloquei as portas no lugar, eles designaram os porteiros, os cantores e os levitas. [2]Comissionei Hanani, o meu irmão, e Hananias, o oficial na fortaleza, sobre Jerusalém, porque ele era verdadeiramente um homem de confiança e que reverenciava a Deus mais do que a maioria. [3]Eu lhes disse: "os portões de Jerusalém não devem ser abertos enquanto o sol estiver quente; enquanto aqueles homens estiverem posicionados [em serviço], devem fechar as portas e protegê-las. E coloquem no lugar os habitantes de Jerusalém como vigias, cada homem no seu posto ou em frente da sua casa." [4]Ora, a cidade era ampla em comprimento e largura, mas

o corpo de pessoas dentro dela era pequeno, e não havia casas construídas. [5]O meu Deus colocou em minha mente reunir os cabeças, os supervisores e o povo para registro. Descobri o documento com o rol dos que subiram primeiro e encontrei escrito nele:

[6]Estas são as pessoas da província que subiram dentre os cativos no exílio, aos quais Nabucodonosor, o rei da Babilônia, exilou e que retornaram a Jerusalém e Judá, cada qual para a sua cidade, [7]que vieram com Zorobabel, Jesua, Neemias, Azarias, Raamias, Naamani, Mardoqueu, Bilsã, Misperete, Bigvai, Reum e Baaná. Os números dos homens pertencentes ao povo israelita: [8]Os descendentes de Parós, 2.172; [9]os descendentes de Sefatias, 372; [10]os descendentes de Ara, 652; [11]os descendentes de Paate-Moabe (por meio dos descendentes de Jesua e de Joabe), 2.818; [12]os descendentes de Elão, 1.254; [13]os descendentes de Zatu, 845; [14]os descendentes de Zacai, 760; [15]os descendentes de Binui, 648; [16]os descendentes de Bebai, 628; [17]os descendentes de Azgade, 2.322; [18]os descendentes de Adonicão, 667; [19]os descendentes de Bigvai, 2.067; [20]os descendentes de Adim, 655; [21]os descendentes de Ater (por meio de Ezequias), 98; [22]os descendentes de Hasum, 328; [23]os descendentes de Besai, 324; [24]os descendentes de Harife, 112; [25]os descendentes de Gibeom, 95; [26]o povo de Belém e de Netofate, 188; [27]o povo de Anatote, 128; [28]o povo de Bete-Azmavete, 42; [29]o povo de Quiriate-Jearim (Quefira e Beerote), 743; [30]o povo de Ramá e de Geba, 621; [31]o povo de Micmás, 122; [32]o povo de Betel e de Ai, 123; [33]o povo do outro Nebo, 52; [34]o povo do outro Elão, 1.254; [35]os descendentes de Harim, 320; [36]os descendentes de Jericó, 345; [37]os descendentes de Lode, de Hadide e de Ono, 721; [38]os descendentes de Senaá, 3.930.

[39]Os sacerdotes: os descendentes de Jedaías (por meio da casa de Jesua), 973; [40]os descendentes de Imer, 1.052; [41]os descendentes de Pasur, 1.247; [42]os descendentes de Harim, 1.017. [43]Os levitas: os descendentes de Jesua (por meio de Cadmiel, por meio dos

descendentes de Hodeva), 74. [44]Os cantores: os descendentes de Asafe, 148. [45]Os porteiros: os descendentes de Salum, os descendentes de Ater, os descendentes de Talmom, os descendentes de Acube, os descendentes de Hatita e os descendentes de Sobai, no total, 138. [46]Os assistentes: os descendentes de Zia, os descendentes de Hasufa, os descendentes de Tabaote, [47]os descendentes de Queros, os descendentes de Sia, os descendentes de Padom, [48]os descendentes de Lebana, os descendentes de Hagaba, os descendentes de Salmai, [49]os descendentes de Hanã, os descendentes de Gidel, os descendentes de Gaar, [50]os descendentes de Reaías, os descendentes de Rezim, os descendentes de Necoda [51]os descendentes de Gazão, os descendentes de Uzá, os descendentes de Paseia, [52]os descendentes de Besai, os descendentes de Meunim, os descendentes de Nefusim, [53]os descendentes de Baquebuque, os descendentes de Hacufa, os descendentes de Harur, [54]os descendentes de Bazlite, os descendentes de Meída, os descendentes de Harsa, [55]os descendentes de Barcos, os descendentes de Sísera, os descendentes de Tamá, [56]os descendentes de Nesias e os descendentes de Hatifa. [57]Os descendentes dos servos de Salomão: os descendentes de Sotai, os descendentes de Soferete, os descendentes de Perida, [58]os descendentes de Jaala, os descendentes de Darcom, os descendentes de Gidel, [59]os descendentes de Sefatias, os descendentes de Hatil, os descendentes de Poquerete-Hazebaim e os descendentes de Amom. [60]Todos os assistentes e os descendentes dos servos de Salomão, 392.

[61]Estas são as pessoas que subiram de Tel-Melá, Tel-Harsa, Querube, Adom e Imer, mas que não foram capazes de mostrar a sua casa ancestral e a sua origem, se elas eram de Israel: [62]os descendentes de Delaías, os descendentes de Tobias, os descendentes de Necoda, 642. [63]Dos sacerdotes: os descendentes de Habaías, os descendentes de Hacoz, os descendentes de Barzilai (que tinha desposado uma mulher dentre as filhas de Barzilai, o gileadita, e era chamado pelo seu nome).

[64]Esses procuraram por seus registros entre as pessoas inscritas, mas eles não foram encontrados, e elas foram desqualificadas do sacerdócio. [65]Assim, o administrador lhes disse que eles não poderiam comer das coisas mais sagradas até que surgisse um sacerdote para o Urim e o Tumim.

[66]Toda a assembleia reunida foi de 42.360, [67]além de seus servos e servas; estes somaram 7.337, e eles tinham 245 cantores e cantoras. [68]Seus cavalos, 736; suas mulas, 245; [69]camelos, 435; jumentos 6.720. [70]Alguns dos cabeças ancestrais deram para o trabalho. O administrador deu à tesouraria da obra ouro, mil dracmas; bacias, 50; mantos dos sacerdotes, 530. [71]Alguns dos cabeças ancestrais deram à tesouraria da obra ouro, vinte mil dracmas; e prata, duas mil e duzentas minas. [72]O que o restante do povo deu: ouro, vinte mil dracmas; prata, duas mil minas; e mantos dos sacerdotes, 67. [73a]Os sacerdotes, os levitas, os porteiros, os cantores, alguns do povo, os assistentes e todo o Israel estabeleceram-se em suas cidades.

Durante um jantar social, discutíamos sobre a diferença que fazia ser casado. Uma das esposas disse que apreciava ter um protetor (ela não é uma mulher à moda antiga em outras áreas). Ela hesitava em estacionar em ruas escuras. Certa noite, ao ouvir barulhos estranhos no apartamento, ela ficou com medo de que fosse um ladrão. Receava que as sombras noturnas pudessem indicar a presença de algum monstro. Preocupava-se com o pagamento do aluguel. Agora, nenhuma dessas coisas a preocupa ou a amedronta, pois se sente protegida. Não obstante, como eu, ela ora as devoções matutinas episcopais que envolvem pedir: “Pai, tu nos trouxeste ao início de um novo dia: preserva-nos com teu imenso poder, para não cairmos no pecado, e não permitas que a adversidade nos vença.” À noite, nessas devoções, pedimos a Deus que “visite este lugar e afaste dele todas as armadilhas do inimigo", e que "nos preserve em paz". Qual a relação entre a proteção divina e a humana — ou medo, sensibilidade, paranoia ou planejamento estratégico?

Vimos que uma das maneiras de a história de Neemias suscitar essas questões é falar sobre a reconstrução do muro como tendo sido realizada por Deus. Sua história também faz isso ao entrelaçar referências à oração e à ação. A comunidade e o próprio Neemias necessitam de proteção contra os seus adversários. Ele não presume que o dom de certas pessoas seja a ação, enquanto de outras a oração; ele assume a responsabilidade por ambas. Neemias não discute a inter-relação entre a ação e a oração, nem fornece qualquer indicação de que ponderou sobre ela. Instintivamente, ele apenas se entrega a ambas. O modo ininterrupto pelo qual ele se move entre reportar os fatos que têm ocorrido e o que ele tem feito, bem como reportar as suas orações, pode até sugerir que ele não distingue a oração da ação, conforme os ocidentais fazem. É improvável que ele fizesse essa distinção porque, para os israelitas (a exemplo de muitos judeus modernos), a oração, tal como a leitura da Escritura, é algo que se faz em voz alta. Ela não ocorre apenas dentro de nossa mente.

O relato sobre Neemias, igualmente, levanta a questão quanto ao relacionamento entre a proteção divina e a humana, ao oferecer um contraste com algumas palavras de Zacarias, que aparecem lá atrás, em Esdras 5. Zacarias 2 relata a visão de um homem empenhado em medir o tamanho de Jerusalém. Um dos ajudantes sobrenaturais de Deus aparece e declara que Jerusalém será uma cidade aberta, sem muros, como um vilarejo, e que haverá muitas pessoas e rebanhos nela. ***Yahweh*** será um muro de fogo em torno dela e será o esplendor em seu interior. O que Neemias está fazendo ao reconstruir o muro de pedras de Jerusalém se o próprio Deus prometeu ser o seu muro de fogo? No entanto, o Antigo Testamento insinua que Neemias estava, de fato, fazendo a coisa certa. Caso Neemias tivesse ciência da profecia de Zacarias, talvez tenha considerado que a promessa da proteção de Deus não significa a anulação da responsabilidade pela autoproteção. (O ponto sobre manter as portas fechadas quando o sol está quente é não deixar a cidade vulnerável quando todos estão tendo uma sesta.)

A afirmação de que não havia casas construídas não significa que a cidade estava totalmente sem desenvolvimento; a história menciona pessoas reconstruindo o trecho do muro nas proximidades de suas casas. Antes, a implicação é de que muitas outras casas ainda não haviam sido reparadas, após a devastação da calamidade mais recente e/ou da destruição ocorrida no século anterior, e permaneciam desocupadas. Pode ser que os seus donos fossem pessoas levadas para o exílio e que não retornaram. O ponto de partida de Neemias, ao recrutar as famílias para morarem na cidade, é a existência de um registro de pessoas vindas da Babilônia, que é uma variante daquela lista apresentada em Esdras 2. O número total é igual ao informado naquela relação anterior, mas há muitas diferenças de detalhes, principalmente, talvez, porque elementos como nomes e dados podem, fácil e acidentalmente, serem alterados quando um manuscrito é copiado.

NEEMIAS **7:73B–8:8**
O ENSINO DESEMPACOTADO

[73b]Quando o sétimo mês chegou, com os israelitas em suas cidades,

CAPÍTULO 8

[1]todo o povo se reuniu como uma só pessoa na praça, em frente da porta das Águas, e disseram a Esdras, o erudito, que ele

devia trazer o pergaminho do ensino de Moisés que *Yahweh* ordenara a Israel. [2]Esdras, o sacerdote, trouxe o pergaminho em frente da congregação (homens, mulheres e todos os que podiam compreender quando escutavam) no primeiro dia do sétimo mês. [3]Ele o leu de frente para a praça, em frente da porta das Águas, desde o amanhecer até o meio-dia, diante dos homens, das mulheres e do povo que podia compreender, enquanto os ouvidos de todo o povo estavam direcionados para o pergaminho de ensino. [4]Esdras, o erudito, permaneceu sobre uma torre de madeira que eles fizeram para esse propósito. Ali, ao lado dele, estavam Matitias, Sema, Anaías, Urias, Hilquias e Maaseias, à sua direita, e, à sua esquerda, Pedaías, Misael, Malquias, Hasum, Hasbadana, Zacarias e Mesulão. [5]Esdras abriu o pergaminho diante dos olhos de todo o povo, porque ele estava acima de todo o povo; e, quando ele o abriu, todo o povo se levantou. [6]Esdras adorou a *Yahweh*, o grande Deus, e todo o povo respondeu "Amém! Amém!", com suas mãos levantadas; então, curvaram-se e prostraram-se a *Yahweh*, com o rosto em terra. [7]Jesua, Bani, Serebias, Jamim, Acube, Sabetai, Hodias, Maaseias, Quelita, Azarias, Jozabade, Hanã e Pelaías, os levitas, ajudaram todo o povo a compreender o ensino, com o povo em seus lugares. [8]Assim, leram do pergaminho do ensino de Deus, explicando e dando percepção, para que compreendessem a leitura.

Algumas semanas atrás, uma participante normalmente moderada e calma de nosso grupo de estudo bíblico irritou-se quando discutíamos a história sobre os últimos dias de Davi, em 1Reis. Essa passagem descreve a incapacidade mostrada naqueles dias quanto a uma agenda positiva para a sua sucessão e relata a maneira pela qual ele encorajou Salomão a matar inúmeras pessoas contra as quais Davi nutria algum rancor, enquanto, ao mesmo tempo, o exortava a viver em obediência a Deus. Ela ficou indignada por ter sido levada a reverenciar Davi como um homem segundo o coração de Deus e porque a ambiguidade de seu caráter havia sido omitida dela. Isso ocorreu porque ela pertencia a uma igreja que prestava muita atenção ao ensino e pregação da Bíblia às pessoas, mas que empacotava o ensino bíblico, e o fazia seletivamente. A igreja não lia a Bíblia com seus membros, mas lhes contava o que a Bíblia dizia (exceto pelo fato de não ser bem assim; transmitiam o que achavam que a Bíblia dizia ou, ainda, o que a Bíblia deveria dizer). Como uma igreja que honrava a Reforma, a terrível ironia é cair no mesmo erro combatido pela Reforma nas igrejas de seu tempo. Comentei que por ela estar, agora, prestes a atuar no ministério de ensino na igreja, deveria evitar incorrer na mesma prática.

Apreciaria pensar que a abordagem de ensino de Esdras pode evitar esse erro. O início do sétimo mês marca a passagem para o ano novo. Isso parecerá estranho, mas reflete o fato de que uma das formas de contar os meses envolvia iniciar a partir da Páscoa, na primavera, de acordo com Êxodo 12, que instruiu os israelitas a tratarem esse evento como o início dos meses, pois assinalava o princípio da vida deles como povo liberto por Deus. Essa forma de contagem dos meses foi considerada em Esdras 6. Todavia, outra maneira de contar o ano envolvia começar em setembro/outubro, com o término do ano agrícola e o início do novo ano agrícola. Nesse sentido, o ano novo principia-se no sétimo mês.

Deuteronômio 31, na realidade, prescreve uma leitura "desse ensino" (presumidamente o próprio Deuteronômio) no Sucote, a cada sete anos. Seria um lembrete a Israel dos termos de seu relacionamento de aliança com ***Yahweh*** – do que *Yahweh* lhes havia feito e da resposta esperada por *Yahweh*, a qual a **Torá**, como um todo, e Deuteronômio, em particular, expõem. Em termos gerais, essa reunião no sétimo mês se encaixa nessa estrutura, embora o capítulo não esclareça se este foi um evento único, associado com o fato de Esdras trazer da **Babilônia** o seu pergaminho da Torá, ou se foi um evento único posterior, ou, ainda, se era um evento setenário, a exemplo daquele estabelecido em Deuteronômio, ou mesmo um evento anual.

Tampouco temos clareza sobre a natureza do pergaminho lido por Esdras. O capítulo, mais adiante, nos conta que Esdras leu o pergaminho a cada manhã, durante uma semana, o que poderia ser tempo suficiente para ler o livro de Deuteronômio na íntegra, e essa leitura ser intercalada com o ensino em pequenos grupos pelos **levitas**. A leitura de toda a Torá, e o devido ensino em grupos menores, demandaria semanas. Talvez seja relevante que Esdras leia *do* pergaminho (lit., *no* pergaminho). Devemos imaginá-lo lendo seletivamente. Não sabemos o significado daqueles treze homens ao lado dele, mas, evidentemente, eles o apoiavam ou emprestavam autoridade à leitura, de algum modo, e evitavam que o povo tivesse a impressão de haver algo singularmente autoritativo sobre o próprio Esdras.

Ele, pelo menos, leu a própria Torá e permitiu que os levitas instruíssem um contingente menor de israelitas, naqueles que foram os primeiros pequenos grupos de estudo bíblico na Bíblia. É preciso lembrar que as famílias não dispunham de um exemplar da Bíblia em suas casas, muito menos inúmeras versões em diferentes traduções. Isso corrobora o fato de que o evento de ensino ocorreu não porque Esdras convocou o povo, mas porque eles o convocaram. Os israelitas queriam ouvir a leitura da Torá. "Os ouvidos de todo o povo estavam direcionados para o pergaminho de ensino." Talvez outra implicação é a de que o povo estaria mais acostumado a aprender pelo ouvir do que pela leitura (silenciosa) que os ocidentais modernos e, portanto, retinham mais na memória o que ouviam do que nós. Eles são capazes de ouvir a leitura de alguns capítulos por parte de Esdras e, então, de acompanhar o ensino e os esclarecimentos dos levitas sobre as implicações dos capítulos lidos por Esdras. No entanto, após ouvirem a leitura de Esdras, os israelitas podiam também fazer perguntas afiadas caso os levitas não saíssem do "pacote" tradicional. Vale a pena lembrar que o motivo de os levitas serem os professores não é o fato de o povo os identificar com o dom do ensino. Eles são professores porque pertencem ao clã de Levi. Os membros de outros clãs que estavam ouvindo o ensino deles poderiam incluir pessoas que eram intelectualmente mais competentes que os seus professores (a exemplo de certo professor de seminário cujos alunos são mais sagazes que ele).

Todo o povo está concentrado em ouvir a leitura da Torá e participar do pequeno grupo. Como o Antigo Testamento enfatiza, de tempos em tempos, notadamente no livro de Deuteronômio, as mulheres e os homens fazem parte do povo de Deus que tem o privilégio e a responsabilidade de participar da adoração de Israel, de conhecer o que a Torá diz e de garantir que isso seja implementado na vida familiar. Deuteronômio, igualmente, sublinha que este não é um privilégio e uma responsabilidade apenas dos pais e da geração mais idosa no seio da família, mas também de seus filhos e filhas. Neemias 8 discorre sobre esse ponto em termos de ser este um privilégio e uma responsabilidade de todos com idade suficiente para entender. (O texto não revela quais as condições para o cuidado daqueles jovens demais para cair nessa categoria! Mas pode-se presumir que a comunidade seguia a prática de outros povos tradicionais pelos quais os bebês eram deixados aos cuidados de crianças que eram apenas um pouco mais velhas, e que todas elas estavam não muito distantes do local onde os pais estavam reunidos.)

Os grupos de ensino não eram divididos por sexo ou idade. Aprender é uma atividade familiar, parcialmente porque a implementação do que as pessoas aprendem é no contexto da família. Além desse fato, o aprendizado é uma tarefa de toda a comunidade. A exemplo da reunião para construir o altar (Esdras 3), os israelitas se reuniram como uma só pessoa para ouvir a Torá. Eles eram um em adoração e no ouvir a Torá.

NEEMIAS **8:9–18**
LAMENTO OU CELEBRAÇÃO?

[9]Neemias (ele era o administrador), Esdras, o sacerdote erudito e os levitas que estavam ajudando o povo a compreender disseram a todo o povo: "Este dia é santo a *Yahweh*, o seu Deus. Não lamentem nem chorem", porque todo o povo estava chorando enquanto ouviam as palavras do ensino. [10]Ele lhes disse: "Vão, comam alimentos ricos, bebam bebidas doces e mandem ajuda aos que não prepararam nada, porque este dia é santo ao nosso Deus. Não fiquem tristes, porque a sua força está em alegrarem-se em *Yahweh*." [11]Os levitas estavam silenciando todo o povo, dizendo: "Acalmem-se porque este dia é santo. Não fiquem tristes." [12]Então, todo o povo foi comer, beber e mandar ajudas e fazer grande celebração porque entendiam as coisas que lhes eram explicadas. [13]No segundo dia, os cabeças ancestrais de todo o povo, os sacerdotes e os levitas se reuniram a Esdras, o erudito, para estudar as palavras do ensino. [14]Eles encontraram escrito no ensino que *Yahweh* havia ordenado por meio de Moisés que os israelitas deveriam viver em tendas no festival no sétimo mês [15]e que deveriam fazer ouvir e anunciar em todas as cidades e em Jerusalém: "Saiam às montanhas e tragam ramos de oliveiras, de pinheiros, de murtas, de palmeiras e de outras árvores frondosas para fazer as tendas, como está escrito." [16]Então, o povo saiu e os trouxe, e fizeram

tendas para si, cada pessoa em seu terraço ou nos pátios da casa de Deus ou na praça junto à porta das Águas ou na praça junto à porta de Efraim. [17]Toda a congregação de pessoas que tinham voltado do cativeiro fez tendas e viveu nelas, porque os israelitas não haviam feito isso desde os dias de Josué, filho de Num, até aquele dia, e houve uma grande celebração. [18]Assim, [Esdras] leu do pergaminho do ensino de Deus, dia após dia, desde o primeiro dia até o último, e eles fizeram o festival por sete dias, e no oitavo dia houve uma assembleia, de acordo com a regra.

Nos comentários sobre o primeiro capítulo de Neemias, citei a nossa discussão congregacional sobre o evangelho do dia, que foi sobre o início do Sermão do Monte, ou seja, as "Bem-aventuranças" de Jesus, em Mateus 5. Por algum tempo, falamos sobre as expectativas que Jesus tem em relação a nós como receptores potenciais de suas bênçãos, mas, eventualmente, vimos que o fato estranho sobre as suas promessas era relativo aos que *nada* faziam. Essas pessoas eram simplesmente pobres de espírito, infelizes, mansos, e assim por diante. Percebemos que, na verdade, não gostávamos dessa ideia. Preferíamos nos concentrar nas passagens que nos diziam o que fazer, não sermos instruídos de que a bênção de Jesus vem a pessoas que não podem fazer. O aspecto dessa ocasião, que me vem à mente agora, é o fato de a pessoa que leu o Evangelho ter dito: "Este é o evangelho de Jesus Cristo", e depois disso respondemos: "Louvado sejas, ó Cristo", mas a discussão subsequente indicou que não queríamos expressar realmente isso.

Há um paralelo interessante na reação das pessoas à leitura da **Torá** por parte de Esdras. Enquanto abria o rolo, Esdras adorava a Deus, e o povo respondia: "Amém! Amém!", com as mãos elevadas, e, então, todos se curvaram em submissão a Deus. Mas parece que, ao ouvirem o que a Torá tinha a dizer, eles mostraram bem menos entusiasmo e precisaram ser alertados a pararem de lamentar e chorar, a começarem a ver que a força deles estava na alegria em Deus e que necessitavam desfrutar de uma refeição celebratória juntos. O que está acontecendo?

Caso Esdras estivesse fazendo uma leitura transversal do material da Torá, isso explicaria tanto a reação do povo quanto a sua advertência. Os relatos sobre os casamentos mistos dentro da comunidade e dos mais abastados obtendo lucro dos menos afortunados são conflitantes com o ensino da Torá. A sua leitura conscientizou o povo de outras maneiras pelas quais a comunidade desobedecia à Torá. Talvez os israelitas desconhecessem o que a Torá ensinava sobre essas matérias, pois ela havia sido amplamente ignorada no período até o exílio; daí eles terem sido exilados. Esdras chegou a Jerusalém para incentivar a comunidade a viver pela Torá, e a implicação é que, no tocante a eles, o pergaminho disse coisas das quais os israelitas nunca tinham ouvido. Contudo, eles não alegaram a ignorância como desculpa; pelo contrário, a consciência do contraste entre as expectativas da Torá e a natureza da vida que eles seguiam foi, presumidamente, o motivo do pranto e do lamento deles. No calendário de adoração em Levítico 23, o Dia da Expiação ocorre no décimo dia do sétimo mês, logo após essa semana de leitura e de ensino da Torá. Não há menção desse dia ser observado em conexão com os eventos de Neemias 8, embora isso possa ser explicado simplesmente pelo fato de o Antigo Testamento descrevê-lo como uma observância que demanda somente a atividade dos sacerdotes; o povo não tem participação direta nele. Contudo, pode-se ver como esse tema se adequaria à resposta de aflição da comunidade por sua desobediência.

Pode-se esperar, então, que Esdras se agrade da reação do povo, mas isso não ocorre. A sua reação liga-se a outro aspecto da natureza da Torá. Nela, as expetativas de Deus sobre o povo são estabelecidas no contexto de uma descrição do que Deus fez por eles na criação, nas promessas feitas aos ancestrais de Israel, no êxodo do Egito, na aparição ao povo no Sinai e na liderança dos israelitas durante a travessia do deserto até a fronteira da terra prometida. Isso coaduna com esse aspecto da Torá que comissiona festivais de júbilo em virtude desses atos da graça divina, como a Páscoa, o Sucote ou Tabernáculos. Caso não sejamos lembrados de nos regozijar em tais eventos, a nossa propensão é esquecer a alegria e os próprios eventos.

Paradoxalmente, podemos pensar, Esdras indica aos israelitas que não há sentido em ficarem tristes porque é um dia santo, consagrado a Deus. Podemos considerar que a santidade do dia demande uma atitude solene e que o lamento por causa dos pecados se adequaria. O pensamento de Esdras é antagônico a isso. A santidade do dia resulta de ele ser um lembrete do que Deus tem feito pelo povo, o que o torna motivo de júbilo. A santidade de Deus reside em ele ser um Deus de graça e de misericórdia, o que conduz à celebração. Assim, eles deveriam sair, comer e beber, após um dia intenso ouvindo a leitura da Torá. O comer e o beber serão a espécie de refeição de comunhão celebratória associada com uma ocasião como a Páscoa e com a oferta de sacrifícios de ações de graças, quando o povo que se reúne para a adoração conjunta também partilha da parte do sacrifício que a Torá lhes determina. Novamente, isso está de acordo com o ensino da Torá quando diz que, ao celebrarem, os israelitas não devem apenas retornar às suas casas e esquecer as outras pessoas, mas refletirem sobre se há pessoas que eles precisam convidar para celebrarem com eles, a exemplo das famílias nos Estados Unidos que não tratam o Dia de Ação de Graças como uma mera reunião familiar, mas se perguntam quem são os necessitados e solitários que podem convidar. Aqueles que não têm nada preparado podem estar nessa condição por sua própria ineficiência, mas isso não é motivo para excluí-los de um evento que celebra a generosidade de Deus.

Nesse mesmo sétimo mês é que o povo judeu celebra o Sucote, e, no transcorrer da leitura, não surpreendentemente, o povo descobre a prescrição da Torá quanto a essa celebração. Na realidade, existem inúmeras passagens na Torá que descrevem o Sucote, mas apenas uma, em Levítico 23, estabelece uma ligação com a ideia de que os israelitas deveriam viver temporariamente em tendas, a exemplo de suas moradias na jornada do Egito até Canaã. Talvez seja este o ponto sobre o comentário de que o festival não tinha sido celebrado dessa forma antes (Esdras 3 registra uma celebração). Esse é o momento no qual o Sucote é vinculado à saída do povo do Egito, promovida por Deus. Por seu turno, essa ligação se adequaria perfeitamente à referência ao retorno do povo do cativeiro. Esse novo êxodo foi, por si só, uma reencenação do primeiro.

Na origem, entretanto, o Sucote era um festival da colheita, e as tendas eram um auxílio prático ao processo de coleta, como já observado em nosso comentário sobre Esdras 3. Todavia, quer o povo pensasse na colheita quer no êxodo, o Sucote era uma ocasião de júbilo pelo que Deus lhes havia concedido. Imagine que você não precise viver em tendas ou cabanas, porque, por exemplo, vive na cidade e trabalhe como ourives ou comerciante, ou mesmo seja um sacerdote do templo. Então, você ainda precisa deixar-se envolver no júbilo pelas dádivas de Deus envolvidas no Sucote. Desse modo, você confecciona a sua própria tenda no terraço ou no pátio de sua casa, ou, ainda, em um local público. Na verdade, talvez devamos presumir que a comunidade como um todo participou da leitura e do ensino da Torá somente no primeiro dia; pois eles tiveram que retornar às suas casas para a refeição festiva ou, talvez, para retomar a colheita. As pessoas que viviam na cidade é que realmente poderiam participar no Sucote alternativo, substituto. É possível que outras pessoas tenham retornado para a celebração comunitária final, no oitavo dia.

A reação da nossa congregação às bem-aventuranças de Jesus refletiu o nosso instinto de estabelecer uma dependência entre a nossa relação com Deus e o que fazemos. Não apreciamos a ideia de que Deus nos abençoa apenas por sermos pobres em espírito. O instinto dos **judaítas** era similar, pois consideravam que o relacionamento deles com Deus dependia do que faziam, pelo modo de viver prescrito pela Torá. Seria cômico não fosse o pensamento perigosamente equivocado de alguns cristãos que, com frequência, imaginam ser esta a visão judaica regular. Esdras e o Antigo Testamento sabem que a nossa relação com Deus depende, primeiramente, da generosidade divina, Claro que o viver de acordo com a Torá é vital como resposta a essa generosidade. Todavia, se invertermos a relação entre a generosidade de Deus e a nossa obediência, estaremos em apuros.

NEEMIAS **9:1-19**
COMO FAZER A SUA CONFISSÃO

[1]No vigésimo quarto dia desse mês, os israelitas se reuniram com jejum, panos de saco e terra sobre eles. [2]A descendência de Israel separou-se de todos os estrangeiros, colocou-se em pé e confessou as suas ofensas e os atos obstinados de seus

ancestrais. [3]Eles levantaram-se em seus lugares e leram do pergaminho do ensino de *Yahweh*, o Deus deles, por um quarto do dia, e, por um quarto, eles confessaram e se prostraram diante de *Yahweh*, o Deus deles. [4]Sobre a escadaria dos levitas, Jesua e Bani, Cadmiel, Sebanias, Buni, Serebias, Bani e Quenani se levantaram e clamaram em voz alta a *Yahweh*, o Deus deles. [5]Os levitas Jesua, Cadmiel, Bani, Hasabneias, Serebias, Hodias, Sebanias e Petaías disseram: "Levantem-se, louvem a *Yahweh*, o seu Deus, de eternidade em eternidade: 'Que o povo louve o teu glorioso nome, que é exaltado acima de toda a adoração e de todo o louvor. [6]Tu és *Yahweh*, tu somente. Fizeste os céus, os mais altos céus, e todo o teu exército, a terra e tudo o que há sobre ela, os mares e tudo o que há neles. Tu destes vida a todos eles, e o exército nos céus prostra-se perante ti. [7]Tu és *Yahweh*, o Deus que escolheu Abrão e o tirou de Ur dos caldeus, e tornou o seu nome Abraão. [8]Descobriste que a mente dele era verdadeira diante de ti e selaste uma aliança com ele para dar a terra dos cananeus, dos hititas, dos amorreus, dos ferezeus, dos jebuseus e dos girgaseus – para dar à descendência dele. Estabeleceste as tuas palavras porque és fiel. [9]Viste a aflição dos nossos ancestrais no Egito e ouviste o clamor deles no mar Vermelho. [10]Fizeste sinais e maravilhas contra o faraó, todos os seus oficiais e todas as pessoas de seu país porque reconheceste que eles agiram arrogantemente contra eles, e fizeste um nome para ti mesmo até este dia. [11]Dividiste o mar à frente deles, e eles passaram em meio ao mar sobre terra seca, mas lançaste os seus perseguidores nas profundezas, como uma pedra em águas poderosas. [12]Com uma nuvem os conduziste de dia e com uma coluna de fogo de noite, para iluminar o caminho que eles deviam seguir. [13]Sobre o monte Sinai desceste e falaste com eles dos céus. Deste-lhes regras justas e ensinos verdadeiros, estatutos e mandamentos bons. [14]Teu sábado santo tornaste conhecido a eles, e ordenaste a eles mandamentos, estatutos e ensinamentos por meio de Moisés, teu servo. [15]Pão dos céus deste-lhes para a fome deles, e fizeste água sair de uma rocha para a sede deles. Disseste-lhes para ir e tomar posse da terra pela qual levantaste a tua mão [para jurar] lhes dar. [16]Mas eles — nossos ancestrais — agiram arrogantemente, endureceram sua cerviz e não ouviram os seus mandamentos. [17]Eles se recusaram a ouvir e não atentaram às tuas maravilhas, que fizeste a eles. Endureceram sua cerviz e indicaram um líder de modo a voltarem para sua servidão, em sua rebeldia. Mas tu és um Deus perdoador, gracioso e compassivo, temperante, grande em compromisso, e não os abandonaste. [18]Mesmo quando fizeram para si mesmos uma figura de um bezerro e disseram: "Este é o nosso Deus que nos tirou do Egito." Eles cometeram grandes atos de desprezo. [19]Mas tu, em tua grande compaixão, não os abandonaste no deserto. A coluna de nuvem não removeste deles de dia, nem a coluna de fogo de noite, para lhes iluminar o caminho no qual deviam seguir.'"

Em nossa igreja, a cada domingo, proferimos um credo no qual "confessamos a nossa fé" em quem Deus é como Pai, Filho e Espírito Santo, embora o credo seja dominado por sua seção central, na qual proclamamos os fatos básicos da história de Jesus — que ele é o Filho de Deus, nasceu como um ser humano, foi crucificado, ressuscitou dentre os mortos e retornará como juiz. Prosseguimos confessando as nossas ofensas a Deus e uns aos outros. Ambas são formas de confissão — publicamente, nós reconhecemos o que Deus fez e reconhecemos os nossos atos. Contudo, em nossa adoração, as duas confissões não estão conectadas; entre elas, oramos pelo mundo, pela igreja e uns pelos outros, e, salvo exceções, os nossos pecados estão mais relacionados com essas outras orações. A dinâmica da confissão liderada pelos **levitas** possui algumas dinâmicas sobrepostas. Ela, igualmente, incorpora alguma declaração sobre quem Deus é: somente ***Yahweh*** é

Deus (o "exército" celestial é relativo às estrelas e planetas, que outros povos podem ver como deuses, entidades com poder de decisão sobre o que ocorre no mundo). Mas isso foca o que Deus tem feito por nós, melhor do que o credo cristão faz. A fé do Antigo Testamento é um evangelho, uma mensagem de boas-novas com respeito ao que Deus fez; na confissão dos levitas, essas declarações surgem antes das afirmações atemporais sobre Deus e são mais fundamentais do que elas. A fé cristã é um evangelho de maneira similar, uma declaração adicional do que Deus fez, uma continuação da mesma mensagem de boas-novas. Ao relatório já existente nos tempos de Jesus, ele acrescenta notícias mais recentes, levando a história a um clímax e lançando uma luz mais intensa sobre as novas anteriores. Portanto, é estranho que os credos cristãos ignorem os estágios anteriores da história da qual as boas-novas sobre Jesus são uma continuação. A igreja cristã tornou o Antigo Testamento no Volume 1 de suas Escrituras, reconhecendo que é possível compreender Jesus apenas se a história do Filho de Deus for vista à luz da história da criação e do envolvimento de Deus com Israel; no entanto, os credos negligenciam esse fato.

A dupla confissão dos levitas, então, também estabelece uma ligação entre o que Deus fez e o que povo fez, o vínculo ausente na liturgia cristã. A confissão deles quanto aos atos de Deus não é apenas uma declaração sobre fatos objetivos, mas uma história à luz do que eles veem em sua própria vida. Eles perguntam: "Que tipo de resposta temos dado para o que Deus tem feito por nós?" De modo contrário, quando confessam as suas próprias transgressões, eles o fazem em termos do modo com que têm respondido ao que Deus fez. (Há, igualmente, um ponto inverso, que é a possibilidade de contarmos a nossa história com seus elementos vergonhosos quando ela é inserida no contexto dos atos de Deus para a nossa restauração, fazendo a confissão glorificar mais a Deus do que nos envergonhar.) Um equivalente cristão seria enquadrar a nossa compreensão e a nossa confissão do pecado à luz da ação de Deus na vinda de Jesus como ser humano, em sua entrega voluntária à crucificação, em sua ressurreição dentre os mortos e em sua futura vinda. Uma característica adicional da confissão dos levitas, que a torna distinta da nossa prática regular, é que (a exemplo da oração em Esdras 9) ela assume que a presente geração necessita expressar a sua identificação com as transgressões das gerações anteriores por estar ligada a elas de todas as maneiras possíveis.

Quando o início de Neemias 9 menciona "esse mês", considera-se que seja referente ao mesmo mês, no mesmo ano, que a celebração descrita no capítulo anterior, mas não está claro por que essa leitura adicional da **Torá** e a confissão de pecados vêm após a celebração. Tampouco está claro qual o significado de aludir ao vigésimo quarto dia do mês, embora, com frequência, a tangibilidade das datas na Escritura tenha o efeito de tornarem a cena e os eventos parecerem verdadeiramente reais. O registro dos nomes das pessoas possui o mesmo efeito, mostrando que são pessoas reais. A referência à reunião separada dos estrangeiros sugere uma ligação com o tipo de ação envolvida em relação aos casamentos mistos, reportada em Esdras 9 e 10; essa comparação, pelo menos, nos lembra que o motivo da separação não é étnico, mas religioso. Claro que havia estrangeiros na comunidade, como sempre ocorre, mas poderiam ser pessoas como Rute, que tinham declarado o compromisso com *Yahweh*, o Deus de Israel.

A disposição dos capítulos sugere que, embora haja situações nas quais o povo de Deus adequadamente deva priorizar a celebração e não lamentar por seus pecados (Neemias 8), essa tristeza tem um lugar próprio na vida do povo de Deus como uma reação à leitura da Escritura. Desse modo, deve haver um equilíbrio na vida do povo de Deus entre a celebração e a lamentação. A tristeza pelo pecado, como expressa aqui, é algo característico na vida de Judá, no período do **Segundo Templo**; Esdras 10 constitui uma ilustração anterior. Em outras passagens do Antigo Testamento, o "clamor" é uma expressão de dor pelo que outras pessoas nos têm feito. Aqui, trata-se de uma expressão de dor pelo que nós mesmos temos feito.

Como de costume, o Antigo Testamento nos exemplifica o modo natural pelo qual uma resposta a Deus não somente envolve sentimentos íntimos e palavras verbalizadas. Pelo fato de sermos pessoas corporais que se relacionam com outros seres corporais, nos expressamos corporalmente. (Na noite passada, fui a um grande concerto e procurei na internet uma camiseta para comemorar o evento; hoje, estou usando uma camiseta em comemoração a um grande concerto a que assisti alguns anos atrás.) Desse modo, a tristeza pelo pecado é expressa por meio do jejum (quando sofremos por algo, o nosso apetite desaparece). Ainda, esse sentimento é expresso pelo uso de roupas básicas (a questão quanto ao pano de saco não é que ele seja desconfortável, mas o fato de ser uma roupa comum de trabalho braçal ou do dia a dia, pois, quando estamos sofrendo, não nos importamos com a roupa que estamos vestindo). A tristeza é expressa por meio de uma aparência descuidada (quando sofremos, não nos preocupamos em fazer a barba ou tomar banho); ela é expressa por meio da prostração diante de Deus (quando estamos cheios de entusiasmo ou de vergonha, expressamos esse sentimento por meio de nosso comportamento). A contrição, então, também é expressa pelo permanecer em pé, porque, quando a nossa confissão é feita, Deus assume e perdoa, e não devemos chafurdar em autopiedade por causa de nossas fraquezas, nem nos deitarmos na terra como vermes, para sempre.

NEEMIAS 9:20-37
ESCRAVOS E SERVOS

[20]"'Deste-lhes o teu bom espírito para instruí-los e não retiveste o teu maná da boca deles, e deste-lhes água para a sede. [21]Quarenta anos os sustentaste no deserto, no qual nada lhes faltou, as suas roupas não se gastaram e seus pés não incharam. [22]Deste-lhes reinos e povos, e os alocaste como uma fronteira; portanto, eles tomaram posse da terra de Seom, que era a terra do rei de Hesbom, e a terra de Ogue, rei de Basã. [23]Tornaste os seus descendentes tão numerosos quanto as estrelas nos céus e os trouxeste à terra da qual falaste aos seus ancestrais para entrarem e possuírem. [24]Os descendentes deles vieram e tomaram posse da terra. Subjugaste diante deles os cananeus, os habitantes da terra, e os entregaste nas mãos deles, tanto os seus reis quanto os povos da terra, para fazerem com eles de acordo com a vontade deles. [25]Eles tomaram cidades fortificadas e terra rica, e tomaram posse de casas cheias de todas as coisas boas; cisternas escavadas, vinhas, olivais e árvores frutíferas em quantidades. Eles comeram, ficaram cheios, fortaleceram-se e deleitaram-se em tua grande bondade.

[26]Mas eles te desafiaram e se rebelaram contra ti, dando as costas ao teu ensino. Eles mataram os teus profetas que testificavam contra eles para fazê-los que se voltassem para ti, e cometeram grandes atos de desprezo. [27]Tu os entregaste nas mãos de seus adversários, e eles os oprimiram. Em seu tempo de aflição, eles clamaram a ti, e dos céus tu mesmo os ouviste. De acordo com a tua grande compaixão, deste-lhes libertadores que os libertaram das mãos de seus adversários. [28]Mas, quando havia alívio para eles, novamente faziam o que era desagradável à tua vista, e os abandonavas nas mãos de

seus inimigos. Eles os subjugavam, de modo que novamente eles clamavam a ti, e dos céus tu mesmo os ouvias. Tu os resgatavas, de acordo com a tua grande compaixão, vez após vez. [29]Testificaste contra eles para fazê-los voltar para o teu ensino, mas eles mesmos agiram arrogantemente e não deram ouvidos aos teus mandamentos e ofenderam as tuas regras, as quais uma pessoa deveria cumprir e viver por elas. Eles ofereceram um ombro obstinado, endureceram a sua cerviz e não deram ouvidos. [30]Estendeste-lhes [compromisso] por muitos anos e testificaste contra eles por teu espírito, por meio dos teus profetas, mas eles não prestaram atenção, de modo que os entregaste nas mãos dos povos das terras. [31]Mas, em tua grande compaixão, não fizeste um fim deles e não os abandonaste, porque tu és um Deus gracioso e compassivo.

[32]Portanto, agora, nosso grande Deus, poderoso e assombroso, que guarda a aliança e o compromisso, que todo o sofrimento que caiu sobre nós, nossos reis, nossos oficiais, nossos sacerdotes, nossos profetas, nossos ancestrais e sobre todo o teu povo, desde os dias dos reis assírios até hoje, não pareça pequeno. [33]Tu estás certo sobre tudo o que caiu sobre nós, porque agiste fielmente, mas nós fomos infiéis. [34]Nossos reis, nossos oficiais, nossos sacerdotes e os nossos ancestrais não guardaram o teu ensino e não prestaram atenção aos teus mandamentos e às tuas declarações que testificaste contra eles. [35]Apesar do reinado deles e da tua grande bondade que lhes deste, e a terra ampla e rica que puseste diante deles, não serviram a ti nem se desviaram dos caminhos deles. [36]Eis que hoje somos servos. A terra que deste aos nossos ancestrais para comer de seu fruto e de sua bondade, eis que somos servos nela. [37]A grande produção dela pertence aos reis que colocaste sobre nós por causa de nossas ofensas. Eles governam sobre os nossos corpos e os nossos animais de acordo com a vontade deles. Estamos em grande angústia.'"

Na Grã-Bretanha, durante um Natal, fiquei surpreso com o modo confiante e tranquilo pelo qual algumas pessoas do subcontinente indiano e do Caribe administravam uma filial do meu banco britânico, como se fosse a coisa mais natural do mundo. Na noite passada, jantei com uma indo-americana, uma antiga aluna que também era a esposa de um músico de *jazz* britânico que tocava naquele restaurante. Ela migrara aos Estados Unidos com pouco mais de vinte anos, décadas atrás, e, durante a nossa conversa, ficou evidente como ela se sentia em casa nesse país. No entanto, para muitas pessoas do Caribe e do subcontinente indiano, a vida, pelo menos na Grã-Bretanha, é mais parecida com a de cidadãos de segunda classe; em sua própria geração (ou a de seus pais), os seus países fazaim parte do Império Britânico. A Grã-Bretanha havia construído a sua posição no mundo às custas das gerações anteriores desses povos.

Nos dias de Neemias, **Judá** é uma colônia do Império **Persa**. Como a oração dos **levitas** implica, a nação tem sido colônia de algum grande império (**Assíria**, **Babilônia**, Pérsia) por séculos; ao longo dos próximos anos, os dominadores irão mudar (Grécia, Roma), mas a sua condição não mudará. "Somos servos", eles dizem. Semelhante ao ocorrido no capítulo 5, as traduções, em geral, usam a palavra para "escravos", que é equivocada. Vimos que os persas não são muito opressivos; não tratam os judaítas como posses que podem tratar como bem desejarem. Pelo contrário, os persas são capazes de agir para encorajar a restauração da comunidade; as duas comunidades humanas possuem um desejo profundamente arraigado de tocarem as suas próprias vidas. As histórias da criação, no Antigo Testamento, nada expressam sobre Deus ter a intenção de que alguns seres humanos dominem sobre outros e, certamente, silenciam a respeito de nações dominarem outras. O exercício de um governo veio como resultado da desobediência humana. Agora, é inevitável, mas constitui, ainda, uma expressão da desobediência humana das nações, quando elas tentam exercer controle umas sobre as outras — e quando elas justificam essa ação com base na alegação de que visam trazer benefício às nações controladas.

Embora os persas, de fato, apoiem a restauração de Judá, os levitas possuem mais ciência do quanto eles tomam de Judá em termos de impostos. Não é preciso ser muito cínico para concluir que o apoio persa tem como objetivo encorajar a subserviência e o pagamento obediente dos impostos. Deus deu a terra de Israel para que eles pudessem comer de seu fruto, mas a sua produção, na realidade, pertence aos reis persas. Servos são pessoas que não têm escolha, exceto passar grande tempo trabalhando nas terras de seus proprietários em troca de proteção. Judá estava em uma posição similar, pois grande parte do trabalho dos judaítas não os beneficiava, mas somente aos senhores imperiais — como o relato em Neemias já mostrou.

O paralelo entre a relação de Judá com a Assíria, a Babilônia e a Pérsia e a relação do subcontinente indiano ou o Caribe com a Grã-Bretanha se desfaz quando os levitas reconhecem que a posição servil de Judá é decorrente da ação de Deus para colocar esses reis sobre Judá "por causa de suas ofensas". A oração dos levitas dá seguimento à confissão dupla que foi iniciada nos versículos dos capítulos anteriores. Trata-se de uma confissão dos bondosos atos de Deus e uma confissão do comportamento transgressor por meio do qual Israel respondeu a Deus. Uma oração nesse modelo tem sido chamada de "um ato de louvor pela justiça do julgamento de Deus". Ela declara: "Esta é a maneira pela qual tu nos tens tratado, e não podemos reclamar." Como os levitas expressaram, Deus está certo em relação ao que sobreveio ao povo, porque Deus tem agido fielmente, enquanto eles têm sido infiéis.

Os levitas estão fazendo a oração de confissão porque a liderança da adoração é função deles. O livro de Salmos inclui muitas orações de protesto pela forma com que Deus tem tratado o povo quando eles mesmos não conseguem ver nenhuma justificativa para isso; em outras ocasiões, os levitas estavam envolvidos nessas orações de protesto em nome da comunidade, das famílias ou de indivíduos. No entanto, os levitas, evidentemente, compreendem a necessidade de exercer discernimento sobre se a calamidade vinda sobre o povo era algo que eles deviam aceitar como um ato de castigo justificado ou algo pelo qual deviam protestar.

Não obstante, talvez isso exponha a antítese muito abruptamente, pois é típico das orações de confissão, no Antigo Testamento, não assumir que devemos simplesmente aceitar o juízo divino até que Deus decida colocar um fim nele. Isso seria esquecer o que Deus é e, igualmente, deixar de pedir a Deus que se lembre de quem ele é. Os estágios anteriores na história sobre a graça de Deus e a desobediência de Israel têm mostrado que ***Yahweh*** é "um Deus perdoador, gracioso e compassivo, temperante, grande em **compromisso**". Os levitas, portanto, lembram Deus dos aspectos do caráter divino aos quais Deus atraiu a atenção no início da história de Israel no Sinai (veja Êxodo 34). Esses aspectos do caráter divino constituíram a causa básica pela qual Israel continuou a existir ao longo do Antigo Testamento e o motivo pelo qual a vinda e a morte de Jesus foram um final lógico dessa história. Eles são os motivos básicos pelos quais Deus permanece comprometido com o povo judeu e com a igreja.

Eles significam que, mesmo quando você reconhece ser merecedor das tribulações que surgem em sua vida, ainda é possível suplicar a Deus para colocar um fim na aflição. Mesmo então, Deus pode responder: "Acho que fará bem a você cozinhar um pouco mais em seu próprio caldo." Todavia, os levitas sabem que sempre vale a pena pedir, pois sabem que *Yahweh* é um Pai amoroso. Eles não usam essa palavra, mas ela resume a natureza de Deus como Israel o conhece, como um Pai pronto a castigar, mas que enfrenta dificuldades para dizer que ainda não é o bastante.

NEEMIAS **9:38—10:29**
PARANDO DE FALAR E COMEÇANDO A AGIR

[38]"De acordo com tudo isso, estamos confirmando um compromisso e o colocamos por escrito, e no documento selado estão [os nomes dos] nossos oficiais, nossos levitas e nossos sacerdotes." [10:1]Assim, nos documentos selados estão Neemias, filho de Hacalias, o administrador, e Zedequias, [2]Seraías, Azarias, Jeremias, [3]Pasur, Amarias, Malquias, [4]Hatus, Sebanias, Maluque, [5]Harim, Meremote, Obadias, [6]Daniel, Ginetom, Baruque, [7]Mesulão, Abias, Miamim, [8]Maazias, Bilgai e Semaías: esses eram os sacerdotes. [9]Os levitas: Jesua, filho de Azanias, Binui, dos filhos de Henadade, e Cadmiel. [10]Seus irmãos: Sebanias, Hodias, Quelita, Pelaías, Hanã, [11]Mica, Reobe, Hasabias, [12]Zacur, Serebias, Sebanias, [13]Hodias, Bani e Beninu. [14]Os cabeças do povo: Parós, Paate-Moabe, Elão, Zatu, Bani, [15]Buni, Azgade, Bebai, [16]Adonias, Bigvai, Adim, [17]Ater, Ezequias, Azur, [18]Hodias, Hasum, Besai, [19]Harife, Anatote, Nebai, [20]Magpias, Mesulão, Hezir, [21]Mesezabel, Zadoque, Jadua, [22]Pelatias, Hanã, Anaías, [23]Oseias, Hananias, Hassube, [24]Haloês, Pílea, Sobeque, [25]Reum, Hasabna, Maaseias, [26]Aías, Hanã, Anã, [27]Maluque, Harim e Baaná. [28]"O restante do povo, os sacerdotes, os levitas, os porteiros, os cantores, os assistentes e todos os que se separaram dos povos das nações para o ensino de Deus, suas esposas, seus filhos e suas filhas, todos

os que sabem compreender, [29]estão se unindo firmemente aos seus irmãos, seus nobres, e estão entrando em uma maldição e em um juramento para andarem pelo ensino de Deus que ele deu por meio de Moisés, servo de Deus, e guardarem e cumprirem todos os mandamentos de *Yahweh*, o nosso Deus, e as suas regras e estatutos."

Uma amiga minha, durante certo período, viveu na região noroeste do Pacífico, na qual os amigos de sua filha, na maioria, eram judeus. Ela não tinha ideia do que ocorreria quando todos aqueles jovens fizessem treze anos, mas descobriu que deveria ter previsto cerca de um milhão de dólares no orçamento do Bat Mitzvah ou Bar Mitzvah e seus respectivos presentes porque todos os seus amigos tiveram celebrações elaboradas, com recepções mais caras que casamentos. Todavia, o aspecto mais notável daqueles eventos eram as leituras da **Torá** o dia todo, na sinagoga, que precedia a recepção e dominava as celebrações. Minha amiga comentou que foi então que percebeu a importância do texto da Torá para a comunidade judaica, que eles mantinham "vivo" pelo aprendizado do idioma hebraico por cada nova geração e pela leitura em voz alta.

Os livros de Esdras e Neemias ilustram quão importante a leitura em voz alta da Torá se tornou na comunidade do **Segundo Templo**, e de igual importância era a resposta congregacional à leitura. Tornar-se Bat ou Bar Mitzvah significa concordar em ser uma filha ou um filho do mandamento. De nada valeria se aqueles jovens judeus assumissem verbalmente um compromisso durante a cerimônia e não colocassem em prática o juramento feito. O mesmo se aplicava à comunidade do Segundo Templo. A resposta dela deveria envolver o compromisso em seu viver. No presente contexto, em Neemias, a implicação é a de que o apelo inflamado dos **levitas** para que Deus olhasse as precárias circunstâncias nas quais eles viviam pode levar a algum lugar somente se a confissão for acompanhada de arrependimento no sentido de uma transformação nos caminhos trilhados pelo povo. Se eles não desejarem ser mais servos (no caso, dos **persas**), devem estar preparados para serem servos (de Deus).

Eles já indicaram ser essa a intenção deles ao se reunirem como um povo separado dos estrangeiros. A súplica deles após a confissão explicita que essa separação não possui motivação étnica ou política; é uma separação "para o ensino de Deus", para a Torá. Por implicação, essa expressão cobriria a distinção dos moabitas e dos asdoditas que não reconheciam ***Yahweh***, e também dos samaritanos, que conheciam *Yahweh*, mas cujo compromisso era questionado pela comunidade **judaíta**. No comentário sobre Esdras 4, observamos que os samaritanos, em épocas mais recentes, eram mais rígidos em sua adesão à Torá do que os próprios judaítas, no sentido de que eles aceitavam somente a Torá como Escritura, desconsiderando os Profetas e os Escritos (veja a Introdução para obter explicação adicional sobre esses termos). Mas, se a comunidade, nos dias de Neemias, estivesse usando a questão da adesão à Torá como desculpa para preconceitos étnicos ou práticas políticas, então a sua declaração sobre a Torá mostra que ela reconhece a base adequada para a separação.

O povo indica que está preparado para acompanhar a confissão com arrependimento ao colocar o seu compromisso por escrito. A oração dos levitas identificou Deus como aquele que estabeleceu a aliança com Abraão e que a sustenta; com efeito, o povo, agora, dá a sua resposta de aliança a Deus. Eles "a confirmam" com o estranho uso de um verbo que significa "cortar", uma forma comum de expressar a confirmação de uma aliança (veja no glossário, **aliança**). Não obstante, eles não usam a palavra regular "aliança", como Secanias usou em Esdras 10. Em vez disso, usam outra palavra que significa uma promessa ou um compromisso genuíno, relacionada a palavras presentes na oração dos levitas que descreviam Deus agindo fielmente e Abrão como sendo verdadeiro. A não utilização da palavra "aliança" preserva o caráter distinto do compromisso que Deus estabelece com eles, o qual não está condicionado por eles nem depende da resposta deles, mas resulta da graça de Deus (tal como a oração enfatizou). Todavia, o uso dessa nova palavra como "promessa" significa que eles reconhecem que não estão a salvo de apuros pela singularidade do compromisso de Deus com eles. Os judaítas estão dizendo que serão como Deus e como Abraão. O compromisso assumido por eles é sublinhado pela menção de uma maldição e de um juramento. O juramento é uma promessa solene feita em **nome** de Deus; a maldição é uma oração por aflições que virão sobre eles caso falhem em manter a promessa solenemente feita.

Uma vez mais, toda a comunidade está envolvida. Eles estão "se unindo firmemente" uns aos outros no estabelecimento daquela promessa. No entanto, isso também envolve a participação de cada um — homens e mulheres —, não apenas os cabeças das famílias, mas todos os membros da família com idade suficiente para compreender o que está acontecendo. Judá relaciona-se com Deus como uma entidade corporativa, mas também como uma coleção de indivíduos. Os líderes políticos, administrativos e religiosos em Judá são, na maioria, homens, porém o relacionamento com Deus pertence a todos. A lista de nomes aponta para outro sentido no qual isso é verdadeiro. Os nomes são conhecidos de outras passagens de Esdras e de Neemias e formam um cruzamento ilustrativo dos nomes presentes nos dois livros, em que alguns são nomes de famílias, não de indivíduos. A relação, portanto, estabelece ligações entre indivíduos tanto horizontal (os membros atuais das famílias) quanto verticalmente (os membros das famílias por gerações). Sim, toda a comunidade assume esse compromisso.

NEEMIAS 10:30-39
SOBRE SER ESPECÍFICO

[30]"[Estamos confirmando uma promessa] de que não daremos as nossas filhas aos povos da terra nem tomaremos as suas filhas para os nossos filhos. [31]Os povos da terra que trazem as suas mercadorias ou qualquer grão no dia do sábado para vender, não os tomaremos deles no sábado ou num dia santo. Renunciaremos ao sétimo ano e à usura em cada assinatura. [32]Impomos sobre nós mesmos mandamentos para darmos um terço de um siclo por ano para o serviço da casa de nosso Deus, [33]para o pão consagrado, para a oferta regular de grãos e para a oferta queimada regular, sábados, luas novas, para ocasiões indicadas, ofertas santas e ofertas de purificação, para expiação por Israel e para todo o trabalho da casa de nosso Deus. [34]Lançamos sortes para a oferta de madeira (os sacerdotes, os levitas e o povo) para trazê-la à casa do nosso Deus pelas casas ancestrais, em tempos determinados, ano após ano, para queimar sobre o altar de *Yahweh*, o nosso Deus, como está escrito no ensino. [35][Assumimos] trazer os primeiros frutos de nossa terra e de cada fruto de cada árvore, ano após ano, para a casa de *Yahweh*, [36]e o primogênito de nossos filhos e de nossos animais, como está escrito no ensino, e trazer o primogênito de nosso gado e de nossos rebanhos para a casa de nosso Deus, para os sacerdotes que ministram na casa de nosso Deus. [37]Traremos a nossa primeira massa, as nossas contribuições e do fruto de cada árvore, vinho e azeite, para os sacerdotes,

para as câmaras de armazenamento na casa de nosso Deus, e o dízimo de nossa terra para os levitas; os levitas são aqueles que coletam os dízimos em todas as cidades nas quais servimos. [38]O sacerdote, o filho de Arão, deve estar com os levitas quando os levitas estiverem coletando os dízimos, e os levitas devem trazer um dízimo dos dízimos à casa de nosso Deus, para as câmaras de armazenamento da tesouraria, [39]porque os israelitas e os levitas devem trazer para as câmaras de armazenamento a contribuição de grãos, de vinho e de azeite. Os utensílios pertencentes ao santuário, os sacerdotes que ministram, os porteiros e os cantores estão lá. Não abandonaremos a casa de nosso Deus."

Estive ausente da nossa reunião congregacional, ocorrida três semanas atrás, por estar doente, e embora esse não seja um motivo válido para adoecer, pelo menos serviu de consolação, pois não posso afirmar ser um entusiasta das reuniões congregacionais. Peço perdão aos meus colegas da St. Barnabas e sei que a falta de entusiasmo é falha minha e que deveria ficar contente por ir à reunião. É uma ocasião na qual revisamos o que fizemos ao longo do ano que passou e discutimos prioridades e objetivos para o ano seguinte. Algumas das prioridades e alvos são espirituais — referem-se ao modo com que buscamos identificar qual é a visão de Deus para nossa congregação e quais as maneiras pelas quais podemos alcançar a nossa comunidade. Algumas questões são de ordem prática. Precisamos concordar sobre um orçamento e determinar como iremos financiar o ministério durante o próximo ano, além de fazer algo para consertar o vazamento no telhado da igreja. Algumas prioridades residem na interface entre o espiritual e o prático — em qual dessas categorias você coloca um plano de servir um jantar aos desabrigados, uma vez por mês?

Algo similar é verdadeiro em relação à promessa feita pelos **judaítas**, e isso explica a natureza aparentemente aleatória das áreas cobertas por ela. O problema quanto aos casamentos mistos com outras comunidades não comprometidas com a **Torá** é próprio do período do **Segundo Templo**. Embora reis, como Salomão, estivessem envolvidos nessas uniões por motivos políticos, pelo que sabemos essa não era uma prática usual entre as pessoas comuns do povo. Portanto, a comunidade estabelece um compromisso específico em relação ao casamento. O problema da observância do sábado possui um pano de fundo similar; se você vive em meio a uma comunidade israelita ou judaica, sofrerá pouca pressão para ignorar o sábado ou outros dias santos; contudo, num contexto mais pluralista, a tentação aumenta. Assim, a comunidade estabelece um compromisso específico nessa área. Sabemos, de Neemias 5 e de outras passagens, sobre as pressões econômicas presentes na comunidade. Essas pressões aumentavam a tentação de ignorar a regra da Torá sobre não cobrar juros sobre empréstimos pessoais e também de não observar as regras da Torá concernentes a deixar a terra ter o seu descanso sabático a cada sete anos. Desse modo, a comunidade faz um compromisso nessa área.

As mesmas pressões econômicas tornariam tentador deixar de apoiar o serviço do templo, mas grande parte do juramento diz respeito a essa obrigação. Antes do exílio, esse apoio ao trabalho do templo funcionava mais continuamente porque o rei exercia essa responsabilidade. Na realidade, ainda eram as pessoas comuns do povo que pagavam a conta, mas os administradores do rei é que coletavam os impostos que, então, custeavam o serviço no templo. A abolição da monarquia judaíta não significou o fim da taxação, do mesmo modo que o término do domínio da monarquia britânica sobre as colônias americanas (este último evento foi o contexto da observação feita por Benjamin Franklin de que "neste mundo nada pode ser considerado certo, exceto a morte e os impostos"). As pessoas, agora, pagam impostos ao governo imperial em lugar da monarquia judaíta. Vimos que o governo imperial financiou projetos especiais em Jerusalém e, talvez, tenha providenciado subvenções regulares adicionais, mas, evidentemente, a comunidade local era responsável pela maior parte dos custos do templo. Então, agora, a comunidade optou por comprometer-se a atender a essas necessidades em vez de não ter escolha, como antes, o que, em termos da relação com Deus, seria um passo adiante. A última linha da promessa diz tudo: "Não abandonaremos a casa de nosso Deus." Foi uma decisão baseada em grande reflexão por parte do povo. Compromissos de todas as espécies (projetos de construção, relações pessoais, casar, ter filhos, participar da igreja, seguir o chamado de Deus), todos parecem mais custosos do que pensamos quando nos comprometemos. O compromisso da comunidade em relação ao templo cobrará um preço contínuo.

Algumas vezes, a promessa faz referências ao envolvimento com atividades que estão de acordo com o que está escrito na Torá. Ao mesmo tempo, isso ilustra a maneira pela qual cada geração precisa descobrir como aplicar a Torá em novos contextos. A Torá nada diz sobre o que fazer quando comerciantes estrangeiros oferecem as suas mercadorias no sábado. O descanso do sábado não é obrigatório aos estrangeiros, e para um judaíta a proibição do sábado está relacionada ao trabalho, não a compras; assim, um judaíta comprar produtos no sábado não constitui uma transgressão do mandamento para guardar esse dia. Não obstante, um pouco de reflexão gerou a intuição de que há algo de errado com aquela conclusão, e a promessa reconhece que é preciso ir além da letra da lei a fim de alcançar o espírito do que Deus está pedindo a Israel. Expressando teologicamente, a comunidade judaíta sabe que a leitura da Escritura precisa ser feita à luz da percepção oferecida pelo espírito de Deus, cujo trabalho está por trás da existência da Escritura. Nosso modo de viver precisa estar de acordo com a Escritura, mas também necessita refletir o contexto no qual vivemos. Esse viver significa não se sentir livre para deixar imperativos da Escritura de lado por eles serem contextuais, mas ver como eles se aplicam em nosso contexto. Não existe um método infalível de fazer isso, pois requer intuição ou discernimento espiritual, algo exercitado pelo conjunto da comunidade, a fim de se proteger contra os nossos pontos cegos individuais e, então, nos oferecer apoio enquanto pagamos o preço pelo nosso comprometimento com o que percebemos como expectativa de Deus.

Igualmente, as comunidades cristãs no Ocidente talvez precisem refletir sobre as promessas que devem fazer para o próximo ano, ponderando à luz da Torá e dos demais livros da Escritura, questionando onde estão os verdadeiros desafios das Escrituras para elas. Os seus membros, da mesma forma, necessitam fazer essa reflexão. Enquanto os Estados Unidos usam o termo inglês *pledge* (promessa) para descrever o compromisso que fazemos em conexão com o dar, o inglês britânico usa o termo *covenant* (aliança), porém uma igreja californiana que conheço espera que os seus membros redijam e assinem uma aliança com respeito ao que farão, individualmente, no próximo ano, quando eles buscam identificar os desafios concretos que as Escrituras lhes mostram e, igualmente, buscam crescer em fé, esperança e amor.

Descobriremos que muitas das áreas cobertas por essa promessa são abordadas em Neemias 13. Isso pode sugerir que as pessoas simplesmente não cumpriram a promessa ou logo descobriram outras maneiras de evitar as expectativas divinas. No entanto, já observamos que há certa desigualdade com respeito a Neemias 8—10 e a sua relação com esse contexto; mais provavelmente, esses três capítulos resumem a dinâmica de eventos nos dias de Esdras e Neemias como um todo. Talvez um dos aspectos dessa dinâmica seja que o compromisso da comunidade aos elementos em uma promessa dessa classe pode neutralizar o efeito divisionista da ruptura dentro da comunidade, ameaçada pela consciência do elevado custo imposto às famílias pelo projeto de reconstrução, indicado em Neemias 5.

NEEMIAS **11:1-36**
A CIDADE SANTA

[1]Os oficiais do povo se estabeleceram em Jerusalém, mas o restante do povo lançou sortes para trazer uma, de cada dez pessoas, para se estabelecer em Jerusalém, a cidade santa, enquanto nove décimos estavam nas cidades. [2]O povo abençoou todos os indivíduos que se voluntariaram para se estabelecer em Jerusalém. [3]Estes são os cabeças das províncias que se estabeleceram em Jerusalém, enquanto nas cidades de Judá eles se estabeleceram, cada indivíduo em sua propriedade, nas suas cidades: Israel, sacerdotes, levitas, assistentes e os descendentes dos servos de Salomão, [4]e alguns dos judaítas e benjamitas se estabeleceram em Jerusalém. Dos judaítas: Ataías, filho de Uzias, filho de Zacarias, filho de Amarias, filho de Sefatias, filho de Maalaleel, dos descendentes de Perez, [5]e Maaseias, filho de Baruque, filho de Col-Hozé, filho de Hazaías, filho de Adaías, filho de Joiaribe, filho de Zacarias, filho do silonita. [6]Todos os descendentes de Perez que se estabeleceram em Jerusalém: 468 homens capazes. [7]Estes são os benjamitas: Salu, filho de Mesulão, filho de Joede, filho de Pedaías, filho de Colaías, filho de Maaseias, filho de Itiel, filho

de Jesaías, [8]e, depois dele, Gabai e Salai: 928. [9]Joel, filho de Zicri, era supervisor sobre eles, e Judá, filho de Hassenua, era o segundo em comando sobre a cidade. [10]Dos sacerdotes: Jedaías, filho de Joiaribe, Jaquim, [11]Seraías, filho de Hilquias, filho de Mesulão, filho de Zadoque, filho de Meraiote, filho de Aitube, governante da casa de Deus, [12]e seus irmãos, responsáveis pelo serviço na casa: 822; e Adaías, filho de Jeroão, filho de Pelaías, filho de Anzi, filho de Zacarias, filho de Pasur, filho de Malquias, [13]e seus irmãos, os cabeças ancestrais: 242; e Amassai, filho de Azareel, filho de Azai, filho de Mesilemote, filho de Imer, [14]e seus irmãos, guerreiros capazes: 128. Zabdiel, filho de Gedolim, era supervisor sobre eles. [15]Dos levitas: Semaías, filho de Hassube, filho de Azricão, filho de Hasabias, filho de Buni, [16]e Sabetai e Jozabade, dos cabeças dos levitas sobre o serviço externo para a casa de Deus, [17]Matanias, filho de Mica, filho de Zabdi, filho de Asafe, o cabeça (o começo das ações de graças para a oração), Baquebuquias, um de seus irmãos, segundo em comando, e Abda, filho de Samua, filho de Galal, filho de Jedutum. [18]Todos os levitas na cidade santa: 284. [19]Os porteiros: Acube, Talmom e seus irmãos que vigiavam nos portões: 172. [20]O restante de Israel, os sacerdotes, os levitas em todas as cidades de Judá, cada um se estabeleceu em sua propriedade. [21]Os assistentes se estabeleceram em Ofel; Zia e Gispa estavam sobre os assistentes. [22]O supervisor dos levitas em Jerusalém era Uzi, filho de Bani, filho de Hasabias, filho de Matanias, filho de Mica, dos cantores descendentes de Asafe, para governar sobre o serviço da casa de Deus, [23]porque havia um mandado do rei a respeito deles, ou seja, uma promessa concernente aos cantores, uma exigência de cada dia. [24]Petaías, filho de Mesezabel, dos descendentes de Zerá, filho de Judá, era o braço direito do rei com relação a todas as matérias relativas ao povo. [25]Com respeito às vilas, com seus campos: alguns dos judaítas se estabeleceram em Quiriate-Arba e suas dependências, Dibom e suas dependências, e Jecabzeel e suas vilas. [26]Jesua, Moladá, Bete-Pelete, [27]Hazar-Sual, Berseba e suas dependências, [28]Ziclague, Meconá e suas dependências, [29]En-Rimom, Zorá, Jarmute, [30]Zanoa, Adulão e suas vilas, Láquis e seus campos, e Azeca e suas dependências. Assim, eles acamparam desde Berseba até o vale de Hinom. [31]Os benjamitas: de Geba, Micmás e Aia, e Betel e suas dependências, [32]Anatote, Nobe, Ananias, [33]Hazor, Ramá, Gitaim, [34]Hadide, Zeboim, Nebalate, [35]Lode, Ono, Ge-Harasim. [36]Alguns dos levitas que foram alocados para Judá pertenciam a Benjamim.

A primeira vez que fui a Jerusalém, dirigi pela rodovia a partir do lado oeste, como faz a maioria dos visitantes. A subida de quase mil metros em direção às montanhas é impressionante, embora, quando alcançamos o topo da região, a posição não forneça uma visão inspiradora da cidade moderna; você poderia estar em qualquer lugar. Não obstante, meu coração acelerou; aquela era Jerusalém, a cidade santa. A abordagem a partir da região leste, do outro lado do rio Jordão, abaixo do nível do mar, possui uma elevação de cerca de mil e duzentos metros, mais espetacular por atravessar o deserto e passar pela Pousada do Bom Samaritano, até que os telhados de uma antiga cidade aparecem ao longo do horizonte. É Jerusalém, a cidade santa (embora, a exemplo de outras perspectivas, dilacerada, hoje em dia, pelo muro que divide Israel da região da Cisjordânia). Saindo da região sul, próximo a Belém, pode-se ter, a partir de uma praça, uma visão panorâmica da cidade antiga, com o Domo da Rocha brilhando sob a luz do sol. Partindo da região norte, segue-se a estrada ao longo da crista do cume, no caminho pelo qual Isaías imaginou os **assírios** chegando e Tito liderou a exército romano em 70 d.C. Além disso, eventualmente, pode-se obter, do alto do monte Scopus, uma versão oposta daquela visão panorâmica anterior da cidade santa, com o brilho do Domo da Rocha sob os raios solares (ou coberto de neve, como ocorreu da última vez que avistei Jerusalém desse ângulo). Trata-se de Jerusalém, a cidade santa.

A expressão "a cidade santa", no original, aparece duas vezes em Neemias 11; há apenas mais três ocorrências dela em todo o Antigo Testamento: duas vezes em Isaías e uma vez em Daniel. Jerusalém é a cidade santa porque o lugar santo, o templo, está ali situado; a santidade do templo flui sobre a cidade. Jerusalém é identificada com o Deus santo de uma forma distintiva. Em certo sentido, então, não há muita diferença entre descrever Jerusalém como a cidade santa ou a cidade escolhida, a expressão mais comum. "Escolhida" é o termo que Neemias usou em sua oração, ao ouvir o relato sobre a devastação da cidade (Neemias 1), e ele faz a conexão com o fato de ser o lugar no qual o templo está, o local no qual ***Yahweh*** fez habitar o seu **nome**. Jerusalém como a cidade santa, então, está ligada à consciência, em Esdras e Neemias, da necessidade de preservar a santidade da cidade, assegurada por Deus. Essa necessidade aplica-se ao povo, ao templo e à própria cidade.

Nesse capítulo, a implicação de Jerusalém ser a cidade santa é que ela necessita ser habitada por pessoas de uma classe especial, isto é, de uma população de **judaítas**. Haverá a constatação prática de que a cidade estará vulnerável aos ataques dos hostis povos vizinhos; uma população pulsante e viva é tão importante quanto os muros de proteção, nessa conexão. No entanto, a consideração mais profunda é a de que pareceria inapropriado para a cidade santa ser uma cidade fantasma poderosamente protegida. Não era isso o que Deus tinha em mente ao prometer que, após o exílio, a cidade seria transformada. No comentário sobre o projeto de reconstrução do muro, concebido por Neemias, e a conversa inicial sobre o repovoamento da cidade, observamos a promessa de Deus, em Zacarias 2, de que Jerusalém estava destinada a ser (pelo menos, figurativamente falando), uma cidade aberta, sem muros, como um vilarejo, e que haveria muitas pessoas e rebanhos nela. Na verdade, Neemias 7 descreveu a cidade como ampla e espaçosa, mas ainda carente de habitantes em número suficiente. Caso a liderança judaíta tenha conhecimento sobre a profecia de Zacarias, eles, uma vez mais, concluem que, quando Deus faz uma promessa, não devemos, necessariamente, sentar e cruzar os braços, esperando a ação miraculosa divina. Ao contrário, a promessa nos encoraja a agir por sabermos que estamos envolvidos em uma empreitada que está de acordo com o propósito de Deus e que, portanto, ele poderá fazer a ação prosperar. Somos como o menino que entregou os seus pães e peixes a Jesus.

Descrever Jerusalém como a cidade santa constitui um incentivo para que as pessoas decidam morar nela, mesmo que estejam acostumadas a viver por anos, digamos, em Ziclague ou Láquis. Existe, de fato, certa ambiguidade sobre o fundamento no qual determinou-se quem se mudaria para Jerusalém. Se essa decisão foi tomada por meio de sorteio, quem são as pessoas elogiadas por se voluntariarem? Elas deram um passo à frente ou foram empurradas? São elogiadas porque aceitaram, voluntariamente, a escolha delas por meio do sorteio? Ou, talvez, houve alguns que se voluntariaram, e isso diminuiu o número dos que foram selecionados. A lista dos que fizeram o sacrifício envolvido na mudança para Jerusalém (seja por pressão, seja por decisão própria) ainda lhes presta honra como pessoas de fé, amor, orgulho e dedicação em sua relação com a cidade. Pode ser ainda mais significativo que voluntariado seja um termo possível de ser usado com respeito a pessoas que se oferecem para tomar parte em uma batalha iminente, e, de modo similar, aqueles que decidem morar em Jerusalém também podem se envolver na defesa da cidade.

No Novo Testamento, o livro de Apocalipse utiliza, algumas vezes, a expressão "cidade santa" para designar a nova Jerusalém. Isso pode levar a pensar que a Jerusalém física deixa de ser a cidade santa após a vinda de Jesus, embora, décadas depois da morte e da ressurreição de Cristo, Apocalipse 11 e Mateus 4 e 27 também se refiram ao local físico como a cidade santa. A natureza humana possui uma consciência interna de Jerusalém ser um local santo, um lugar material no qual podemos ter a certeza de encontrar Deus. Isso é parte do plano de Deus de nos fazer criaturas físicas. Ao providenciar esse local físico, Deus satisfaz aquela necessidade humana dada por ele mesmo. Todavia, há um motivo específico adicional pelo qual Jerusalém, em particular, permanece sendo a cidade santa. Não causa surpresa que os judeus, na celebração da Páscoa, digam: "No ano que vem, em Jerusalém!" Como um cristão que vive no Antigo Testamento, achei assombrosamente fascinante chegar a Jerusalém, partindo de qualquer direção, mas não surpreende o fato de qualquer cristão achar Jerusalém especialmente inspiradora. Essa cidade tornou-se parte do envolvimento de Deus com Israel, e esse envolvimento prosseguiu com o nascimento, a morte e a ressurreição de Jesus nela, bem como a forma pela qual Jerusalém é o lugar do qual a mensagem sobre Jesus alcançou o mundo. Nem Roma, Canterbury ou Genebra, mas, apenas Jerusalém, é a cidade santa.

NEEMIAS 12:1-43

NOSSA CONQUISTA, CAPACITAÇÃO DE DEUS

[1]Estes foram os sacerdotes e os levitas que subiram com Zorobabel, filho de Sealtiel, e Jesua: Seraías, Jeremias, Esdras, [2]Amarias, Maluque, Hatus, [3]Secanias, Reum, Meremote, [4]Ido,

Ginetom, Abias, [5]Miamim, Maadias, Bilga, [6]Semaías, Joiaribe, Jedaías, [7]Salu, Amoque, Hilquias e Jedaías. Estes foram os cabeças dos sacerdotes e seus irmãos nos dias de Jesua. [8]Os levitas: Jesua, Binui, Cadmiel, Serebias, Judá e Matanias, sobre as ações de graças, ele e seus irmãos, [9]com Baquebuquias e Uni, seus irmãos, opostos a eles para os deveres. [10]Jesua foi o pai de Joiaquim, Joiaquim de Eliasibe, Eliasibe de Joiada, [11]Joiada de Jônatas, Jônatas de Jadua. [12]Nos dias de Joiaquim, os sacerdotes que eram cabeças ancestrais foram: por Seraías, Meraías; por Jeremias, Hananias; [13]por Esdras, Mesulão; por Amarias, Joanã; [14]por Maluqui, Jônatas; por Sebanias, José; [15]por Harim, Adna; por Meremote, Helcai; [16]por Ido, Zacarias; por Ginetom, Mesulão; [17]por Abias, Zicri; por Miniamim e Moadias, Piltai; [18]por Bilga, Samua; por Semaías, Jônatas; [19]por Joiaribe, Matenai; por Jedaías, Uzi; [20]por Salai, Calai; por Amoque, Héber; [21]por Hilquias, Hasabias; por Jedaías, Natanael. [22]Os levitas, nos dias de Eliasibe, Joiada, Joanã e Jadua, foram registrados como cabeças ancestrais, também os sacerdotes, no reinado de Dario, o persa. [23]Os levitas, os cabeças ancestrais, foram registrados nos anais até os dias de Joanã, filho de Eliasibe. [24]Os cabeças dos levitas: Hasabias, Serebias, Jesua, filho de Cadmiel, e seus irmãos opostos a eles na oração, e nas ações de graças, pelo mandamento de Davi, o homem de Deus, dever correspondente a dever; [25]Matanias, Baquebuquias, Obadias, Mesulão, Talmom e Acube, mantendo a vigia como porteiros nos depósitos junto aos portões. [26]Estes foram nos dias de Joiaquim, filho de Jesua, filho de Jozadaque, e nos dias de Neemias, o governador, e de Esdras, o sacerdote erudito.

[27]Na dedicação do muro de Jerusalém, eles buscaram os levitas de todos os seus lugares para trazê-los a Jerusalém a fim de realizarem a celebração de dedicação com ações de graças e com cânticos, címbalos, harpas e liras. [28]Os cantores se reuniram tanto da área ao redor de Jerusalém quanto das vilas

dos netofatitas, [29]de Bete-Gilgal e da região ao redor de Geba e de Azmavete, porque os cantores construíram vilas para si mesmos em torno de Jerusalém. [30]Os sacerdotes e levitas se purificaram e purificaram o povo, os portões e o muro. [31]Fiz os oficiais de Judá subirem ao muro e coloquei no lugar dois grandes [coros] de ações de graças. Eles foram, um para a direita em direção à porta do Monturo, [32]Hosaías e metade dos oficiais de Judá foram atrás deles, [33]como fizeram Azarias, Esdras e Mesulão, [34]Judá, Benjamim, Semaías, Jeremias, [35]alguns dos sacerdotes com trombetas, Zacarias, filho de Jônatas, filho de Semaías, filho de Matanias, filho de Micaías, filho de Zacur, filho de Asafe, [36]seus irmãos Semaías e Azareel, Milalai, Gilalai, Maai, Natanael, Judá e Hanani, com os instrumentos musicais de Davi, o homem de Deus, com Esdras, o erudito, à frente deles. [37]Acima da porta da Fonte, eles subiram diretamente à frente os degraus para a cidade de Davi, pela subida para o muro, sobre a casa de Davi, até a porta das Águas, a leste. [38]O segundo coro de ações de graças foi na direção oposta, comigo atrás deles, e metade do povo, sobre o muro, passando pela torre dos Fornos até o muro Largo, [39]e acima da porta de Efraim, da porta de Jesana, da porta do Peixe, da torre de Hananeel, da torre dos Cem, da porta das Ovelhas, e paramos na porta da Guarda. [40]Os dois [coros] de ações de graças pararam junto à casa de Deus, assim como fiz e metade dos supervisores comigo, [41]e os sacerdotes Eliaquim, Maaseias, Miniamim, Micaías, Elioenai, Zacarias e Hananias, com trombetas, [42]e Maaseias, Semaías, Eleazar, Uzi, Joanã, Malquias, Elão e Ézer. Os cantores fizeram proclamação, com Jezraías como o supervisor. [43]Eles ofereceram grandes sacrifícios naquele dia e celebraram, porque Deus os capacitou para celebrarem grandemente. As mulheres e as crianças também celebraram. A celebração em Jerusalém foi ouvida até de longe.

Ao partir de qualquer uma das quatro direções, as quais descrevi em meu comentário sobre Neemias 11, para chegar a Jerusalém, cedo ou tarde, o viajante é impactado pela visão dos muros medievais da "Cidade Antiga", embora o impacto seja maior se a pessoa chegar da direção leste, após a longa subida desde o rio Jordão, porque há bem menos desenvolvimento moderno da cidade em seu lado oriental. A formação de muros se agiganta diante do viajante à medida que ele se aproxima da cidade. Ao apresentar a cidade às pessoas, costumo levá-las a uma caminhada em torno dos muros porque isso lhes proporciona uma perspectiva sobre a cidade como um lugar pulsante e cheio de vida. No eixo norte-sul, os muros medievais estão distantes algumas centenas de metros ao norte dos muros dos templos bíblicos, e no lado ocidental eles cobrem uma área maior que o muro de Neemias. Não obstante, seja qual for a época, é fácil imaginar a sensação de segurança que o muro dava aos habitantes da cidade, quando não existiam canhões, bombas ou mísseis (embora os atacantes fossem capazes de escalá-los para tomar a cidade, como ocorreu inúmeras vezes).

Assim sendo, é fácil imaginar o júbilo pela conclusão daquela obra. Os muros também são dedicados; durante a reconstrução, os sacerdotes haviam consagrado as suas respectivas seções. Em geral, dedicam-se altares ou templos (veja Esdras 6), embora o verbo também possa ser usado em relação a filhos ou a uma casa, mas, nesse caso, o termo significa algo como "iniciação". Pode-se dizer que a cerimônia sobre os muros é a iniciação deles, o momento em que eles entram em uso, no sentido prático. No entanto, as ações de graças, os sacrifícios e a purificação traçam um paralelo com a cerimônia praticada quando um templo era inaugurado. A cerimônia envolve mais do que acontece quando um casal passa a viver em sua casa ou quando eles educam um filho. Talvez haja uma ligação com a designação incomum de Jerusalém como a cidade santa no capítulo anterior. Os muros delimitam a sua santidade e, portanto, cumprem uma função a serviço de sua santidade.

As pessoas podiam congratular-se mutuamente por aquela conquista. Foram atraídas à visão de Neemias, executaram o trabalho, sacrificaram as suas atividades regulares, colocando em risco a própria subsistência, e se dispuseram a lutar contra os adversários, caso necessário. No entanto, a cerimônia de dedicação é marcada por ações de graças, lideradas pelos **levitas** em sua capacidade como adoradores, envolvendo o recrutamento de levitas de uma grande área para formar coros suficientemente grandiosos para aquela importante ocasião. Dois coros de ações de graças seguem em procissão pela cidade, sobre o muro, partindo da porta do Vale, na parte oeste, e, então, seguindo em direções opostas até se encontrarem novamente na parte leste, junto ao templo. Ali, oferecem sacrifícios de gratidão da classe que Deus e o povo compartilham enquanto se regozijam por aquilo que Deus fez. A exemplo da narrativa sobre a conclusão da obra, no capítulo 6, o relato da dedicação pressupõe a união entre o esforço humano e a capacitação divina. Quando tentamos fazer algo e logramos êxito, podemos ter uma percepção de que não deveríamos apenas sentir satisfação pelo nosso feito, mas também sermos gratos a Deus. Você pode trabalhar com afinco na construção e na vigilância de uma propriedade, mas não alcançará sucesso, a não ser que Deus esteja envolvido (veja salmo 127). Os projetos podem dar errado, apesar dos seus melhores esforços. O mesmo era verdadeiro com relação à construção de muros. Se as pessoas não fazem nada, os muros não serão construídos; se Deus não fizer nada, os muros também podem não ser construídos. Portanto, há motivos de sobra para os judaítas serem gratos. Deus os capacitou a celebrarem no sentido de que Deus é que lhes proporcionou o motivo de celebração.

A dedicação, igualmente, envolve a purificação dos levitas que lideram a adoração e do povo que a oferece, bem como dos próprios portões e muros. A cerimônia de dedicação envolve a aproximação das pessoas a Deus, de modo que é necessário garantir que elas não sejam afetadas pela contaminação. Além disso, ao exigir a purificação, a cerimônia traça um paralelo com a dedicação do templo em Esdras 6. A comunidade encontra-se contaminada pelo culto a outras divindades, motivo pelo qual veio o juízo que levou à queda da cidade, à destruição de seus muros e, ainda, por serem obrigados a conviver com estrangeiros que adoravam outros deuses, além do próprio envolvimento delas com aquele culto. Para completar, a comunidade acumula contaminação por causa dos casamentos mistos com pessoas que não viviam de acordo com os preceitos da **Torá** e cultuavam outras divindades. O povo não podia alegar que vivia de modo distinto da comunidade existente antes do **exílio**. Por tudo isso, a capacitação divina, permitindo a reconstrução dos muros, é outra prova da graça e da misericórdia de Deus. Portanto, Deus providencia isso por meio da eliminação dessa contaminação, mesmo sendo a parte ofendida, e lhes fornece os meios de recomeçarem o relacionamento.

Nas listas com os nomes dos sacerdotes e dos levitas, as funções exercidas em posições opostas umas às outras, ou em posições correspondentes, insinuam uma ligação com o modo pelo qual a adoração de Israel envolve o canto antifônico; um coro canta a primeira metade de um verso, enquanto o outro responde com a segunda metade, para corresponder ao paralelismo nos versos. As listas principiam com pessoas que vieram da **Babilônia**, cerca de um século antes, e, portanto, indicam a continuidade entre a geração atual e a anterior. Na realidade, elas servem para nos mostrar a construção e a sua dedicação como a conclusão da história iniciada em Esdras 1—6, o término da restauração da comunidade e da cidade após o exílio. O único Jadua do qual temos conhecimento era um sumo sacerdote que viveu um século depois, quando o Império **Persa** caiu diante de Alexandre. Sendo assim, caso este Jadua seja a mesma pessoa, a lista abrange um século após os dias de Neemias, da mesma forma que recua um século dessa época, o que demonstra a permanente continuidade da vida judaíta.

NEEMIAS 12:44—13:14
A FRUSTRAÇÃO DO PASTOR

[44]Naquele dia, eles apontaram pessoas sobre as câmaras de armazenagem para as contribuições, os primeiros frutos e os dízimos, para coletarem neles (com respeito aos campos pertencentes às cidades) as porções especificadas pelo ensino para os sacerdotes e os levitas, porque o júbilo de Judá estava sobre os sacerdotes e os levitas que permaneciam em serviço [diante de Deus] [45]e mantinham o dever de seu Deus e o dever da pureza, e os cantores e os porteiros, de acordo com o mandamento de Davi e de Salomão, seu filho [46](porque nos dias de Davi e de Asafe de antigamente, havia cabeças dos cantores e dos cânticos de louvor e das ações de graças a Deus). [47]Nos dias de Zorobabel e de Neemias, todo o Israel dava as porções dos cantores e dos porteiros, a quantidade para cada dia, e consagravam [as contribuições] para os levitas, enquanto os levitas consagravam [as contribuições] para os aronitas.

CAPÍTULO 13

[1]Naquele dia, houve uma leitura do pergaminho de Moisés aos ouvidos do povo, e foi descoberto escrito nele que um amonita ou um moabita não deveria ir à congregação de

Deus, em perpetuidade, [2]porque eles não foram ao encontro dos israelitas com pão e água, mas contrataram Balaão para os amaldiçoar – embora o nosso Deus tenha transformado a maldição em bênção. [3]Quando eles ouviram o ensino, separaram toda a multidão misturada de Israel. [4]Antes disso, Eliasibe, o sacerdote, tinha sido colocado sobre uma câmara na casa do nosso Deus; ele era próximo a Tobias [5]e havia preparado para ele uma grande câmara na qual, anteriormente, eles colocavam a oferta de grãos, o incenso, os acessórios, o dízimo dos grãos, do vinho e do azeite que fora ordenado aos levitas, aos cantores e aos porteiros, e a contribuição para os sacerdotes. [6]Durante todo esse tempo, eu não estava em Jerusalém porque no trigésimo segundo ano do reinado de Artaxerxes, rei da Babilônia, eu fui ao rei. Após um período de tempo, pedi permissão ao rei [7]e voltei para Jerusalém. Aprendi sobre o erro que Eliasibe fizera ao preparar uma câmara para Tobias nos pátios da casa de Deus. [8]Isso foi muito desagradável para mim. Joguei todos os acessórios da casa de Tobias fora da câmara [9]e disse que eles deveriam purificar a câmara, e coloquei de volta ali os acessórios da casa de Deus, a oferta de grãos e o incenso.

[10]Soube que as porções para os levitas não haviam sido dadas, de modo que os levitas e os cantores que eram responsáveis pelo trabalho fugiram cada qual para o seu campo. [11]Argumentei com os supervisores e disse: "Por que a casa de Deus foi abandonada?" Reuni [os levitas] e os coloquei no lugar de seus postos, [12]e todo o Judá trouxe o dízimo dos grãos, do vinho e do azeite aos depósitos. [13]Indiquei como porteiros sobre os depósitos Selemias, o sacerdote, Zadoque, o erudito, e Pedaías, dos levitas, e como braço direito deles Hanã, filho de Zacur, filho de Matanias, porque eram considerados confiáveis, e deixei a cargo deles fazerem as alocações para os seus irmãos.

[14]Lembra-te de mim, meu Deus, por isso. Não apagues os meus atos de compromisso, que realizei para a casa de Deus e para os seus deveres.

Na noite passada, falei a um grupo de pastores sobre o que os desencorajava em relação ao ministério deles. O mais frequente, pareceu-me, foi o fato de eles terem uma visão para empreender algo, mas não conseguirem vender a visão para a sua congregação. Um exemplo trivial, de certa forma, foi uma tentativa isolada de um pastor arrecadar dinheiro para comprar sacos de dormir para doze pessoas desabrigadas durante a onda de frio que houve no mês passado. Ele acabou comprando os sacos de dormir do próprio bolso. Um exemplo maior foi o de um pastor que havia testemunhado o crescimento de sua congregação de algumas centenas de membros para mais de um milhar; no entanto, ele temia ter encorajado o crescimento de um clube social religioso. Sua proposta para que eles remodelassem o estilo de vida a fim de alcançarem a imensa população hispânica da cidade causou substancial redução no tamanho da congregação. Reconhecidamente, os pastores podem ser insensíveis quanto ao modo de compartilharem suas visões e, talvez, necessitem prestar mais atenção, permitindo que a visão surja da própria congregação.

Posso imaginar Neemias puxando os cabelos como pastor. Ele acredita que conseguiu fazer a comunidade embarcar em suas reformas, mas é só dar as costas a ela e as coisas parecem retornar ao lugar em que estavam anteriormente. Uma das áreas nas quais isso está ocorrendo é a necessidade de arranjos práticos para o sustento das pessoas que ministram no templo. O problema não é simplesmente o de persuadir as pessoas a contribuírem. Na verdade, talvez essa seja a área na qual o problema começa. Em nosso mundo, pode haver uma onda de generosidade pública na forma de ajuda humanitária às vítimas de um desastre natural, mas como fazer chegar os donativos aos necessitados (e sem haver desvios por pessoas interessadas em lucrar com a generosidade)? Aqui, igualmente, a comunidade está engajada, de forma comovente, no apoio material ao ministério no templo, e a tarefa administrativa é ainda mais desafiadora pelo fato de as doações não serem em dinheiro (imagine a quantidade de grãos, frutas secas e assim por diante). Contudo, a comunidade adota medidas práticas para a estocagem dos dízimos e de outras contribuições, para que sejam adequadamente distribuídas entre os sacerdotes, **levitas**, cantores e **porteiros**, que são responsáveis pela oferta dos sacrifícios das pessoas, por outros aspectos da liderança na adoração e por assegurar que o santuário permaneça puro, instruindo o povo com respeito a possíveis causas de contaminação e de impureza, e maneiras de lidar com elas, mantendo-as seguras.

Até aqui, tudo bem, porém Neemias está ausente, servindo ao imperador que o havia comissionado (não sabemos se este era um procedimento rotineiro). Um profeta chamado Eliasibe (que pode ou não ser o sumo sacerdote de mesmo nome) friamente providenciou dependências na área do templo para ninguém menos do que Tobias, o amonita, que parece ser o homem de Sambalate em Jerusalém e, portanto, alguém contrário à obra de reconstrução do muro, empreendida por Neemias na cidade. Era óbvio e certo que o templo não deveria ser profanado por uma ação como essa. Talvez a atitude de Eliasibe seja outra indicação de que nem todos em Jerusalém apoiavam a obra de Neemias, ainda que se mantivessem quietos quanto às suas opiniões pessoais quando ele estava por perto. Ou, talvez, Eliasibe se sentiu incapaz de resistir à pressão exercida por Tobias. As dependências deveriam ser usadas para a estocagem das provisões que deveriam ser distribuídas a todos os que ministravam no templo. Pode ser que a ocupação das dependências por Tobias tenha provocado uma ruptura na estratégia de distribuição, ou, ainda, que o entusiasmo das pessoas quanto ao suporte do ministério tenha diminuído e os depósitos não eram mais necessários para a devida estocagem das ofertas.

A inclusão da passagem sobre a proibição de moabitas e amonitas na congregação, certamente, está relacionada ao fato de o sacerdote haver acomodado um *amonita* nas instalações do templo. A relevante passagem da **Torá** aparece em Deuteronômio 23. Nem aquela regra ou o apelo de Neemias a esse respeito sugerem que um amonita ou moabita não possa se tornar um adorador de ***Yahweh*** e se unir à congregação nesse sentido. A história de Rute, pelo menos, pressupõe que um moabita possa vir a ser um adorador de *Yahweh*, e a comunidade que aceitou a presença de Rute em suas Escrituras seguiu a mesma suposição. Igualmente, havia um amonita e um moabita entre as tropas de Davi. Por outro lado, um moabita ou um amonita como Tobias que vive em Jerusalém, mas deseja manter a sua fidelidade ao seu deus tradicional e à cultura de seu povo, não pode ser um membro pleno da comunidade. Aquela regra se aplica a todos os estrangeiros, embora houvesse um motivo particular para a antipatia aos amonitas e aos moabitas, pela posição que eles adotaram em relação a Israel, durante a jornada dos israelitas rumo a Canaã.

Neemias precisa resolver tudo isso ao retornar para Jerusalém, obrigando Tobias a achar outro lugar para as suas coisas e assegurando que os levitas recebessem o suporte que os capacitava a cumprir o seu ministério, designando-os de volta às posições adequadas para a devida superintendência dos dízimos. Essa seria uma tarefa mais direcionada aos levitas e outros ministros do templo do que aos sacerdotes, porque estes recebiam uma parcela dos sacrifícios do povo e não dependiam dos dízimos e de outras ofertas. Contanto que as pessoas continuassem a trazer os seus sacrifícios, eles e seus familiares não morreriam de fome. Para todos os ministros do templo, entretanto, a entrega dos dízimos e das ofertas constituía uma questão de vida ou morte.

NEEMIAS 13:15-31
PROFANAÇÃO E TRANSGRESSÃO

[15]Naqueles dias, vi pessoas em Judá pisando em lagares no sábado e trazendo grãos e os empilhando sobre jumentos, bem como vinho, uvas, figos e toda sorte de carga, e trazendo-os a Jerusalém no dia de sábado. Testifiquei no dia em que venderam as provisões [16]e quando os tírios que se estabeleceram ali estavam trazendo peixe e toda sorte de mercadorias e vendendo no sábado diante de Judá e em Jerusalém, [17]e contendi com os nobres de Judá. Eu lhes disse: "O que é essa coisa errada que vocês estão fazendo, profanando o dia de sábado? [18]Os nossos ancestrais não agiram assim, e o nosso Deus trouxe todo este problema sobre nós e sobre esta cidade? Vocês estão aumentando a ira contra Israel pela profanação do sábado." [19]Quando os portões de Jerusalém ficaram escuros, antes do sábado, disse que os portões deveriam ser fechados e que não deveriam ser abertos até depois do sábado. Coloquei no lugar alguns de meus rapazes nos portões para que nenhuma carga viesse no dia de sábado. [20]Os comerciantes e o povo que vendiam toda sorte de mercadorias passaram a noite fora de Jerusalém, uma ou duas vezes, [21]mas eu testifiquei a eles, dizendo: "Por que vocês estão passando a noite do outro lado do muro? Se fizerem isso de novo, colocarei as mãos sobre vocês." Depois desse tempo, eles não mais vieram no sábado. [22]Disse aos levitas que eles deveriam se purificar e montarem guarda nos portões para consagrar o dia de sábado. Lembra-te de mim por isso também, meu Deus, e poupa-me de acordo com a grandeza de teu compromisso.

[23]Naqueles dias, também vi que os judaítas estavam trazendo para suas casas mulheres asdoditas, amonitas e moabitas. [24]Metade de seus filhos estava falando asdodita, e nenhum deles sabia como falar judaíta, mas [falavam] de acordo com a língua de um povo ou de outro. [25]Contendi com eles e os desprezei, atingi alguns deles, lhes arranquei os cabelos e jurei por Deus: "Se vocês derem as suas filhas aos filhos deles, ou

se tomarem as filhas deles para os seus filhos ou para si mesmos [...]. [26]Não foi nessas coisas que Salomão, o rei de Israel, ofendeu? Entre as muitas nações, não havia um rei como ele. Ele era cuidado por Deus, e Deus o tornou rei sobre todo o Israel. Mulheres estrangeiras o levaram a ofender. [27]Devemos ouvi-los cometendo esse grande mal, transgredindo contra Deus ao levarem mulheres estrangeiras para casa?" [28]Um dos filhos de Joiada, filho de Eliasibe, o sumo sacerdote, era genro de Sambalate, o horonita. Eu o expulsei para longe de mim. [29]Lembra-te com respeito a eles, meu Deus, porque eles contaminaram o sacerdócio, a aliança do sacerdócio e dos levitas.

[30]Eu os purifiquei de tudo o que era estrangeiro e os coloquei no lugar dos deveres para os sacerdotes e os levitas, cada qual em seu trabalho, [31]e para a oferta de madeira em tempos designados e para os primeiros frutos.

Meu Deus, lembra-te de mim, para o meu bem.

Certo fim de semana, em dezembro, minha esposa atual e eu voamos para Londres, para um primeiro encontro com os meus filhos e suas famílias, além de um culto de ações de graças por um casamento, na Igreja Americana, naquela cidade. A ocasião demandou novas roupas para todos e, no dia do serviço religioso, meu filho mais velho estava passando a ferro o vestido novo de sua filha quando percebeu que havia queimado uma grande área na parte da frente. A família correu para a Rua Oxford, o principal centro comercial de roupas de Londres, a fim de comprar outro vestido, sabendo que as lojas abriam depois das 11 horas da manhã. Tudo deveria ficar bem; todos chegariam a tempo para o almoço de casamento, ao meio-dia, exceto pelo fato de a loja em questão, na verdade, abrir ao público às 11 horas, para escolher as mercadorias, mas só poderia vendê-las após o meio-dia, pois essa é a lei que regulamenta o comércio aos domingos na Inglaterra. Assim, eles chegaram ao almoço uma hora atrasados; mas, ainda assim, foram bons momentos passados juntos. As regras sobre o comércio aos domingos haviam mudado daquelas em vigência na minha época de garoto, mas também eliminaram regras estranhas. Meus pais possuíam uma pequena loja e, aos domingos, eles podiam vender produtos frescos (digamos, peras), mas não produtos enlatados (digamos, uma lata de ervilhas), o que era suficientemente razoável, pois o primeiro produto é perecível, enquanto o segundo não. Mas, em qual dessas categorias as peras congeladas eram classificadas? Provavelmente, na segunda categoria. Errado! Eles também podiam vender peras congeladas. As regras constituíam uma tentativa de compromisso para permitir a abertura das lojas aos domingos, mas, ainda assim, oferecer alguma proteção para a vida familiar, o comparecimento às igrejas e preservar os direitos dos trabalhadores comerciais.

A primeira e a última dessas considerações estão, provavelmente, nas entrelinhas do quarto mandamento, especialmente na versão em Deuteronômio 5. Toda a família cessa o trabalho aos sábados, e o cabeça da família deve assegurar que os servos e os animais também participem desse descanso. A segunda das três considerações (que as pessoas estejam livres para ir à igreja) não se aplica ao dia de sábado, que não é, especialmente, um dia de adoração, ainda que seja possível considerar o sábado como um dia natural para as famílias estarem envolvidas no estudo da **Torá**, da maneira descrita por Deuteronômio. Todavia, uma consideração relativa é aplicável. Nos Dez Mandamentos, o sábado é o último dos mandamentos referentes ao relacionamento com Deus e conduz aos mandamentos que cobrem as relações com outras pessoas. O sábado é um dia que as pessoas devem tratar como santo; pertence a Deus, pois foi reivindicado por Deus e é solo sagrado. Eles devem se manter afastados.

Neemias tem ciência disso e, portanto, está preocupado com a "profanação" do sábado. As pessoas estão tratando esse dia como um dia comum em vez de considerá-lo um dia que Deus santificou e possui uma reivindicação especial sobre ele. Existe um paralelo com a santidade do santuário e das ofertas. O povo deve tratá-los como santos, usando-os da forma prescrita por Deus.

Nos comentários sobre Neemias 10, observamos que a questão de comprar e vender no dia de sábado é algo novo em relação aos Dez Mandamentos. A maneira pela qual o quarto mandamento é expresso reflete o fato de a maioria dos israelitas viver em pequenas vilas e ter como ocupação principal a agricultura. Portanto, a tentação de tratar o sábado como um dia comum se materializa no impulso de executar as tarefas na fazenda também nesse dia. Talvez as plantações estejam maduras e prontas para a colheita imediata (a ordenha de vacas pode ser uma questão diferente, pois não seria apropriado deixar de retirar o leite das vacas nesse dia). As pessoas podem se dar ao luxo de tirar um dia de descanso nessas circunstâncias?

Em Jerusalém, as dinâmicas da vida eram distintas. Certas pessoas estariam envolvidas no manejo de suas propriedades fora da cidade, porém muitas outras estariam ocupadas com afazeres na própria cidade, tais como comércio, diplomacia, trabalhos manuais, administração e o trabalho no templo. Na cidade, a tentação de tratar o sábado como um dia comum, portanto, assume a diferente forma de envolvimento em compra e venda. O fato de os comerciantes serem estrangeiros enfatiza outro significado do sábado, que ganha importância ainda maior no período do **Segundo Templo**, quando os

judaítas convivem ao lado de pessoas de outras comunidades. O descanso sabático torna-se uma característica da singularidade de Israel. Todos concordam com a maioria dos Dez Mandamentos; mas parar de trabalhar um dia por semana? Isso é estranho. De modo que essa observância se tornou uma característica diferencial do compromisso de aliança de Israel com Deus. A designação dos **levitas** para salvaguardar o dia de sábado e a expectativa de que eles purificarão a si mesmos para executar a tarefa refletem o sentido de que essa é uma matéria que afeta a própria santidade de Israel. Se nós, cristãos ocidentais, não sentimos a necessidade de guardar o sábado, precisamos nos questionar se os princípios do sábado estão incorporados em nossa vida (resposta provável: não). Na verdade, a observância do sábado ainda pode ser uma forma de incorporarmos e testemunharmos a realidade de Deus.

O último parágrafo do livro, uma vez mais, aborda uma questão sobre a qual já lemos mais de uma vez em Esdras-Neemias. Aqui, Neemias não está apenas arrancando os próprios cabelos, como um pastor, mas arrancando os cabelos daqueles que ele está confrontando. A expressão "arrancar" pode dar uma impressão equivocada; talvez ele simplesmente tenha "puxado" o cabelo deles, talvez da barba. O ponto dessa ação é ela ser um gesto de vergonha.

Com a lista de ações variadas desse capítulo de encerramento, Esdras-Neemias chega a um fim intrigante e anticlimático, embora isso o torne semelhante a outros livros da Bíblia, como Jonas e o Evangelho de Marcos. O efeito em Neemias é o de estabelecer uma tensão entre a ação decisiva de Esdras e de Neemias, confirmada pela comunidade judaíta, e a necessidade de eles continuarem lidando com situações com as quais já lidaram antes. Trata-se de uma característica da vida não solucionarmos os problemas em definitivo. Todavia, esse não é um motivo para deixarmos de agir, mas de não nos deixarmos abater quando descobrimos que as soluções que considerávamos definitivas não são tão definitivas assim. Precisamos nos recuperar da decepção e entrarmos em ação novamente.

Naquele contexto, as três orações para que Deus se lembre ganham um significado particular. É impossível para Neemias saber se o seu trabalho tem sido válido ou mesmo se terá um efeito futuro. Talvez as suas reformas venham todas a dar frutos. A oração sugere alguma ansiedade sobre se Deus estará atento quanto a ele e quanto à grave natureza das ações praticadas por outras pessoas. Há um limite em relação ao que os nossos melhores esforços podem realizar, e não podemos saber, com efeito, até onde eles chegarão. Neemias sente-se livre para expressar essa ansiedade a Deus e, então, entregar os desdobramentos a Deus.

ESTER

ESTER 1:1–22

A MULHER QUE NÃO COOPERA

[1]Nos dias de Xerxes (era o Xerxes que reinou desde a Índia até o Sudão, sobre cento e vinte e sete províncias), [2]naqueles dias, quando o rei Xerxes se sentava no trono real, na fortaleza de Susã, [3]no terceiro ano de seu reinado, ele deu um banquete para todos os seus oficiais e serviçais. Os oficiais do exército da Pérsia e da Média, os nobres e os oficiais das províncias estavam diante dele, [4]enquanto ele exibia as riquezas de sua glória real e a honra de seu grande esplendor por muitos dias – cento e oitenta dias. [5]Ao término desses dias, o rei deu um banquete para todas as pessoas que estavam na fortaleza de Susã, elevados e humildes, durante sete dias, no pátio do jardim do palácio, do rei, [6]com tecidos branco e púrpura, linho fino, presos com faixas de linho branco e lã púrpura, argolas de prata e pilares de alabastro, sofás de ouro e de prata, sobre um pavimento de pórfiro, de alabastro, de mármore e mosaico, [7]as bebidas oferecidas em vasos de ouro (vasos diferentes uns dos outros) e muito vinho real, de acordo com a liberalidade do rei, [8]consumido de acordo com a regra "Não há restrição", porque fora assim que o rei estabelecera com cada mordomo em sua casa, para agirem de acordo com os desejos de cada indivíduo. [9]Em adição, a rainha Vasti deu um banquete às mulheres, na casa real do rei Xerxes.

[10]No sétimo dia, quando o rei estava de bom humor por causa do vinho, ele disse a Meumã, Bizta, Harbona, Bigtá, Abagta, Zetar e Carcas, os sete eunucos que serviam na presença do rei Xerxes, [11]para trazerem a rainha Vasti diante do rei, com sua coroa real, para mostrar às pessoas e aos oficiais a sua beleza, pois ela era adorável em aparência. [12]Mas a rainha Vasti recusou-se a ir pela palavra do rei por meio dos eunucos. O rei ficou muito zangado. Sua fúria se acendeu nele. [13]O rei disse aos especialistas que conheciam os tempos (porque essa era

a prática do rei em relação a todos aqueles que conheciam a lei e o julgamento; [14]próximos a ele estavam Carserna, Setar, Adamata, Társis, Meres, Marsena e Memucã, os sete oficiais da Pérsia e da Média que tinham acesso à presença do rei e se sentavam no primeiro lugar do reino): [15]"De acordo com a lei, o que deve ser feito à rainha Vasti por ela não ter obedecido à palavra do rei Xerxes por meio dos eunucos?" [16]Memucã disse, na presença do rei e dos oficias: "Não é contra o rei somente que a rainha Vasti agiu errado, mas contra todos os oficiais e todas as pessoas em todas as províncias do rei Xerxes. [17]Porque a ação da rainha será conhecida a todas as mulheres para fazê-las desprezar o seu marido aos seus olhos, quando elas disserem: 'O rei Xerxes disse à rainha Vasti para se apresentar diante dele, e ela não foi.' [18]Nesse dia, as damas da Pérsia e da Média que ouvirem sobre a ação da rainha dirão isso a todos os oficiais do rei, com suficiente desprezo e provocação. [19]Se parecer bem à Sua Majestade, uma palavra real deve ser emitida pelo rei, e deve ser escrita nas leis da Média e da Pérsia, e não prescrever, que Vasti não deve mais se apresentar diante do rei Xerxes. O rei deve dar a sua posição real a outra mulher que seja melhor que ela. [20]A proclamação do rei, que ele fizer, será ouvida em todo o seu reino (porque ele é grande), e todas as mulheres darão louvor ao seu marido, tanto o grande quanto o pequeno." [21]A coisa foi agradável aos olhos do rei e dos oficiais, e o rei agiu de acordo com a palavra de Memucã. [22]Ele enviou documentos a todas as províncias do rei, província por província, de acordo com a sua escrita, povo por povo, de acordo com a sua língua, para que todo homem fosse governante em sua casa, falando de acordo com a língua de seu próprio povo.

"Fique ao lado de seu homem", cantou Tammy Winette, mesmo se ele fizer coisas que você não consiga compreender e que sejam difíceis de perdoar. De tempos em tempos, algum governador, senador, prefeito ou pastor é exposto por ter um caso extraconjugal ou por ter se encontrado com uma prostituta, e a exposição é acompanhada por cenas lacrimejantes na TV, quando o homem flagrado expressa quanto está arrependido e como pretende focar na reparação dos relacionamentos familiares, tendo ao lado a sua esposa com semblante grave, mas apoiando-o. E nos perguntamos como as coisas terrenas podem ser reparadas. Todavia, então, ocasionalmente, ouvimos que uma mulher que pode (ou não) ter ficado ao lado do marido nessas comoventes entrevistas de arrependimento não está, de fato, ao lado de seu homem, ao afirmar: "Estou fora!" Essa era a premissa de toda uma série da TV, intitulada *The Good Wife* [A boa esposa].

Vasti alcançou esse ponto de ruptura. Claro que não conhecemos os fatos precedentes da convocação do rei para esse banquete. Ela já havia sido exibida dessa forma antes? Seu marido possui um harém; então, não devemos supor um relacionamento pessoal exclusivo e amoroso entre o rei e a sua rainha, modelado nos ideais do matrimônio ocidental. Talvez fosse natural que o rei exibisse uma ou duas de suas dançarinas dessa maneira; mas e a rainha? Um dos motivos pelos quais o rei patrocina uma festa de seis meses (o significado etimológico da palavra para "banquete") é manter os seus oficiais e servidores (masculinos) leais e aplicados. Exibir a rainha para eles é outro meio de alcançar esse propósito. Algumas suposições adicionais sobre o casamento emergem à medida que o capítulo avança. É dever de uma esposa obedecer ao seu marido. Isso, obviamente, se aplica à esposa de um rei, e, assim, todos os homens na corte **persa** concluem que seja aplicável a todas as esposas.

Um casal israelita pode rir disso. Não há nada no Antigo Testamento que afirme que as esposas devem obedecer ao marido, e histórias como as de Abraão e Sara ou de Isaque e Rebeca não transmitem a impressão de que as esposas do Antigo Testamento recebiam ordens dessa forma. Os termos usados pelos persas em relação aos maridos e esposas são reveladores nesse sentido. Eles, textualmente, sugerem que o homem é o "senhor" ou "proprietário" e que as mulheres são as "dominadas" ou "possuídas". A expressão "marido dela" significa "o homem dela". Há um sentido no qual um casal casado possui um ao outro, mas esse senso de propriedade é mútuo. O homem apoia a sua mulher, e a mulher apoia o seu homem. Eis como tudo começou na criação. Claro que as coisas, então, deram errado, e a desobediência humana a Deus conduziu ao exercício de autoridade dos maridos sobre as esposas. Muitos dos preceitos na **Torá** aceitam esse modelo de relação, mas as histórias sobre casamentos no Antigo Testamento também mostram que o ideal da criação sobreviveu.

Pelo menos, era assim entre as pessoas comuns do povo. Quando a pessoa se torna um rei, como Davi ou Salomão, esse ideal sai de cena. O mesmo acontecia na corte persa, e os homens ali entram em pânico só de pensar no que ocorrerá caso a autoridade masculina for questionada.

A abertura da história lança uma luz mais intensa sobre a natureza patética da reação deles diante do posicionamento de Vasti. Essa é a corte real da Pérsia, que governa todas aquelas províncias! Esse é um rei que pode patrocinar uma festa com duração de seis meses! Esse é um banquete que se desenvolve em meio a um cenário de parques esplêndidos, decorados com os mais espetaculares ornamentos, no qual, claro, pode-se beber sem limites! (Deveríamos admitir alguma hipérbole ao longo do livro de Ester; assim, os detalhes não devem ser considerados de modo literal.) Contudo, o rei que pode controlar tudo isso não possui controle sobre a própria esposa?!

Os homens sabem que as mulheres possuem poder sexual, de maneira que eles (nós) temem esse poder e tentam controlá-lo, mas, em geral, essa tentativa é em vão. E o dilema do rei resulta em uma monumental e exagerada reação, pois todos os recursos do afamado sistema legal persa são utilizados para lidar com a sua crise doméstica. O problema é que um homem e um sistema que geram uma grande confusão com uma simples crise doméstica não parecem confiáveis caso necessitem lidar com questões mais sérias. Não surpreenderá que, mais tarde, o rei experimente a crise que formará o foco do livro.

Confrontadas por uma ação sexista como essa de Xerxes, as mulheres têm à sua disposição inúmeras reações. Uma delas é aceitá-la e atender à expectativa de Xerxes. Outra é aceitá-la formalmente (talvez deixando os homens pensarem que estão no controle), mas explorar o seu poder sexual para obter o que almejam. Outra forma é trabalhar com o sexismo, mas subvertê-lo em formas mais sutis; isso é o que Ester irá fazer. Outra alternativa é simplesmente dizer "Não!", opção escolhida por Vasti. Em teoria, pode-se retratá-las como opções, como se a mulher pudesse escolher que mulher ser, mas não tenho certeza de que essa seja a dinâmica em curso. Duvido que Vasti tenha tantas opções. Ela faz o que tem de fazer para permanecer fiel a si mesma e conseguir se olhar no espelho, ainda que o preço a pagar seja ser deposta de sua posição como rainha e esposa.

Xerxes reinou sobre a Pérsia de 485 a 465 a.C. Assim, cronologicamente essa narrativa se encaixa entre a mudança dos **judaítas** para a reconstrução do templo, na época de Ciro e de Dario (Esdras 1—6), e as missões de Esdras e de Neemias, no período de Artaxerxes (Esdras 7—Neemias 13). Muitas traduções utilizam uma transliteração mais literal do nome hebreu como Assuero, que constitui a versão hebraica para o nome persa. Xerxes é a versão grega do nome persa.

ESTER 2:1-18
A GAROTA QUE PAGA UM PREÇO

[1]Depois disso, quando a fúria do rei Xerxes tinha diminuído, ele atentou para Vasti, para o que ela havia feito e para o que havia sido determinado contra ela. [2]Os rapazes do rei que o serviam disseram: "Jovens garotas de bela aparência deveriam ser procuradas. [3]O rei deveria indicar representantes em cada província de seu reino para que pudessem reunir todas as garotas jovens e de bela aparência na fortaleza de Susã, na casa das mulheres sob o controle de Hegai, o eunuco do rei, o guardião das mulheres, e lhes fossem dados cosméticos. [4]A garota que fosse agradável aos olhos do rei deveria reinar em lugar de Vasti." A coisa foi agradável aos olhos do rei, e ele assim o fez.

[5]Ora, havia um judaíta na fortaleza de Susã, chamado Mardoqueu, filho de Jair, filho de Simei, filho de Quis, um benjamita, [6]que havia sido exilado de Jerusalém com o grupo que tinha sido exilado com Jeconias, rei de Judá, que Nabucodonosor, rei da Babilônia, levara para o exílio. [7][Mardoqueu] estava cuidando de Hadassa (isto é, Ester), filha de seu tio, por ela não ter pai nem mãe. A garota possuía uma figura adorável e era bela em aparência. Quando o seu pai e a sua mãe morreram, Mardoqueu tomou-a como sua filha.

[8]Quando a palavra e o decreto do rei se tornaram conhecidos e muitas garotas foram reunidas na fortaleza de Susã, sob o controle de Hegai, Ester foi levada à casa do rei, ao controle de Hegai, o guardião das mulheres. [9]A garota foi agradável aos seus olhos, e ela ganhou comprometimento diante dele. Ele se apressou a lhe dar os cosméticos e a permissão para comida. Designou-lhe as sete garotas que haviam sido escolhidas da casa do rei e transferiu-a, junto com as suas garotas, para a melhor parte da casa das mulheres. [10]Ester não revelou o seu povo ou a sua família, porque Mardoqueu havia ordenado que ela não o revelasse. [11]Dia após dia, Mardoqueu costumava

caminhar em frente do pátio da casa das mulheres para saber sobre o bem-estar de Ester e o que estava acontecendo a ela.

[12]Quando a vez de cada garota chegava para comparecer diante do rei Xerxes, ao fim do tratamento de doze meses, de acordo com o decreto para as mulheres (pois, então, esses eram os dias para cumprir o tratamento delas: seis meses com óleo de mirra e seis meses com perfumes e cosméticos para mulheres), [13]a garota ia até o rei: tudo o que ela quisesse lhe era dado para levar consigo da casa das mulheres para a casa do rei. [14]À noite, ela ia e, de manhã, voltava para a segunda casa das mulheres, sob o controle der Saasgaz, o eunuco do rei, guardião das esposas secundárias. Ela não ia novamente até o rei, a não ser que o rei a quisesse e a mandasse convocar pelo nome. [15]Quando chegou a vez de Ester, filha de Abiail (tio de Mardoqueu, que a tinha tomado como sua filha), comparecer diante do rei, ela não pediu nada, exceto o que Hegai, o eunuco do rei, o guardião das mulheres, disse. Ester encontrava favor aos olhos de todos os que a viam.

[16]Ester foi levada ao rei Xerxes, em sua casa real, no décimo mês (isto é, o mês de tebete), no sétimo ano de seu reinado. [17]O rei gostou mais de Ester do que de todas as outras mulheres. Ela encontrou favor e comprometimento dele mais que todas as outras jovens, e ele colocou a coroa real sobre a cabeça dela e a tornou a sua rainha em lugar de Vasti. [18]O rei deu um grande banquete para todos os seus oficiais e seus serviçais: "o Banquete de Ester". Ele fez uma remissão dos impostos para as províncias e deu presentes de acordo com o poder do rei.

Escrevo logo após o Super Bowl e tenho lido que, seja o que for que aconteça, o evento é um ímã para a exploração sexual. O procurador-geral do Texas classificou o Super Bowl como um dos maiores eventos de tráfico humano nos Estados Unidos. Segundo noticiários, a administração de

George W. Bush estabeleceu quarenta e duas forças-tarefa para investigar o problema da exploração sexual nos Estados Unidos; exploração sexual significa o envolvimento sexual forçado de pessoas (normalmente, mulheres, em especial jovens). Embora pareça haver aqui um consenso geral de que a exploração sexual constitui uma questão grave, a exemplo de outras partes do mundo ocidental, envolvendo tanto o abuso de norte-americanos quanto do tráfico por meio das fronteiras, as forças-tarefa parecem incapazes de avançar na tratativa desse problema.

De tempos em tempos, exibo aos meus alunos uma divertida e inteligente versão animada da história de Ester e os faço refletir sobre quão fiel e eficientemente essa versão animada comunica o significado da história bíblica. De inúmeras maneiras, a recontagem dessa história precisa adaptá-la às necessidades das crianças e assume o risco de enfraquecê-la, embora fique claro que Ester não tem nenhuma opção, exceto a de submeter-se ao concurso de beleza organizado pelos asseclas de Xerxes. Claro que este não é um concurso de beleza comum, que inclui um harém no qual garotas jovens são preparadas para uma noite de sexo involuntário e, então, levadas a outro harém. Os dois haréns estão, naturalmente, a cargo de eunucos, homens que, de uma forma ou de outra, tornaram-se incapazes da atividade sexual ou, pelo menos, de gerarem filhos. Eles podem ter se voluntariado para essa mutilação a fim de obter funções na administração, embora isso possa significar que as jovens não são as únicas a serem submetidas à opressão sexual. (Hege e Hegai são variações do mesmo nome para um dos eunucos.)

Embora seja possível achar cômico o capítulo de abertura de Ester com seu relato sobre o estupidamente patético e autoindulgente rei e sua corte, devemos nos lembrar de que o cenário dessa autoindulgência é o sofrimento do povo comum, a espécie de sofrimento testemunhada por Neemias 5. Se o governo em Susã não vivesse de modo tão opulento, os habitantes de Jerusalém, cujos impostos financiavam essa indulgência, não estariam na servidão. A mesma questão surge nesse capítulo. O concurso de beleza do rei é patético e risível, mas suas vítimas são inúmeras garotas adolescentes que têm a sua primeira experiência sexual na cama desse homem mais velho e, então, são despejadas em seu harém pós-coito, como mulheres na condição de **esposas secundárias** que, todavia, nunca mais serão vistas.

Agora, muitas mulheres israelitas, talvez a maioria, foram submetidas a casamentos arranjados, a exemplo do que pode ocorrer na maioria das culturas. O casamento arranjado não significa privar o rapaz e a garota do direito de escolherem com quem desejam se casar, como evidenciado em inúmeras histórias do Antigo Testamento; significa que eles não são os únicos envolvidos no processo de tomada de decisão. Sem dúvida, isso também significa que, se o amor faz parte da história, esse amor pode se desenvolver tanto após o casamento quanto antes dele. Assim, muitas garotas israelitas podem passar a sua noite de núpcias esperando e orando que o sexo as leve ao amor. Talvez as garotas no harém de Xerxes acalentassem essa esperança, mas, estatisticamente, as suas chances eram remotíssimas.

O modo pelo qual a história de Ester começa é o modo em que a narrativa pretende seguir. Primeiro, há o escandaloso banquete e, depois, o abuso sexual. A seguir, virá o dantesco plano de aniquilação do povo **judaíta** e, eventualmente, o terrível assassinato de cerca de setenta e cinco mil **persas**. O relato não fornece nenhuma pista explícita se a intenção é horrorizar o leitor; mas é como grande parte da Escritura, no sentido de que a narrativa deixa a conclusão a cargo do leitor. A Escritura apresenta as suas histórias no contexto de ensino, sugerindo a estrutura moral com a qual a história deve ser lida, mesmo quando o relato fornece um conteúdo concreto para generalizações morais e teológicas. Dificilmente, a expectativa da Escritura como um todo é de que uma história como a de Ester divirta o leitor. Todavia, ao mesmo tempo, a história é contada com o fim de entreter e divertir. Talvez isso ocorra, em parte, porque a presença de humor atenue o horror e torne possível ler a história; caso contrário, seríamos incapazes de lê-la. Expressando de outra forma, com frequência o humor é alicerçado na ira, de tal modo que o humor proporciona à ira um meio de expressão.

Existe outro aspecto no tocante à praticidade realista que impera ao longo de todo o livro. A autoindulgência grosseira pela qual outras pessoas pagam o preço, a opressão e o abuso sexual, o antissemitismo e a mortandade são fatos do mundo no qual vivemos. Uma das grandes características da Bíblia é que ela encara esses fatos. Ela não lida, meramente, com questões de cunho espiritual, mas, com as coisas como elas são em nosso mundo. A Escritura nos convida a encarar a realidade presente na vida de jovens adolescentes nos Estados Unidos, na Europa e nos demais recantos deste mundo. Então, mais escandalosamente, ela nos convida a assumir que Deus está envolvido com este mundo, mesmo com a sua pecaminosidade. O rei persa está prestes a definir o extermínio do povo judeu, e o meio pelo qual Deus irá evitar o cumprimento dessa intenção envolve o abuso sexual de Ester, uma adolescente. Ela paga um preço, e todo o seu povo vive. Pode parecer perturbador que Deus esteja pronto a usar tais meios para derrotar o Maligno. Seria ainda mais perturbador caso tais horrores ocorressem e não tivessem significado algum. Igualmente, é por causa de considerações como essa que a história não foca a ofensa moral ou a transgressão religiosa (sexo e posterior casamento com um estrangeiro) pela qual Ester é tragada. As questões são maiores que essas.

ESTER 2:19—3:11
AMALEQUE REDIVIVO

[19]Quando as jovens garotas foram reunidas pela segunda vez, Mardoqueu estava assentado junto ao portão do rei. [20]Ester não tinha revelado a sua família ou o seu povo, como Mardoqueu lhe tinha ordenado; Ester fez como Mardoqueu dissera, a exemplo de quando ela estava sendo criada com ele. [21]Naquele tempo, quando Mardoqueu estava assentado junto ao portão do rei, Bigtã e Teres, dois dos eunucos do rei que guardavam a entrada, ficaram com raiva e procuraram colocar a mão sobre o rei Xerxes. [22]A coisa tornou-se conhecida a Mardoqueu. Ele a revelou à rainha Ester, e Ester disse ao rei, em nome de Mardoqueu. [23]A coisa foi investigada e descoberta [ser assim], e os dois foram pendurados em uma forca. Isso foi escrito nos anais na presença do rei.

CAPÍTULO 3

[1]Depois disso, o rei Xerxes promoveu Hamã, filho de Hamedata, o agagita. Ele o elevou e o colocou em um assento superior a todos os oficiais que tinham estado com ele. [2]Todos os serviçais do rei, junto ao portão do rei, ajoelhavam-se e prostravam-se diante de Hamã, porque o rei havia ordenado isso com respeito a ele. Mas Mardoqueu não se ajoelhava nem se prostrava. [3]Os serviçais do rei, junto ao portão do rei, disseram a Mardoqueu: “Por que você está transgredindo a ordem do rei?” [4]Mas, quando eles lhe diziam isso, dia após dia, ele não os escutava. Eles contaram a Hamã, para ver se as palavras de Mardoqueu prevaleceriam, porque ele lhes havia dito que era um judaíta. [5]Quando Hamã viu que Mardoqueu não estava se ajoelhando ou se prostrando diante dele, Hamã encheu-se de

furor, [6]mas aos seus próprios olhos ele desprezava pôr as mãos apenas em Mardoqueu, porque eles lhe revelaram o povo de Mardoqueu, e Hamã buscou destruir todos os judaítas, o povo de Mardoqueu, em todo o reino de Xerxes.

[7]No primeiro mês (isto é, o mês de nisã), no décimo segundo ano de Xerxes, o *pur* (isto é, a sorte) foi lançado diante de Hamã com respeito a cada dia e a cada mês: o décimo segundo (isto é, o mês de adar). [8]Hamã disse ao rei Xerxes: "Existe um único povo, espalhado, mas mantido separado entre os povos em todas as províncias em seu reino, e suas leis são diferentes das leis dos outros povos. Eles não guardam as leis do rei, e não é apropriado ao rei deixá-los em paz. [9]Se parecer bem à Sua Majestade, que seja decretada a destruição deles, e pagarei dez mil talentos de prata nas mãos daqueles responsáveis pela obra para trazerem ao tesouro do rei." [10]O rei removeu o seu anel de sua mão e o deu a Hamã, filho de Hamedata, o agagita, o adversário dos judaítas. [11]O rei disse a Hamã: "A prata é dada a você, e assim também o povo, para fazer com ele o que parecer bom aos seus olhos."

As últimas semanas têm sido "dias de fúria" nos países do Oriente Médio, a derrubada de mais de um governo e um sentimento de que essa agitação possa resultar numa maior vulnerabilidade para o Estado de Israel. Coincidentemente, na sexta-feira passada, os Estados Unidos vetaram uma resolução do Conselho das Nações Unidas, condenando Israel pela continuidade da instalação de assentamentos na Cisjordânia, e, no sábado, os palestinos convocaram um "dia de fúria" ali, para a próxima sexta-feira. Nesta segunda-feira, de manhã, recebi um *e-mail* pedindo por orações, enviado por uma sociedade cristã simpatizante da causa de Israel. O comunicado solicitava oração pela proteção de Israel nesse contexto e fazia referência à promessa em Zacarias 2, sobre Deus ser um muro de fogo ao redor de Jerusalém, a promessa que consideramos em nosso comentário sobre a reconstrução do muro por Neemias. Independentemente do que se pense sobre os erros e acertos do conflito entre Israel e Palestina, o senso de que o povo judeu, em geral, tem sido vulnerável a esquemas de aniquilação não emerge da paranoia judaica. O plano de Hamã assinala o seu início.

A referência de abertura quanto a uma segunda reunião de garotas parece referir-se ao ajuntamento do próximo grupo de vítimas potenciais de Xerxes. Isso nos lembra, uma vez mais, do significado contínuo do modo pelo qual os homens buscam mulheres (ou garotas) atraentes para reforçar a sua própria posição ("Para ver como sou importante, basta ver como a minha assistente é deslumbrante!"). E o que se deve pensar das garotas em Susã que não atendem aos mesmos requisitos de formosura? A beleza cria uma espécie de preconceito que difere daquele étnico (todos gostariam de ser belos, mas nem todos gostariam de pertencer a este ou àquele grupo étnico), mas se assemelha a ele de certas maneiras (todos desejam ser valorizados pelo que são, não por sua identidade étnica ou aparência). Em Susã, as garotas bonitas são vulneráveis por causa de sua beleza, e os judaítas são vulneráveis por sua etnia.

O portão de uma cidade é um local regular de reuniões; em uma cidade israelita, é lá que os anciãos se reúnem. O fato de Mardoqueu estar junto ao portão, literal e/ou metaforicamente, sugere que ele está envolvido na administração da cidade e no serviço ao rei, a exemplo de Neemias e de Daniel e seus amigos, na **Babilônia**. Os **judaítas** têm percorrido um longo caminho desde o exílio, praticamente um século antes; a exemplo das famílias de Esdras e de Neemias, a família de Mardoqueu não aproveitou a chance de "voltar" para Jerusalém. Eles estão bem em Susã. No entanto, eles sabem que estão em vulnerabilidade, não apenas por serem estrangeiros, mas, principalmente, por serem judeus. Ainda assim, Mardoqueu sabe como utilizar a sua posição, como tirar vantagem de sua capacidade de "usar" Ester, que está à mercê da direção de homens, para o bem ou para o mal, embora ganhe certa autodeterminação ou independência de ação à medida que a história se desenrola. Ainda, ele sabe como usar a informação que cruza o seu caminho.

As palavras "judaíta", "judeu", "Judeia" e "judaico" remontam ao termo hebraico *Yehudi*. Em outras palavras, *yehudim* pode ser um termo étnico, referente aos membros do clã de Judá (que pode se tornar, com efeito, uma sinédoque para o próprio Israel como povo), sigam ou não a religião judaica. Ou pode ser um termo religioso, em referência a pessoas comprometidas com a religião e a vida judaicas, sejam ou não etnicamente judeus. Dentro do Antigo Testamento, Ester assinala quando o termo *yehudim* passa a ter implicações religiosas. Em Susã, ser um *yehudim* pode sugerir o modo distintivo pelo qual as pessoas vivem, da mesma forma que o grupo étnico ao qual elas pertencem.

Hamã fica escandalizado não pelo fato de Mardoqueu pertencer a um grupo étnico diferente, mas por pertencer a um grupo étnico que se mantém separado dos demais povos e que possui leis distintas das leis dos outros povos. Os seres humanos, com frequência, sentem-se ameaçados por aqueles que são diferentes. A alimentação é uma das áreas nas quais esse desconforto se manifesta; muitos britânicos sentem-se desconfortáveis pelo fato de alguns povos comerem caracóis, rãs ou carne de cavalo. A generalização de Hamã, talvez, pressupõe esse instinto, mas sabemos algo que Xerxes desconhece. A insatisfação real de Hamã é pelo fato de Mardoqueu não se curvar perante ele, nem reconhecer a sua posição de macho alfa na administração real. Mas, corretamente, ele reconhece que isso não é uma mera questão pessoal entre ele e Mardoqueu, pois este está apenas agindo como um judeu. A natureza questionável desse comportamento diferenciado é que torna os judaítas vulneráveis, e isso é o que jaz por trás da ordem de Mardoqueu a Ester quanto a manter a sua identidade em segredo. O sorteio por parte de Hamã é designado a descobrir qual o dia favorável para abordar Xerxes sobre o plano de destruir a comunidade judaica ou para, na realidade, implementar o seu plano. Ironicamente, transpirará que esse sorteio é totalmente incerto. O fato de o festival que celebra o fracasso desse plano ser, futuramente, chamado de *purim*, isto é, "sortes", reflete a realidade de que as decisões quanto a essas questões são tomadas em lugares jamais imaginados por Hamã.

Igualmente, de modo irônico, não existe nada na Torá que proibisse Mardoqueu de se curvar diante de Hamã. A prostração diante de um superior é mencionada nos dois Testamentos, sem insinuar que seja um tratamento dedicado a uma divindade. Dessa forma, a exigência do rei para que as pessoas se curvassem diante de Hamã não era estranha, e a surpresa dos colegas de Mardoqueu por sua aparente perversidade era plenamente natural. O restante do retrato de Mardoqueu torna improvável concluir que ele colocou todos em risco apenas por uma questão de orgulho humano. O mais provável é que o motivo de sua recusa resida na clara identificação de Hamã como um agagita. Agague foi o rei amalequita cujo livramento da execução custou a Saul a sua posição como servo de Deus e como rei escolhido de Israel, embora os amalequitas, como grupo, constituíssem a síntese de um povo irracional e desumanamente hostil a Israel (veja 1Samuel 15).

Como um persa, Hamã não é um amalequita ou descendente de Agague, na plena acepção da palavra, embora um de seus antepassados tivesse um nome suficientemente parecido com o de Agague para sugerir a ligação. Espiritualmente, podemos assim dizer, Hamã era um agagita. A forma pela qual a história se desenrola mostra que a designação era pertinente. Seja o que for que estivesse na mente de Mardoqueu quando ele declinou de se curvar diante de Hamã, os eventos mostrarão que a designação de Hamã como um amalequita era apropriada. Ainda, pela maneira com que Amaleque tratou Israel no passado, Mardoqueu sabia que um israelita não deveria se curvar diante de um amalequita.

Há israelenses que veem os palestinos como a incorporação contemporânea dos amalequitas, tal como existem árabes que gostariam de ver Israel riscado do mapa. Da mesma forma, há grupos de ódio em países como os Estados Unidos que gostariam de eliminar os judeus da face da terra.

ESTER **3:12–4:17**
A POSSIBILIDADE DE UM MILAGRE NÃO MIRACULOSO

[12]Assim, os escribas do rei foram convocados no primeiro mês, no décimo terceiro dia dele, e um decreto foi emitido de acordo com tudo o que Hamã havia ordenado aos sátrapas do rei, aos governadores sobre cada província e aos oficiais de cada povo, província por província, de acordo com a sua escrita, e pessoa por pessoa, de acordo com a sua língua, escrito no nome do rei Xerxes e selado com o anel do rei. [13]Os documentos foram enviados por meio de mensageiros a todas as províncias do rei, com ordens para destruir, matar e eliminar todos os judaítas, dos mais novos aos mais velhos, pequenos e mulheres, em um dia, no décimo terceiro dia do décimo segundo mês (isto é, adar), e para saquear suas [propriedades] como espólio.

[14]Uma cópia do documento deveria ser estabelecida como lei em cada província individual, mostrada a todas as pessoas para que elas estivessem prontas para aquele dia. [15]Os mensageiros partiram, pela palavra do rei, e a lei foi publicada na fortaleza de Susã. Enquanto o rei e Hamã assentavam-se para um banquete, a cidade de Susã ficou perplexa.

CAPÍTULO 4

[1]Quando Mardoqueu ficou sabendo de tudo o que tinha acontecido, ele rasgou as suas roupas e vestiu-se de pano de saco e de cinzas. Ele saiu em meio à cidade e chorou com voz elevada e amarga. [2]Ele foi até a frente do portão do rei o mais que pôde, porque as pessoas não poderiam ir ao portão do rei em pano de saco. [3]Em cada província individual, cada lugar no qual a palavra do rei e a sua lei chegaram, houve grande pranto por parte dos judaítas, jejum, choro e lamento; panos de saco e cinzas foram colocados sobre muitas pessoas. [4]As garotas de Ester e os seus eunucos vieram e lhe contaram, e a rainha tremeu. Ela enviou a Mardoqueu roupas para que ele tirasse o pano de saco sobre si, mas ele não as aceitou. [5]Então, Ester convocou Hatá, um dos eunucos do rei que ele havia colocado no lugar diante dela, e o encarregou de ir a Mardoqueu para saber do que [se tratava] e por que isso [estava acontecendo]. [6]Hatá foi até Mardoqueu na praça da cidade, em frente do portão do rei, [7]e Mardoqueu lhe contou tudo o que tinha acontecido e sobre os detalhes da prata que Hamã disse que pagaria aos tesouros do rei em relação aos judaítas, para eliminá-los. [8][Mardoqueu] deu [a Hatá] uma cópia do documento contendo a lei que havia sido entregue em Susã para a destruição deles a fim de mostrar a Ester e informá-la, encarregando-a de ir ao rei, buscar o favor dele e inquiri-lo com respeito ao povo de Ester. [9]Hatá foi e contou a Ester as palavras de Mardoqueu, [10]mas Ester disse a Hatá e o encarregou de [dizer] a Mardoqueu: [11]"Todos os serviçais do rei e o povo das províncias do rei sabem que existe apenas uma lei para qualquer homem ou

mulher que vai ao rei no pátio interno sem que tenha sido convocado, a execução, a não ser que o rei lhe estenda o cetro de ouro, e ele viva; e eu não fui convocada para ir ao rei nesses trinta dias." [12]Quando eles contaram a Mardoqueu as palavras de Ester, [13]Mardoqueu disse para levar uma palavra de volta a Ester: "Não imagine dentro de você que, de todos os judaítas, você escapará na casa do rei, [14]porque se você, de fato, ficar em silêncio dessa vez, alívio e livramento surgirão para os judaítas de outro lugar, mas você e a casa de seu pai perecerão. Será que não foi para esta hora que você alcançou a posição real?" [15]Ester disse para levar uma palavra de volta a Mardoqueu: [16]"Vá, reúna todos os judaítas a serem encontrados em Susã e jejuem por mim. Não comam nem bebam durante três dias, noite e dia. Eu também jejuarei, e as minhas garotas, e dessa forma irei ao rei, o que não está de acordo com a lei. Se eu perecer, perecerei." [17]Mardoqueu saiu e fez de acordo com tudo o que Ester o encarregou.

Cerca de um mês atrás, senti vertigens durante muitos dias e passei dois dias no hospital, sendo submetido a testes para assegurar que não tinha um câncer no cérebro ou não estava tendo um derrame. Todos os testes foram negativos; então, qual a origem das tonturas? Os protocolos do sistema de seguro-saúde indicavam que, para tentar resolver o enigma, eu deveria consultar outro neurologista, um jovem médico sem a mesma reputação do neurologista do hospital. Após cinco minutos, ele identificou o problema. Alguns cristais no interior dos meus ouvidos haviam saído do alinhamento correto, e com apenas uma simples manobra o problema foi corrigido, manobra essa que a minha esposa e eu poderíamos usar, caso a vertigem retornasse. O doutor reconheceu o problema porque ele e a sua mãe já haviam sofrido do mesmo mal.

Ainda, o fato de que, usando a manobra, ele poderia tanto me deixar tonto quanto resolver a vertigem, conforme desejasse, mostrou que ele não estava apenas projetando o próprio problema em mim. Minha esposa e eu saímos do seu consultório maravilhados por aquele ato milagroso realizado por Deus; embora tenha ocorrido nos bastidores um milagre não miraculoso, um milagre de momento certo e de coincidência.

O livro de Ester discorre sobre esse tipo de milagre, mas jamais cita Deus, Israel ou a **aliança**, nem mesmo a oração, do mesmo modo que não menciona o motivo de Mardoqueu não se curvar diante de Hamã. Pode-se comparar e contrastar o episódio com a história de José, em Gênesis, com a história da libertação de Israel do Egito, em Êxodo, ou mesmo com a história de Daniel e seus amigos, na **Babilônia**. A história de José ilustra a forma pela qual Deus pode agir por meio da tomada de decisão humana, do assumir a responsabilidade e das coincidências, ainda que, no fim, José explicite o ponto aos seus irmãos, em Gênesis 50: "Enquanto vocês intencionavam o mal a mim, Deus intencionou isso para o bem, a fim de agir hoje para manter vivo um povo numeroso." O livro de Ester deixa a matéria desarticulada. A história do êxodo de Israel segue ilustrando como Deus opera espetacularmente para resgatar o seu povo e trazer julgamento sobre os opressores e sobre as pessoas que se colocam contra ele; contudo, no êxodo, Deus age miraculosamente; sem um ato especial de Deus, não haveria a travessia dos israelitas e o julgamento dos egípcios no mar Vermelho. Em Ester, Deus opera para o mesmo objetivo, mas sem o milagre. Daniel 3 é claro ao falar sobre a capacidade de Deus de libertar os três jovens da fornalha ardente, na Babilônia. Aqui, similarmente, Mardoqueu declara que o alívio e o livramento para os judeus em Susã emergirão de outro lugar, mas ele não diz qual será a fonte.

Sua declaração é um pouco estranha. Ele mesmo já demonstrou a capacidade de usar a informação que chegou aos seus ouvidos, de usar os potenciais de sua posição, de sua relação familiar com Ester e de sua posição junto ao portão do rei, mas a narrativa não faz nenhuma menção quanto à direção de Deus sobre ele, nesse episódio. Ele age de acordo com o que deve e pode fazer. Mardoqueu rasga as suas roupas, veste-se de pano de saco e cinzas, e chora amarga e intensamente, o que faz parecer que, ao adotar tais ações, ele, agora, sabe que haverá um livramento.

A história considera como certo que Deus é que será a fonte do livramento para os judeus, que essa libertação da lei é certa, pois Deus está comprometido com o povo judeu, que a certeza de Mardoqueu resulta de ele ter orado e ouvido a resposta de Deus, e de que o jejum solicitado por Ester aos seus compatriotas acompanha a oração. Na realidade, tem sido sugerido que o fato de o livro não explicitar nenhuma dessas suposições as enfatiza ainda mais. Igualmente, a narrativa considera como certo que ser *yehudim* é tanto um compromisso religioso quanto uma identidade étnica, mas também não deixa isso claro (e, portanto, continuo utilizando a expressão "judaítas" em lugar de "judeus").

No entanto, a recusa em referir-se a Deus estabelece um ponto importante. A nossa experiência humana característica quanto ao extraordinário envolvimento de Deus em nossa vida é mais esperada na história de Ester do que na história do êxodo, como terá sido o caso para os judeus em Susã. O livramento de Deus ocorre porque seres humanos aceitam a responsabilidade de usar a posição que ocupam. Eles agem em fé e com coragem, a exemplo do compromisso assumido por Ester. Eles assumem o risco de agir, embora saibam, que o risco é genuíno; os três amigos de Daniel sabem que Deus pode resgatá-los (embora também saibam que não podem esperar a concordância do rei), mas eles não sabem *se* Deus agirá assim ou não. A aceitação da nossa responsabilidade não garante que experimentaremos um livramento.

Paradoxalmente, Mardoqueu vai mais além, nessa conexão, do que os três amigos de Daniel, apesar de Ester, com a sua hesitação, manifestar mais realismo quanto à situação. Mardoqueu, claro, nada tem a perder. Por não ter revelado a sua identidade judia, Ester pode escapar com vida, caso mantenha a sua cabeça baixa, embora Mardoqueu procure desviar essa tentação da mente dela. De fato, talvez o motivo de ela estar na posição que está seja o de desempenhar um papel crucial para que outros escapem da ameaça às suas vidas. Uma vez mais, não há nenhuma referência de que Deus a tenha levado àquela posição junto ao rei. Isso está pressuposto, mas não declarado, pois ilustra a maneira pela qual, com frequência, as coisas funcionam sem que seja possível ver a mão divina. Igualmente, transpirará que a sobrevivência do povo judeu depende da decisão, da coragem e da astúcia de uma bela judia e de seu guardião.

A hesitação e o medo de Ester tornam a sua fé e a sua coragem ainda mais notáveis e mais reais para nós. Ela não é uma super-heroína, dotada de poderes especiais, mas uma jovem abusada, alçada a uma posição terrível por ser o que é, uma judia formosa. Ser bela não significa possuir vantagens especiais incontestáveis; com frequência, a beleza expõe a pessoa a uma posição trágica (Marilyn Monroe, princesa Diana), mesmo quando as pessoas atribuem a elas uma super-humanidade. Elas são apenas velas ao vento. Ester ilustra a forma pela qual a coragem e a fé não são incompatíveis com o medo e a hesitação; de fato, elas surgem por conta própria, no contexto do medo e da hesitação. Se não houver nenhuma das anteriores, quem necessita de fé e de coragem?

Há uma diferença de reações dos que estão na cidade de Susã daqueles que estão na fortaleza. A exemplo de outras cidades antigas, a fortaleza ou cidadela é uma instalação dentro da cidade, uma elevação sobre a qual o palácio do rei é construído e que, portanto, abriga o seu centro administrativo, além de ser um local que conta com um nível de proteção adicional, caso a própria cidade seja tomada pelos invasores. (Assim, seria possível para Mardoqueu ir à cidade em trajes informais e com uma aparência desgrenhada, mas não junto ao portão do rei, na fortaleza.) A cidadela está diretamente implicada no edito de Hamã. As pessoas comuns encontram-se perplexas pelo destino determinado à família judaica, que mora ao lado. Pode haver distinção entre as políticas duras que um governo está preparado para adotar e a maneira pela qual os valores humanos prevalecem entre pessoas comuns, a exemplo dos habitantes de Susã. Na verdade, mesmo os outros membros da corte do rei estão mais curiosos do que hostis em relação a como Mardoqueu irá se livrar da recusa em se curvar diante de Hamã por ser um judaíta (não está claro se a base de sua recusa é pelo fato de ele ser um estrangeiro ou porque a sua religião o proíbe). Existe um contraste ainda maior entre a perplexidade do povo e a frieza com que Xerxes e Hamã sentam-se à mesa para comer e beber, após um bom dia de trabalho.

ESTER **5:1-14**

A GAROTA QUE SABE COMO MANIPULAR O SEU HOMEM

[1]No terceiro dia, Ester vestiu-se de trajes reais e permaneceu no pátio interno da casa do rei, de frente para o palácio do rei, enquanto o rei estava assentado em seu trono real, na casa real, de frente para a entrada da casa. [2]Quando o rei viu

a rainha Ester em pé no pátio, ela encontrou favor aos seus olhos e o rei estendeu a Ester o cetro de ouro em sua mão. Ester se aproximou e tocou a cabeça do cetro. [3]O rei lhe disse: "O que você tem [em sua mente], rainha Ester? Qual é o seu pedido? Até metade do reino lhe será dado." [4]Ester disse: "Se for do agrado do rei, que o rei e Hamã possam vir hoje ao banquete que Ester preparou." [5]O rei disse: "Apressem Hamã para fazer o que Ester diz." Então, o rei e Hamã foram ao banquete que Ester havia feito. [6]O rei disse a Ester no banquete de vinho: "Qual é a sua petição? Você será atendida. Qual é o seu pedido? Até metade do reino, isso será feito." [7]Ester replicou: "A minha petição, o meu pedido: [8]Se encontrei favor aos olhos do rei e se for do agrado do rei atender à minha petição, a conceder o meu pedido, que o rei e Hamã possam vir ao banquete que lhes prepararei, e amanhã agirei de acordo com a palavra do rei." [9]Hamã saiu naquele dia regozijando-se e alegre em seu coração, mas, quando viu Mardoqueu junto ao portão do rei e que ele não se levantou nem tremeu por causa dele, Hamã se encheu de raiva contra Mardoqueu. [10]Mas Hamã controlou-se e foi para sua casa. Ele foi e reuniu os seus amigos e Zeres, a sua esposa. [11]Hamã recontou a eles o esplendor de sua riqueza, o número de seus filhos e tudo sobre como o rei o havia promovido e elevado acima dos oficiais e dos serviçais do rei. [12]E Hamã disse: "Na verdade, a rainha Ester não trouxe ninguém para o banquete com o rei, que ela fez, com exceção de mim. Amanhã também sou convocado por ela com o rei. [13]Mas tudo isso não é o mesmo para mim toda vez que vejo Mardoqueu, o judaíta, sentado junto ao portão do rei." [14]Zeres, sua esposa, lhe disse, com todos os seus amigos: "Uma forca deve ser feita, de cinquenta côvados de altura, e de manhã diga ao rei que eles deveriam enforcar Mardoqueu ali, e vá feliz com o rei ao banquete." As palavras pareceram boas a Hamã, e ele fez a forca.

Ao descrever a possibilidade de um milagre não miraculoso, falei da minha própria experiência, da parte de um cristão gentio. Conheço um erudito judeu que descreveu a sua interação com Ester em termos muito distintos, porque a história discorre sobre o seu próprio povo. Posso imaginar o livro como ilustrações por meio das quais Deus pode mostrar fidelidade a mim e espera fidelidade da minha parte, todavia a minha interação com o livro não é tão direta quanto a desse escritor judeu. Os cristãos, igualmente, podem ver o livro como ilustrações de como Deus pode mostrar fidelidade a cristãos, individualmente, e a igrejas sob perseguição, e as formas pelas quais eles são chamados à fidelidade. Todavia, a nossa capacidade de apreciar a história dessa maneira emerge do nosso relacionamento com um judeu que descendia dos judeus da época de Ester e de sermos adotados pelo seu povo.

Há, então, uma terrível ironia no fato de os massacres do final do século XIX e início do século XX, bem como o Holocausto na metade desse século, terem sido cometidos por cristãos e de que esses eventos constituíram os episódios climáticos na história do antissemitismo cristão ao longo dos séculos. A localização geográfica do Holocausto, na Europa Ocidental, a sua proximidade temporal com as pessoas que viveram e vivem nos séculos XX e XXI e, acima de tudo, a sua natureza como uma tentativa final de eliminar o povo judeu dão ao livro de Ester um novo significado nesses séculos. Não estou sugerindo alguma mudança no significado do livro; ele emerge do que o seu autor escreveu para a comunidade à qual ele (ou ela) pertencia. No entanto, o que ele veio significar para pessoas em outros contextos mudou. Talvez uma forma melhor de expressar isso é observar que nós, agora, temos um acesso extremamente fácil ao próprio significado do livro como uma tentativa de realmente eliminar o povo judeu.

Reconhecidamente, há inúmeras posições cristãs em relação a esse livro. Além de vê-lo como fonte de modelos para ilustrar a maneira pela qual a relação deles com Deus operava, os cristãos têm visto o livro de Ester como indigno de um lugar na Escritura. Um grande estudioso do Antigo Testamento declarou que um pregador cristão jamais deveria desenvolver o seu texto com base em Ester. Contudo, ele fez essa declaração antes que as questões trazidas à tona pelo Holocausto para a fé cristã e a fé judaica fossem percebidas.

Quando Hamã se tornou a primeira pessoa da qual temos conhecimento a sonhar com uma solução final para o problema judeu, o seu sonho foi frustrado porque um homem judeu encorajou uma garota judia a considerar seriamente a sua solidariedade para com o seu povo e a sua posição especial, com a responsabilidade e o potencial que essa posição lhe proporcionava. Então, Adolf Hitler falou explicitamente de seu sonho de que deveria haver uma "solução final para o problema judeu". Em seu discurso no Reichstag, em 30 de janeiro de 1939, ele declarou: "No curso da minha vida, tenho sido, com muita frequência, um profeta e, normalmente, tenho sido ridicularizado por isso. Durante o tempo de minha luta pelo poder, a raça judaica foi, em primeira instância, a única que recebeu as minhas profecias com risos quando disse que, um dia, eu assumiria a liderança do Estado, e com isso de toda a nação, e que, então, entre outras coisas, eu resolveria o problema judeu. O riso deles foi estrondoso, mas eu acho que, agora, eles não rirão por muito tempo."

Onde Hamã fracassou, Hitler quase logrou êxito. Embora não se possa atribuir a esse quase sucesso à presença de alguém, como a rainha Ester no círculo de Hitler, que falhou em agir como ela agiu, a mensagem do livro inclui um desafio aos seus descendentes para estarem preparados a ter a mesma solidariedade com o seu povo e a mesma disposição de correr o risco no uso da responsabilidade e do potencial que a sua especial posição outorgava a Ester. Isso também inclui um desafio aos gentios que se preocupam com os descendentes de Ester e que, em certo sentido, identificam-se com o seu povo, pois foram enxertados nessa oliveira (conforme expressado em Romanos 11). Houve, na realidade, "gentios justos" na Europa que agiram para salvar judeus, alguns dos quais pagaram o preço dessa ação com a própria vida. Os judeus não têm motivos para presumir que o antissemitismo morreu com Hitler, e os gentios que se preocupam com o povo judeu precisam estar prontos a seguir o exemplo de Ester em vez do exemplo de Hamã.

O fato de Ester ter obtido o favor de Xerxes tornou a sua iniciativa menos perigosa do que seria para algumas pessoas, mas ela não estava errada quando disse a Mardoqueu sobre o risco envolvido em sua abordagem inesperada ao rei, dadas as convenções do protocolo imperial. Não havia como ela ter certeza de que a sua aproximação seria aceita pelo rei por meio do cetro de ouro em vez de gerar ofensa e a ordem para a sua execução. A petição de Ester não visa apenas a que Xerxes e Hamã compareçam ao jantar. Ao fazer o convite, a rainha está cumprindo os padrões adequados da amabilidade do Oriente Médio, em lugar de ir, direta e apressadamente, a uma lista de pedidos. "Vamos jantar primeiro, e podemos falar sobre isso mais tarde." (Xerxes está fazendo algo similar ao oferecer a Ester metade de seu reino; ela seria sábia ao não considerar aquela proposta de modo literal.) Ao mesmo tempo, agir dessa forma e, então, repetir a estratégia no dia seguinte encoraja o desenvolvimento de uma relação com o rei que, certamente, no devido tempo, tornará impossível ele resistir ao pedido real dela. De fato, as palavras de Ester ao fazer o segundo convite convidam o rei a reconhecer esse fato. Com efeito, ela está dizendo: “Se lhe agradar vir jantar comigo novamente, amanhã, então, revelarei o meu pedido, e você o concederá, não?” E, ao aceitar o segundo convite, o rei expressa um compromisso ainda mais explícito de atendê-la.

Talvez Xerxes reconheça esse fato e se sinta bem com isso por estar um pouco obcecado por Ester. Pode ser que o pobre Hamã perceba isso também, mas não faz ideia das implicações com relação a ele. Ironicamente, o seu prazer é arruinado apenas pela experiência de ver Mardoqueu ignorar a sua importância; Hamã não percebe que há um problema muito maior em seu horizonte. Em vez disso, ele foca em tentar restaurar o seu orgulho ferido ao relembrar a si mesmo e aos seus amigos e familiares sobre quantos motivos ele tem para se orgulhar; mas eles também não suspeitam de nada.

Assim, naquela noite, antes de ir para a cama, Hamã manda fazer uma forca (ou um poste para a exposição de um corpo após a execução; literalmente, o termo é para uma “árvore”). Cinquenta côvados significam trinta metros, isto é, a altura de um prédio de cinco ou seis andares, uma forca e tanto, o que indica a determinação de Hamã de envergonhar Mardoqueu e se vingar do desprezo do judaíta por ele, seja esta ou não a intenção real de Hamã, e seja esta ou não outra indicação de que o livro de Ester se delicia com hipérboles.

ESTER **6:1-11**
O HOMEM QUE AGE CERTO

[1]Naquela noite, o sono do rei fugiu, e ele disse para trazer o livro dos registros (os anais), e eles foram lidos diante do rei. [2]Foi descoberto que Mardoqueu havia reportado sobre Bigtã e Teres, dois dos eunucos do rei entre os guardas da entrada, que tramavam colocar as mãos sobre o rei Xerxes. [3]O rei disse:

"Que honra ou promoção houve para Mardoqueu por conta disso?" Os rapazes do rei, seus assistentes, disseram: "Nada foi feito com ele." [4]O rei disse: "Quem está no pátio?" Ora, Hamã havia chegado ao pátio externo da casa do rei para dizer ao rei para pendurar Mardoqueu na forca que ele lhe havia preparado. [5]O rapaz do rei lhe disse: "Ali – Hamã está no pátio." O rei disse: "Ele deve entrar." [6]Hamã entrou, e o rei lhe disse: "O que se deve fazer a um homem a quem o rei deseja honrar?" Hamã disse a si mesmo: "A quem mais o rei desejaria honrar senão a mim?" [7]Assim, Hamã disse ao rei: "Ao homem que o rei deseja honrar, [8]ordena que tragam vestes reais que o rei costuma usar e um cavalo sobre o qual o rei cavalga, que lhe seja colocada na cabeça uma coroa real, [9]e que as vestes e o cavalo fiquem a cargo dos nobres oficiais do rei. Eles devem vestir o homem a quem o rei quer honrar, conduzi-lo sobre o cavalo pela praça da cidade e proclamar diante dele: "Isso é o que é feito ao homem a quem o rei deseja honrar!" [10]O rei disse a Hamã: "Depressa – pegue as vestes e o cavalo, conforme você falou, e assim faça a Mardoqueu, o judaíta, que se assenta junto ao portão do rei. Nenhuma palavra de tudo o que você falou deve ser omitida." [11]Então, Hamã pegou as vestes e o cavalo, vestiu Mardoqueu, fê-lo cavalgar pela praça da cidade e proclamou diante dele: "Isso é o que é feito ao homem a quem o rei deseja honrar."

Reconheço que não há muita ligação entre Mardoqueu e Eric Cantona, a estrela do futebol francês, que jogou no Manchester United, mas eu estava pensando nessa ligação, em minha cama, na noite passada, ao assistir ao filme *À procura de Eric* [*Looking for Eric*]. A história é sobre um torcedor do Manchester, chamado Eric Bishop, cuja vida caminha a passos largos em direção à calamidade. Cantona aparece a ele e o ajuda a encontrar um caminho que o leva para longe da confusão em que ele se encontra. Cantona fala sobre a maneira pela qual parte de sua inspiração em uma partida de futebol era "fazer algo pelos torcedores", fazer algo mágico acontecer para eles, ao conseguir marcar um gol incrível. O modo pelo qual o futebol, além de outros esportes de massa, funciona é a intensa identificação dos torcedores com o time, que os leva a compartilhar as conquistas da equipe; pode-se ver isso em ação quando Cantona marca um gol e levanta os braços em direção à multidão na arquibancada, que vibra ruidosamente com ele. Bishop pergunta a Cantona sobre seu melhor momento, esperando que ele cite algum gol espetacular, mas Cantona identifica como seu melhor momento um passe para gol, dado a um companheiro. A aparente ligação com Mardoqueu é que parte do pano de fundo para as conquistas e a fama de Cantona (como ele mesmo afirma) é, portanto, não o seu desejo de servir a si próprio, mas a sua preocupação com as outras pessoas.

De volta ao capítulo 2, lemos uma história sobre Mardoqueu, cujo significado, então, não estava claro. Havia uma conspiração contra a vida do rei, e, como membro leal da administração real, Mardoqueu garantiu que o plano chegasse ao conhecimento de Xerxes, ao revelá-lo a Ester. Caso tivesse feito isso em benefício próprio, sua intenção fracassou; o incidente foi registrado e esquecido. Colocando Aretha Franklin ao lado de Eric Cantona e Mardoqueu, o benjamita: "Se você quiser uma mulher correta todos os dias, você tem de ser um homem correto todas as noites." No entanto, claro, isso nem sempre funciona, como não funcionou para Mardoqueu. Na realidade, a sua fiel ação (a sua segunda — a primeira foi adotar Ester como filha) logo foi acompanhada pelo desastroso edito real.

Então, certa noite, o rei não conseguia dormir. A julgar pelo que ocorre a seguir, o problema não era o fato de ele não adormecer, mas o fato de ter acordado muito cedo e não conseguir voltar a dormir; a imagem de seu sono fugindo corrobora essa ideia. De modo compreensível, Xerxes imagina que um pouco de leitura dos arquivos reais poderia solucionar a ausência de sono, mas, na verdade, como resultado da leitura, o rei é lembrado da ação de Mardoqueu e descobre que ele jamais foi recompensado de modo apropriado. A insônia do rei, portanto, torna-se um ponto de virada crucial na história. Quanto ao destino do povo judeu no contexto do Império **Persa**, tudo depende de uma noite de insônia do rei. Essa é a coincidência fundamental.

As pessoas, às vezes, falam sobre Deus orquestrando os eventos nos bastidores de nossa vida, mas essa imagem é um pouco enganosa. Um maestro decide o que acontece e faz a orquestra tocar em conjunto, de acordo com a partitura à sua frente. Certamente, a Bíblia pode retratar Deus fazendo isso; o início de Esdras retrata Deus agindo assim, possibilitando aos **judaítas** mudarem para Jerusalém a fim de reconstruírem o templo. Entretanto, não é assim que a Escritura vê o envolvimento de Deus em todos os eventos. Embora haja algum sentido no qual Deus é soberano em todos os eventos, às vezes o seu retrato é mais de um Deus fazendo algo criativo com ações humanas independentes e com os eventos após eles ocorrerem. A construção original do templo foi claramente declarada como uma ideia de Davi, não de Deus, que não a via com entusiasmo, embora Deus tenha feito algo criativo com ela. Pode-se denominar isso como uma "conciliação de fatos", não uma orquestração. A característica distinta da narrativa de Ester é que a omissão de qualquer menção a Deus significa um exagero, mesmo falando em termos de conciliação. Tudo o que temos são coincidências fortuitas e pessoas assumindo sua responsabilidade de forma corajosa. Podemos inferir que o livro assume o envolvimento de Deus em aproveitar o potencial de Mardoqueu para agir corretamente e a insônia de Xerxes, mas o ponto que o livro abertamente transmite é que devemos presumir essa verdade ou inferi-la. Por experiência, tudo o que vemos é uma coincidência.

Hamã se vê enredado por uma coincidência adicional, dessa vez entremeada com ironia. Casualmente, ele aparece nesse instante, presumidamente logo após a noite (durante a qual o rei não conseguia dormir) dar lugar ao dia. Como membro sênior da corte do rei, naturalmente ele é a pessoa adequada para aconselhar sobre como honrar alguém. Hamã não apenas interpreta mal a pergunta, mas a transforma em uma questão cujas implicações se revelam exatamente contrárias ao que ele desejaria e totalmente opostas aos planos sobre Mardoqueu que ele tinha em mente, quando foi até o rei. Na realidade, Hamã termina elevando Mardoqueu, mas não no sentido desejado por ele.

ESTER 6:12—8:2
O REALISMO SOBRE O IMPÉRIO TORNA-SE EM FARSA DE EXECUÇÃO

[12]Mardoqueu voltou ao portão do rei, mas Hamã apressou-se à sua casa, lamentando e com a cabeça coberta. [13]Hamã contou a Zeres, sua esposa, e a todos os seus amigos tudo o que lhe ocorrera. Seus conselheiros e Zeres, sua esposa, lhe disseram: “Se Mardoqueu, diante de quem você começou a cair, for de origem judaíta, você não irá superá-lo, porque certamente cairá diante dele.” [14]Enquanto eles ainda estavam falando com ele, os eunucos do rei chegaram e apressaram Hamã para levá-lo ao banquete que Ester havia feito. [7:1]Quando o rei e Hamã chegaram para beber com a rainha Ester, [2]o rei disse a Ester, novamente, no segundo dia, no banquete de vinho: “Qual é a sua petição, rainha Ester? Ela será concedida a você. Qual é o seu pedido? Até metade do reino, isso será feito.” [3]A rainha Ester replicou: “Se encontrei favor aos teus olhos, Majestade, e se te parecer bem, que a minha vida seja dada a mim como

minha petição, e meu povo como o meu pedido, [4]porque eu e meu povo fomos vendidos para sermos destruídos, mortos e eliminados. Tivéssemos sido vendidos como servos ou servas, eu teria mantido silêncio, porque a aflição não seria digna da perturbação do rei." [5]O rei Xerxes disse — ele disse à rainha Ester: "Quem é esse? Onde está esse homem que está tão cheio de si para agir assim?" [6]Ester disse: "O homem da aflição e o inimigo é Hamã, esse homem perverso." Enquanto Hamã entrava em pânico diante do rei e da rainha, [7]o rei levantou-se, em sua fúria, do banquete de vinho, e foi para o jardim do palácio, e Hamã permaneceu para suplicar por sua vida à rainha Ester, porque ele viu que o problema para ele era certo da parte do rei. [8]Quando o rei voltou do jardim do palácio ao salão do banquete de vinho, Hamã estava inclinado sobre o sofá no qual Ester estava. O rei disse: "Ele também violará a rainha, comigo na casa?" Quando as palavras saíram da boca do rei, elas cobriram o rosto de Hamã. [9]Harbona, um dos eunucos que serviam o rei, disse: "Em adição, eis que a forca que Hamã fez para Mardoqueu, que falou para o benefício do rei, está junto à casa de Hamã, com cinquenta côvados de altura." O rei disse: "Enforquem-no nela." [10]Assim, penduraram Hamã na forca que ele havia construído para Mardoqueu, e a fúria do rei diminuiu.

CAPÍTULO 8

[1]Naquele dia, o rei Xerxes deu a casa de Hamã à rainha Ester, o adversário dos judaítas. Mardoqueu apresentou-se diante do rei porque Ester revelou o que ele era para ela. [2]O rei retirou o seu anel, que havia removido de Hamã, e o entregou a Mardoqueu, e Ester colocou Mardoqueu sobre a casa de Hamã.

No fim do filme *À procura de Eric*, Cantona incentiva Bishop a adotar ações contra a situação que ameaça eclodir uma calamidade final. O filho de Bishop tinha sido forçado a esconder a arma de um barão das drogas local em sua própria casa. Caso os policiais descobrissem o esconderijo da arma, isso resultaria em cinco anos de prisão. Então, Bishop reuniu três ônibus repletos de torcedores do Manchester United, vestindo máscaras com o rosto de Cantona, para enfrentarem o barão das drogas em sua própria casa. Como certo crítico afirmou, o realismo social tornou-se uma farsa de vingança. Assim, há alguma similaridade entre os dois Erics e Xerxes. (Outro crítico ficou perturbado pelo fato de o filme ver os justiceiros vigilantes como um meio de resolver um problema que deveria ser um assunto da alçada policial.)

Ironicamente, Hamã descreveu como conselheiros (mais textualmente, "homens sábios" ou "especialistas") os mesmos amigos que o haviam encorajado ao ataque, os quais, agora, expressam uma extraordinária percepção quanto ao perigo de entrar em conflito com os judeus. Isso é uma prévia da paranoia de Hitler, mas uma versão particularmente perigosa de uma paranoia que, com frequência, manifesta-se no mundo gentio. Contudo, a sabedoria dos conselheiros não os leva a responder como Hitler e outros, que atacaram o povo judeu. Ao contrário, involuntariamente, concordam com a declaração anterior de Mardoqueu a Ester, de que o livramento para os judeus emergirá de um lugar ou de outro. A própria declaração deles sobre o perigo para Hamã nos parece estranha, pois logo vemos que eles estão absolutamente certos. O que pode explicar essa percepção correta deles? É o fato de os judeus serem o povo de Deus. Por causa do compromisso de Deus é que um adversário como Hamã é derrotado diante deles. Ainda assim, uma vez mais, a narrativa não declara a realidade. A história conta que Frederico, o Grande, rei prussiano do século XVIII, pediu a um membro de sua corte uma prova cabal da existência de Deus. (Trata-se de uma daquelas histórias contadas por inúmeras pessoas; o questionador, em geral, é Frederico, mas a identidade do interlocutor varia.) A resposta foi: "A existência dos judeus." A sobrevivência desse povo, contra todas as probabilidades, não pode ser explicada, exceto com base no envolvimento de Deus com eles. Caso este fosse o livro de Daniel, ele ou seus amigos explicitariam às autoridades **babilônicas** que é o Deus de Israel que está por trás da sobrevivência e do sucesso dos **judaítas** na Babilônia. O livro de Ester evita a inclusão dessa explicação e a deixa nas entrelinhas, convidando-nos a, simplesmente, nos maravilharmos com o empírico fato da sobrevivência judaica. Além disso, o livro convida os seus leitores judeus a levarem essa reivindicação a sério. O povo judeu sobreviverá de maneira certa e misteriosa. Eles podem viver com coragem e esperança, mesmo quando a situação parecer mortal.

A presença do absurdo na história é intensificada pela percepção do rei de que Hamã está tentando violentar a rainha, quando ele, na verdade, está tentando convencê-la a ficar do seu lado. A cobertura do rosto é somente mencionada aqui, mas no capítulo anterior, do mesmo modo que em outras passagens, o fato de Hamã cobrir a sua cabeça era um sinal de aflição e/ou vergonha. Desse modo, talvez o uso dessa expressão aqui indique que as pessoas, de algum modo, cobriram o rosto de Hamã com as marcas de desespero e de vergonha, antecipando a sua morte.

Devemos sentir pena dele? A história sugere que não. A execução de um aspirante a executor é correta? O relato também não apresenta essa questão. De volta a Gênesis, Deus declarou que as pessoas que derramassem sangue descobririam o seu próprio sangue sendo derramado. Pode ser que Deus estivesse declarando que cabia às autoridades humanas executarem os assassinos, mas Deus pode facilmente estar declarando algo similar por meio das palavras que Jesus, mais tarde, proferirá, de que aquele que matar pela espada será morto pela espada. Isso faz parte do *modus operandi* da vida, e, embora sem determinar que deva ser assim, Deus parece admitir que assim seja. Portanto, o homem que preparou a forca para um enforcamento injustificado descobre-se pendurado em sua própria forca. É típico do Antigo Testamento, com frequência, olhar para tais eventos com base na perspectiva da vítima. Ele não pergunta o que você deveria fazer caso estivesse no lugar de Xerxes. Ele faculta aos seus leitores serem encorajados pelo fato de que a justiça é feita a todos os Hamãs deste mundo e de que isso acontece por meio de uma garota abusada com remotas opções culturais, usando o poder que a cultura lhe propiciou.

A justiça poética, a ironia e a reparação prosseguem, quando Mardoqueu se torna o cabeça da casa de Hamã, no lugar do adversário, em vez de Hamã e sua descendência se apossarem dos bens de Mardoqueu e de seus compatriotas, após matar as suas famílias.

ESTER **8:3-17**
O DIREITO À AUTODEFESA

[3]Ester, uma vez mais, falou diante do rei, prostrou-se diante de seus pés e chorou. Ela buscou o favor dele a fim de remover o mal de Hamã, o agagita, o plano que ele elaborou contra os judaítas. [4]O rei estendeu a Ester o cetro de ouro, e Ester levantou-se e colocou-se diante do rei. [5]Ela disse: "Se for do agrado do rei, se eu encontrar favor diante dele, se parecer apropriado diante do rei e se eu for agradável aos seus olhos, que seja escrito para reverter os documentos, o plano de Hamã, filho de Hamedata, o agagita, que ele escreveu para eliminar os judaítas que estão em todas as províncias do rei, [6]pois como posso ver o mal que virá sobre o meu povo? Como posso ver a destruição da minha família?" [7]O rei Xerxes disse

à rainha Ester e a Mardoqueu, o judaíta: "Eis que dei a Ester a casa de Hamã, e eles o penduraram na forca porque ele colocou as suas mãos sobre os judaítas. [8]Vocês mesmos — escrevam conforme parecer agradável aos seus olhos com respeito aos judaítas, em nome do rei, e o selem com o anel do rei" (porque um documento que foi escrito em nome do rei e selado com o anel do rei não pode ser revertido).

[9]Então, eles convocaram os escribas do rei, naquela hora, no terceiro mês (isto é, o mês de sivã), no vigésimo terceiro dia dele, e uma carta foi escrita de acordo com tudo o que Mardoqueu ordenou aos judaítas e aos sátrapas, aos governadores e aos oficiais das províncias, desde a Índia até o Sudão, cento e vinte e sete províncias, província por província, de acordo com a sua escrita, e povo por povo, de acordo com a sua língua, e aos judaítas, de acordo com a sua escrita e a sua língua. [10]Ele escreveu em nome do rei Xerxes, selou-o com o selo do rei e enviou os documentos pelas mãos de mensageiros em cavalos, cavalgando corcéis das estrebarias reais, descendentes de cavalos de corrida, [11]que o rei deu [permissão] aos judaítas, em cada cidade individual, para se reunirem e se levantarem por eles, para destruir, matar e eliminar toda a força de um povo ou província que os ataquem, pequenos e mulheres, e para saquearem as suas [propriedades] como espólio, [12]em um dia, em todas as províncias do rei Xerxes, no décimo terceiro dia do décimo segundo mês (isto é, o mês de adar). [13]Uma cópia do documento foi entregue como lei em cada província individual, mostrada a todas as pessoas, para que os judaítas estivessem prontos, naquele dia, para obterem reparação de seus inimigos. [14]Os mensageiros, montando corcéis das estrebarias do rei, partiram apressadamente, impelidos pela palavra do rei, e a lei foi promulgada na fortaleza de Susã.

[15]Mardoqueu saiu da presença do rei em trajes reais, em azul e branco, um grande diadema de ouro, e um manto de linho branco e lã púrpura, e a cidade de Susã gritou e celebrou.

[16]Para os judaítas, houve luz e celebração, rejúbilo e honra. [17]Em cada província individual, em cada lugar no qual a palavra do rei e a sua lei chegaram, houve celebração e regozijo para os judaítas, um banquete e um tempo bom. Muitos dos povos do país professaram ser judaítas, porque o temor dos judaítas havia caído sobre eles.

O filme da noite passada foi outra obra britânica, que combina comentário social e humor, *Caindo no mundo* [*Cemetery Junction*] (sim, pode presumir que assistimos a uma quantidade razoável de filmes, a cada semana, antes de dormir), e incorpora uma série de lutas na qual os punhos são a principal arma. Se alguém lhe dá um soco, você golpeia de volta? Provavelmente não, especialmente se for uma perseguição; você oferece a outra face. E se um grupo étnico atacar outro grupo étnico? Alguns judeus, hoje, podem se perguntar se os judeus poderiam ter oferecido a outra face um pouco menos durante a Segunda Guerra Mundial. E se alguém atacar a sua família?

Há um sentido no qual a nova lei persa de Mardoqueu e de Ester reverte a lei de Hamã e um sentido no qual isso não ocorre. Ela não dá aos judeus autorização para atacar outros grupos étnicos. Nesse aspecto, a lei corresponde à posição presente em todo o Antigo Testamento. Há uma ou duas ocasiões especiais nas quais Deus comissiona os israelitas a agirem contra outros povos por causa da iniquidade deles, mas Deus não tem por hábito comissionar o seu povo a atacar outro povo apenas por serem inimigos. Mais frequentemente, Deus lhes diz para se submeterem à autoridade do império dominante do dia, até chegar a hora em que Deus decide fazer algo a respeito. Existem ocasiões nas quais poderes estrangeiros agem contra os israelitas como agentes da disciplina de

Deus; eles, certamente, precisam então se submeter. Hamã e seu edito constituem uma questão diferente.

Agora, pela primeira vez desde o capítulo 3, Hamã é descrito como um agagita, e pode não surpreender o fato de essa designação ser o sinal que levou ao comissionamento dos judaítas para empreenderem a eliminação do povo de Hamã, em conformidade com uma daquelas raras comissões para tomar a iniciativa contra a iniquidade, presente em 1Samuel 15. De fato, o novo edito simplesmente lhes dá o direito de se defenderem. Daniel 6 explicita que um rei persa pode, às vezes, se ver restringido por seus próprios editos. Ao emitir um edito por meio de um padrão especialmente formal, ele sacrifica o direito de mudá-lo mais tarde; daí a expressão “a lei dos medos e dos persas”. Embora isso possa constituir um toque de humor às custas dos persas que, de modo deliberado, interpretem erroneamente a lei persa em questão (os subservientes fazem piadas às custas das autoridades que os controlam), a história de Ester pode pressupor o mesmo entendimento. O rei não pode alterar o edito elaborado por Hamã; o que pode ser feito é autorizar outro edito que reverta o efeito do primeiro, embora isso não possa ser feito formalmente. Apesar de o novo edito estabelecer o ponto de usar a mesma linguagem do edito de Hamã, ele não é, em conteúdo, uma imagem espelhada do primeiro. Ele não autoriza os judaítas a atacarem membros de outras etnias, mas concede o direito à autodefesa, e isso, portanto, implicitamente age como um obstáculo ao ataque dos outros povos. Eles não podem atacar impunemente.

Quando o edito de Hamã foi promulgado, toda a cidade ficou perplexa; agora, ela está aliviada. Naquela ocasião, Mardoqueu vestiu-se de pano de saco e cinzas, e agora está vestido de honra; os judeus, igualmente, prantearam, e agora celebram; Mardoqueu temeu que a rainha Ester decidisse continuar escondendo a sua identidade judaíta, e agora as pessoas desejam compartilhar essa identidade. Todos podem se unir ao povo de Israel por meio de assumir o compromisso com ***Yahweh*** e com a **Torá**, desde o princípio da história de Israel, mas eles não se tornam exatamente israelitas; Rute (por exemplo) ainda é chamada de moabita, mesmo após ela ter assumido esse compromisso. Apenas aqui é que o Antigo Testamento se refere a pessoas se tornando ou professando ser judeu/judaíta. Reconhecidamente, há certa ambiguidade sobre o significado dessa expressão. As pessoas desejam se tornar judaítas por agora os respeitarem? São como Rute? Ou pretendem ser judaítas por estarem com medo deles? Essa ambiguidade alinha-se com a maneira pela qual a história, quase obstinadamente, se recusa a mencionar Deus, Israel, aliança, oração e fé. Todavia, para os judaítas/judeus na Pérsia, não importa se o motivo é medo ou respeito.

ESTER 9:1-22
O DIA DA CAIXINHA

[1]Então, no décimo segundo mês (isto é, o mês de adar), no décimo terceiro dia, quando a palavra do rei e a sua lei deveriam ser promulgadas, no dia em que os inimigos dos judaítas esperavam estar no poder sobre eles, aconteceu o contrário: os judaítas é que estavam no poder sobre as pessoas que os repudiavam. [2]Os judaítas em suas cidades, em todas as províncias do rei Xerxes, se reuniram para lançar mão sobre as pessoas que buscavam o mal deles, e ninguém lhes resistiu, porque o medo dos judaítas havia caído sobre todos os povos, [3]e todos os oficiais provinciais do rei, sátrapas, governadores e pessoas responsáveis pelos serviços, estavam elevando os judaítas, porque o medo de Mardoqueu tinha caído sobre eles, [4]porque Mardoqueu era importante na casa do rei. Assim, a

sua reputação espalhou-se por todas as províncias, porque o homem Mardoqueu tornava-se cada vez mais importante.

[5]Desse modo, os judaítas atingiram todos os seus adversários com o fio da espada, com matança e eliminação, e agiram de acordo com os seus desejos em relação aos que os repudiavam. [6]Na fortaleza de Susã, os judaítas mataram e eliminaram quinhentas pessoas, [7]e Parsandata, Dalfom, Aspata, [8]Porata, Adalia, Aridata, [9]Farmasta, Arisai, Aridai e Vaisata, [10]os dez filhos de Hamã, filho de Hamedata, o adversário dos judaítas. Eles mataram, mas não colocaram a mão sobre o despojo. [11]Naquele dia, o número de pessoas mortas na fortaleza de Susã foi relatado ao rei, [12]e o rei disse à rainha Ester: "Na fortaleza de Susã, os judaítas mataram e eliminaram quinhentas pessoas e os filhos de Hamã. No resto das províncias do rei, o que fizeram? Mas qual é a sua petição? Ela será atendida. O que mais pede? E será feito." [13]Ester disse: "Se for do agrado do rei, que seja permitido aos judaítas em Susã, também amanhã, agir de acordo com a lei de hoje, e que eles possam pendurar os dez filhos de Hamã na forca." [14]O rei disse que isso devia ser feito, e uma lei foi promulgada em Susã, e eles penduraram os dez filhos de Hamã. [15]Os judaítas em Susã se reuniram novamente, no décimo quarto dia do mês de adar, e mataram trezentas pessoas em Susã, mas não colocaram a mão sobre o despojo.

[16]O restante dos judaítas, nas províncias do rei, se reuniram e se levantaram por suas vidas e obtiveram alívio de seus inimigos. Eles mataram setenta e cinco mil pessoas, mas não colocaram a mão sobre o despojo, [17]no décimo terceiro dia do mês de adar. Eles descansaram no décimo quarto dia e fizeram dele um dia de banquete e de celebração, [18]enquanto os judaítas em Susã se reuniram no décimo terceiro e no décimo quarto dia e descansaram no décimo quinto dia e fizeram dele um dia de banquete e de celebração. [19]Por isso, os judaítas que vivem nas cidades rurais fazem do décimo quarto dia do mês de adar um dia de banquete e de celebração, um tempo bom, de enviar porções de comida uns aos outros.

> [20]Mardoqueu escreveu essas coisas e enviou documentos a todos os judaítas, em todas as províncias do rei Xerxes, próximas e distantes, [21]estabelecendo sobre eles que guardassem anualmente o décimo quarto dia e o décimo quinto dias do mês de adar, [22]como os dias em que os judaítas obtiveram alívio para si mesmos de seus inimigos e o mês em que a tristeza tornou-se em celebração, e o pranto em um tempo bom, e para fazer deles dias de banquete e de celebração, e de enviar porções de Deus uns aos outros, e presentes aos pobres.

Quando os norte-americanos me perguntam sobre o significado do Dia da Caixinha [*Boxing Day*], o dia seguinte ao Natal, e um feriado público na Grã-Bretanha, eles são propensos a imaginar que seja um dia para lutas de boxe. Na verdade, é um dia para dar e receber caixas ou presentes. Hoje em dia, o Natal é uma ocasião na qual as famílias e amigos trocam presentes, em uma base largamente transacional que significa que, na prática, presenteamos a nós mesmos. É realmente patético. A explicação para o Dia da Caixinha que mais aprecio é a de que seja uma referência à ocasião na qual as caixas destinadas a donativos aos pobres, nas igrejas, eram abertas e o seu conteúdo era distribuído. Nesse aspecto, gosto da lenda sobre o rei Venceslau, um duque da Boêmia, do século X, apresentada em um conto poético de Natal. Na Festa de Estêvão (o dia seguinte ao Natal é o dia de Santo Estêvão), sob um frio congelante, Venceslau sai e dá carne, vinho e combustível para fazer fogo a um homem pobre, incorporando, portanto, o ideal de um bom rei. Assim, no dia de Santo Estêvão, o dia em que o rei agiu com bondade, de acordo com a história, tornou-se o dia de abertura das caixas destinadas aos pobres e de assistências às pessoas necessitadas.

A celebração do livramento dos judeus combina o ideal, antigo e moderno, do Dia da Caixinha. Trata-se de uma ocasião de celebração e de dar presentes, e isso beneficia tanto a família quanto os necessitados. Poder-se-ia imaginar que a comemoração do livramento do povo judaíta seria apenas uma ocasião para autoindulgência, mas não é assim. Certamente, é possível imaginar que seja uma ocasião de louvor e de gratidão a Deus, a exemplo do evento comemorativo da reconstrução dos muros de Jerusalém para a proteção da comunidade judaíta. Mas, mesmo no fim, o livro de Ester, resolutamente, evita qualquer referência a Deus, e, ao lado do jejum, o auxílio aos pobres torna-se outra expressão do reconhecimento e da gratidão pelas bênçãos recebidas.

A ênfase sobre dar uns aos outros e aos pobres sugere que os pobres não são, necessariamente, membros da comunidade judaica. Isso coaduna com a informação de que os judaítas abrem mão de saquear os bens das pessoas que os atacam. A história, uma vez mais, deixa claro que, de maneiras importantes, a permissão de Xerxes propicia aos judaítas o reverso do objetivo do edito de Hamã. A mesma linguagem é recorrente: eles receberam permissão para destruir, matar e eliminar pessoas. No entanto, também é uma permissão mais restrita, aparentemente porque o edito foi esboçado por Mardoqueu, não por Hamã ou Xerxes. Observamos que a eles é permitido o direito à autodefesa — permissão para se levantarem e resistirem —, não para atacaram outros povos sem serem atacados primeiro. O parágrafo inicial na seção, então, resume os eventos, e o restante dela fornece os detalhes para explicar as diferenças na forma pela qual o livramento foi celebrado nas diferentes partes da comunidade.

O que é, então, surpreendente, é o número de pessoas que os atacam quando sabem que a comunidade judaica não irá se render facilmente. Os atacantes não serão capazes de resistir à comunidade judaica — seja para superá-la, seja para permanecerem firmes quando forem atacados de volta. Parece que algumas pessoas não conseguem se controlar quando se trata de ócio racial. Sentem-se tão ameaçadas, temerosas ou arrogantes assim, ou não sabem quem são se não têm alguém com quem lutar? Os cristãos modernos são propensos a se chocarem pelo massacre promovido pelos judaítas, apesar (ou por causa) do fato de a vida moderna ser tão violenta; a diferença é que podemos delegar a outras pessoas (a polícia ou o exército) a incumbência de agir com violência por nós, sem nos envolvermos diretamente, embora apreciemos assistir a isso na televisão.

Uma abordagem judaica à história considera como motivo desses elevados números a estupidez das pessoas que atacam os judeus. No entanto, em outras passagens, o livro é amigável em relação às pessoas comuns da Pérsia, contrárias a líderes como Xerxes e Hamã, que são os tolos no livro. Não seria surpresa se os filhos de Hamã fossem tão estúpidos quanto ele e quisessem obter reparação pela execução do pai. O texto deixa claro que o fato de serem pendurados na forca é apenas uma exposição pública de seus corpos como um ato de vergonha, uma prática comum em regiões do mundo antigo. O objetivo é desencorajar pessoas propensas à violência.

Outra abordagem judaica vê o ato do massacre por parte dos judeus como a suprema ironia do livro. Isso lembra os leitores judeus de que eles não são mais amantes da paz e gentis do que os outros. Essa compreensão, certamente, concorda com a natureza do livro como um todo, com sua apreciação pelo humor e pela ironia, e isso às próprias custas seria uma motivação judaica plausível. Claro que o problema com a ironia é que, com frequência, as pessoas falham em entendê-la (como qualquer britânico lecionando nos Estados Unidos sabe), e a falha das pessoas em perceber essa ironia presente no livro de Ester, ao longo dos milênios, pode impossibilitar essa compreensão.

Deve-se, talvez, não considerar os números de maneira tão literal. Embora comparados com os números no livro de Crônicas, do mesmo período, eles são relativamente pequenos. Em Crônicas, mesmo o Sudão é capaz de reunir um exército de um milhão. Quando comparado com os grandiosos números de Crônicas, setenta e cinco mil pessoas em todo o Império Persa são um contingente pequeno. Se a intenção do número de mortes é sugerir contenção, isso coadunaria com a implicação similar da nota sobre não tomar posse dos despojos. Os judaítas não estavam matando para obter lucro. Todavia, à luz da maneira pela qual o livro de Ester prossegue fazendo comentários teológicos nas entrelinhas em vez de abertamente, talvez o mais provável é que os números estejam ali para sublinhar as dimensões do livramento que o povo judeu experimentou. Mesmo setenta e cinco mil atacantes não conseguiram sobrepujá-los.

ESTER **9:23–10:3**
UMA HISTÓRIA VERDADEIRA, UMA LEI QUE PERMANECERÁ

[9:23] Assim, os judaítas aceitaram o que haviam começado a fazer e o que Mardoqueu lhes escrevera, [24] porque Hamã, filho de Hamedata, o agagita, o adversário de todos os judaítas, planejara eliminar os judaítas e havia lançado o *pur* (isto é, a sorte) para esmagá-los e eliminá-los. [25] Mas, quando [Ester] foi diante do rei, ele disse com um documento que o plano maligno [de Hamã], que ele havia elaborado contra os judaítas, deveria ser revertido contra a sua própria cabeça, e penduraram, ele e seus filhos, na forca. [26] Por isso, esses dias foram chamados

Purim, derivado da palavra *pur*. Por causa de tudo o que estava escrito nessa carta, o que eles haviam visto e o que tinha acontecido, [27]os judaítas estabeleceram e aceitaram para si, para os seus descendentes e para todos os que se uniram a eles, que não se deixasse de comemorar anualmente esses dois dias, de acordo com o documento sobre eles e o tempo deles. [28]Esses dias seriam comemorados e observados em cada geração, geração por geração, família por família, província por província, cidade por cidade. Esses dias de Purim não devem desaparecer entre os judaítas, e a sua comemoração não deve cessar em sua descendência. [29]A rainha Ester, filha de Abiail, e Mardoqueu, o judaíta, escreveram com toda a força para estabelecer essa segunda carta sobre o Purim. [30]Documentos foram enviados a todos os judaítas, nas cento e vinte e sete províncias do reino de Xerxes, palavras sobre bem-estar e veracidade, [31]para estabelecer esses dias de Purim, a seu tempo, conforme Mardoqueu, o judaíta, e a rainha Ester estabeleceram para eles, como haviam estabelecido para si mesmos e para a sua descendência, declarações sobre jejuns e o lamento deles. [32]A palavra de Ester estabeleceu essas declarações sobre o Purim, e isso foi escrito em um documento.

CAPÍTULO 10

[1]O rei Xerxes impôs o trabalho recrutado no país e em costas distantes. [2]Todos os seus grandiosos e poderosos atos, e os detalhes da importância de Mardoqueu, que o rei lhe conferiu, estão, de fato, escritos nos anais dos reis da Média e da Pérsia, [3]porque Mardoqueu, o judaíta, era o segundo, depois do rei Xerxes, importante para os judaítas e admirado por seus muitos irmãos, buscando o bem de seu povo e falando de bem-estar para toda a sua descendência.

Um erudito judeu, que escreveu um livro acadêmico sobre Ester, também descreveu a sua interação pessoal com essa história; referi-me ao seu relato em meu comentário sobre o capítulo 5 de Ester. Por mais que se considere a narrativa de Ester como um relato histórico, ele comenta, ao ouvirmos a sua leitura na sinagoga, durante o Purim, sabemos que é, de fato, uma história verídica. Ao ler a história, o leitor revive a sua verdade e a sua realidade. O leitor não necessita de muita imaginação para sentir a ansiedade que tomou conta dos judeus na Pérsia quando eles souberam da ameaça de Hamã à vida deles e se unir ao júbilo de seu livramento. "Exceto", ele diz, "que não devo pensar 'deles', mas 'meu'." Ele, então, faz referência aos massacres no sul da Rússia, perpetrados no início do século XX, à matança de cem mil judeus na Ucrânia, entre 1919 e 1920, e, então, ao extermínio de um terço dos judeus no mundo, orquestrado por Hitler, por meio do qual o objetivo de Hamã quase foi alcançado. A naturalidade com que ele se identifica com os judeus do livro de Ester é facilitada por sua percepção de haver escapado por um triz. O seu avô deixou a cena dos massacres pouco antes de eles ocorrerem, e, por uma feliz circunstância, ele nasceu fora do alcance do poder nazista. (Veja Fox, Michael V., *Character and Ideology in the Book of Esther* [Caráter e ideologia no livro de Ester]: Eerdmans, 2001.)

A experiência judaica moderna do Purim cumpre a prescrição de Mardoqueu e de Ester quanto à sua observância. As instruções para a celebração podem parecer complexas; elas são destinadas tanto a mostrar como as regulações oficiais para o Purim constituem uma formalização de uma celebração que o povo já havia iniciado quanto para explicar o raciocínio para a forma distinta pela qual o festival é observado em diferentes regiões do mundo judaico.

Denominar o festival como Purim, "Sorteio" ou "Sortes", pode lembrar às pessoas que os sorteios que decidem o que ocorre no mundo não são feitos onde Hamã imaginava. Esse lembrete às custas de Hamã é complementado por outro, dessa vez às custas de Xerxes. Já observamos que a lei dos medos e persas era, supostamente, irrevogável, e Memucã havia sugerido a Xerxes promulgar essa espécie de lei, "que não desaparece", com respeito à proibição para que a rainha Vasti nunca mais comparecesse diante do rei. A mesma expressão é, agora, usada com relação à observância do Purim; com efeito, para enfatizar esse ponto, aqui, ele é mencionado em duas ocasiões. E, ao contrário das leis medo-persas, a regra para a observância do Purim, na realidade, não desapareceu. Hitler tentou proibir a observância do Purim (com certa inconsistência, o festival também serviu de cenário para ataques nazistas e a consequente morte de judeus), mas o Reich eterno também foi superado pela observância do Purim.

Em outro contraste, Mardoqueu e Ester são capazes de escrever um documento usando palavras que significam bem-estar (*shalom*) e veracidade. O documento ditado por Hamã falava de morte e destruição e levava ao jejum e ao lamento. Agora, Mardoqueu pode ditar palavras que sugerem prospectos muito diferentes e que possibilitam uma mudança do jejum para o louvor pelas dádivas do bem-estar e da veracidade. O ponto sobre o derradeiro relato sobre a grandeza de Xerxes é sublinhar a importância de Mardoqueu como o segundo em comando. A exemplo da história de Daniel, não apenas os líderes judaítas escapam da ameaça de morte por causa de seu compromisso como judaítas, mas também provam que é possível triunfar na administração imperial e estender esse benefício aos demais membros da comunidade.

É, portanto, apropriado que os judeus celebrem o Purim com satisfação e humor. A história é lida na sinagoga com assobios, batidas e balançar de chocalhos a cada menção do nome de Hamã. Algumas formas de celebração envolvem vestir fantasias, usar máscaras, dramatizações cômicas, marionetes e a queima de uma efígie de Hamã, a exemplo da "celebração" britânica de Guy Fawkes. Entretanto, as instruções deixam claro que a observância não é baseada em etnia. Ela é também para as pessoas que decidiram se unir à comunidade. Embora o texto não esclareça se as pessoas que "professaram ser judaítas" estavam genuinamente se associando à comunidade, as pessoas que "se unem a eles" são sérias em sua identificação com a celebração. Passagens como Isaías 56 usam o verbo "unir" para descrever estrangeiros que escolheram servir a *Yahweh*.

A presença do livro de Ester nas Escrituras cristãs corresponde à ênfase de Paulo, em Romanos 9—11, sobre o compromisso eterno de Deus com o povo judeu e sobre a importância desse compromisso com os cristãos. Nos dias de Paulo, poderia parecer que Deus havia abandonado o povo judeu; eles falharam em reconhecer o Messias deles. Subsequentemente, os cristãos, com frequência, inferiram que os judeus tinham sido substituídos pela igreja no propósito de Deus. Paulo afirma que essa é uma desastrosa e equivocada visão que os cristãos deveriam evitar, porque, se Deus pudesse abandonar os judeus e não tratar o compromisso com eles como uma aliança eterna, então Deus poderia fazer o mesmo com a igreja. Em vez disso (Paulo diz), a igreja é um corpo de pessoas enxertadas na árvore judaica — isso não significa o plantio de uma segunda árvore. A igreja é um parasita sobre Israel, e, quando lemos a história do livramento do povo judeu nos dias de Ester, cristãos gentios, apropriadamente, suspirarão aliviados, como fazem os nossos irmãos e irmãs judeus.

GLOSSÁRIO

Aliança. A palavra hebraica *berit* abrange alianças, tratados e contratos, mas todas essas são formas pelas quais as pessoas estabelecem um compromisso formal sobre algo. Tenho, porém, utilizado o termo "aliança" para expressar todas as três. Onde há um sistema legal ao qual as pessoas podem apelar, os contratos pressupõem um sistema para resolver disputas e ministrar justiça que pode ser utilizado caso uma das partes não cumpra com os seus compromissos. Em contraste, um relacionamento de aliança não pressupõe uma estrutura legal executável dessa espécie, mas a aliança envolve algum procedimento formal que confirme a seriedade do compromisso solene que as partes assumem uma com a outra. Desse modo, o Antigo Testamento frequentemente fala sobre *selar* uma aliança; textualmente, *cortá-la* (o pano de fundo reside no tipo de procedimento formal descrito em Gênesis 15 e Jeremias 34:18-20, embora esse tipo de procedimento dificilmente fosse exigido toda vez que alguém assumia um compromisso de aliança). Às vezes, as pessoas selam alianças *para* outras pessoas e, às vezes, *com* outras pessoas. A primeira implica algo mais unilateral; a outra envolve algo mais recíproco.

Altar. A palavra normalmente se refere a uma estrutura para oferta de sacrifício (o termo vem da palavra para sacrifício), feita de terra ou pedra. Um altar pode ser relativamente pequeno, como uma mesa, e o ofertante deve ficar diante dele. Ou pode ser mais alto e maior, como uma plataforma, e o ofertante tem de subir nele. A palavra também pode ser uma referência a um estande menor, sobre o qual queimava-se incenso em associação com o culto.

Assíria, assírios. A primeira grande superpotência do Oriente Médio, os assírios expandiram o seu império rumo ao Ocidente, até a Síria-Palestina, no século VIII a.C., no tempo de Amós e Isaías, e anexaram **Efraim** ao seu império. Quando Efraim persistiu tentando retomar a sua independência, os assírios invadiram Efraim e, em 722 a.C., destruíram a sua capital, Samaria, levando cativo grande parte de seu povo e substituindo-os por pessoas oriundas de outras partes do seu império. Invadiram também **Judá** e devastaram uma extensa área do país, mas não tomaram Jerusalém. Profetas como Amós e Isaías descrevem o modo pelo qual Deus estava, portanto, usando a Assíria como um meio de disciplinar Israel.

Assistentes. São os *nethinim*, pessoas que desempenhavam uma função de apoio no templo. Etimologicamente, o nome implica pessoas que eram “dadas”, dedicadas, ao serviço de Deus ou dadas aos sacerdotes e levitas como seus assistentes no cumprimento de tarefas domésticas. Os gibeonitas (Josué 9:27) são chamados *nethinim*, mas o papel designado a eles como transportadores de água e cortadores de madeira para o santuário transmite uma ideia do trabalho desses assistentes. Os assistentes vieram a ser tratados como entre os **levitas**.

Babilônia, babilônios. Um poder menor no contexto da história primitiva de Israel, ao tempo de Jeremias, os babilônios assumiram a posição de superpotência da **Assíria**, mantendo-a por quase um século, até ser conquistada pela **Pérsia**. Profetas como Jeremias descrevem como Deus estava usando os babilônios como um meio de disciplinar **Judá**. Eles tomaram Jerusalém em 587 a.C. e transportaram muitos dentre o povo. Suas histórias sobre a criação, os códigos legais e os textos mais filosóficos nos ajudam a compreender aspectos de escritos equivalentes presentes no Antigo Testamento, embora sua religião astrológica também constitua o cenário para polêmicos aspectos nos Profetas.

Cabeças ancestrais. Os cabeças das (muitas) famílias estendidas dentro dos doze clãs de Israel, uma unidade familiar maior do que a família nuclear.

Compromisso. O termo corresponde à palavra hebraica *hesed*, que as traduções expressam de modos distintos: amor inabalável, benignidade, bondade ou fidelidade. Trata-se do equivalente, no Antigo Testamento, à palavra para amor no Novo Testamento, isto é, *agapē*. O Antigo Testamento utiliza a palavra “compromisso” em referência a um ato extraordinário por meio do qual uma pessoa se dedica a alguém, numa atitude de generosidade, lealdade ou graça, quando não há um relacionamento prévio entre as partes e, portanto, nenhum motivo para isso. Desse modo, em Josué 2, Raabe fala, apropriadamente, de sua proteção aos espias israelitas como um ato de compromisso. Pode também referir-se a um ato extraordinário similar que ocorre quando há uma relação prévia, na qual uma das partes decepciona a outra e, assim, não tem o direito de esperar qualquer fidelidade da outra parte. Caso a parte ofendida continue sendo fiel, trata-se de uma demonstração desse compromisso. Em resposta a Raabe, os espias israelitas declaram que irão se relacionar com ela dessa maneira.

Efraim, efraimitas. Inicialmente, Efraim é o nome de um dos filhos de José e, então, o nome do clã que remonta a sua origem a ele. Após o reinado de

Salomão, a nação de Israel se dividiu em duas. A nação do norte era a maior das duas e manteve o nome Israel como a sua designação política, o que é confuso porque Israel também é o nome do povo como um todo, que pertence a Deus. Assim, o nome Israel pode ser usado nas duas conexões. Para confundir ainda mais, o livro de Crônicas é, especialmente, propenso a continuar usando o nome Israel em referência ao povo de Deus e, portanto, ao próprio **Judá**, para sublinhar o fato de Judá ser a real expressão do povo de Deus. O Estado do norte, contudo, pode também ser referido pelo nome de Efraim, por ser um de seus clãs principais. Assim, uso esse termo como referência ao reino do Norte, na tentativa de minimizar a confusão. Após o **exílio**, a província de Samaria abrange grande parte da área outrora ocupada por Efraim, e muitos de seus habitantes consideram-se sucessores dos efraimitas.

Esposa secundária. As traduções usam a palavra "concubina" para descrever mulheres como algumas das esposas de Davi, mas o termo hebraico usado em relação a elas não sugere que não sejam apropriadamente casadas, como a palavra "concubina" sugere, em nossa língua. Ser uma esposa secundária indica possuir uma posição diferente das outras esposas. Talvez implique que seus filhos tenham direitos limitados ou mesmo nenhum direito sobre a herança do pai. É possível a um homem rico ou poderoso ter inúmeras esposas com plenos direitos e muitas esposas secundárias, ou mesmo apenas uma de cada. Pode, ainda, ter apenas a esposa principal ou somente a esposa secundária. Um rei como Xerxes poderia, certamente, ter inúmeras esposas.

Exílio. No final do século VII a.C., a **Babilônia** se tornou o maior poder no mundo de **Judá**, mas os judaítas estavam determinados a se rebelar contra a sua autoridade. Então, como parte de uma campanha vitoriosa para obter a submissão de Judá, em 597 a.C. e 587 a.C. os babilônios transportaram muitos israelitas de Jerusalém para a Babilônia, particularmente pessoas em posições de liderança, como membros da família real e da corte, sacerdotes e profetas. Essas pessoas foram, portanto, compelidas a viver na Babilônia durante os cinquenta anos seguintes ou mais. Pelo mesmo período, as pessoas deixadas em Judá também estavam sob a autoridade dos babilônios. Assim, não estavam fisicamente no exílio, mas também viveram em exílio por um período de tempo. Após o período exílico, muitos judaítas permaneceram em lugares como a Babilônia, não como exilados sem alternativa, mas como parte do que, então, era a comunidade judaíta/israelita/judaica na dispersão.

Grécia. Em 336 a.C., forças gregas, sob o comando de Alexandre, o Grande, assumiram o controle do Império **Persa**, porém após a morte de Alexandre em 333 a.C., o seu império foi dividido. A maior extensão, ao norte e a leste da Palestina, foi governada por Seleuco, um de seus generais, e seus sucessores. **Judá** ficou sob o controle grego por grande parte dos dois séculos seguintes, embora estivesse situado na fronteira sudoeste desse império e, às vezes, caísse sob o controle do Império Ptolomaico, no Egito, governado por sucessores de outro dos generais de Alexandre.

Israel, israelita. Originariamente, Israel era o novo nome dado por Deus a Jacó, neto de Abraão. Seus doze filhos foram, então, os patriarcas dos doze clãs que formam o povo de Israel. No tempo de Saul, Davi e Salomão, esses doze clãs passaram a ser uma entidade política. Assim, Israel significava tanto o povo de Deus quanto uma nação ou Estado, como as demais nações e Estados. Após Salomão, esse Estado dividiu-se em dois Estados distintos, **Efraim** e **Judá**. Pelo fato de Efraim ser maior, manteve como referência o nome de Israel. Desse modo, se alguém estiver pensando em Israel como povo de Deus, Judá está incluído. Caso pense em Israel politicamente, Judá não faz parte. Uma vez que Efraim não existe mais, então, para todos os efeitos, Judá *é* Israel, do mesmo modo que *é* o povo de Deus.

Judá, judaítas. Um dos doze filhos de Jacó e, portanto, o clã que traça a sua ancestralidade até ele e que se tornou dominante no sul dos dois Estados, após o reinado de Salomão. Mais tarde, como província ou colônia **persa**, Judá ficou conhecido como Jeúde. Ainda mais tarde, a palavra hebraica *yehudim* tornou-se uma designação religiosa, referente a pessoas que vivem pela **Torá**; a tradução "judeus" é, então, apropriada. Em Ester, ela tem aquelas implicações, apesar da recusa do livro em usar termos religiosos, como Deus e Israel, torne apropriado manter a sua tradução por "judaítas" ali também, embora o povo estivesse sob ataque em razão de seu distinto compromisso com a religião judaica.

Levitas. Dentro do clã de Levi, os descendentes de Arão são os sacerdotes, aqueles que têm responsabilidades específicas em relação às ofertas dos sacrifícios da comunidade e no auxílio aos indivíduos que desejam oferecer seus sacrifícios, pela realização de alguns aspectos da oferta como a aspersão do sangue do animal. Os demais levitas cumprem um papel de apoio e de administração, além de estarem envolvidos no ensino ao povo e em outros aspectos da liderança do culto.

Nome. O nome de alguém representa a pessoa. O Antigo Testamento fala do templo como um lugar no qual o nome de Deus habita. Trata-se de uma das maneiras de lidar com o paradoxo envolvido em falar do templo como um local da habitação de Deus. Isso reconhece a ausência de sentido: como pode um edifício conter o Deus que não pode ser contido pelos céus, não importa quão amplo ele seja? Não obstante, Israel sabe que Deus, em algum sentido, habita no templo. Os israelitas sabem que podem falar com Deus ali; eles têm consciência de que podem falar com Deus em qualquer lugar, mas há uma garantia especial desse fato no templo. O povo de Israel sabe que pode apresentar ofertas lá e que Deus irá recebê-las (supondo que sejam feitas de boa-fé). Uma forma de tentar explicar o inexplicável ao abordar a presença de Deus no templo é, portanto, falar do nome de Deus como presente ali, porque o nome representa a pessoa. Proferir o nome de alguém, como você sabe, traz a realidade daquela pessoa; é quase como se ela estivesse ali. Ao dizer o nome de alguém, há um sentido no qual você o evoca. Quando as pessoas murmuram "Jesus, Jesus" em suas orações, isso traz a realidade da presença do Filho de Deus. Igualmente, quando Israel proclamava o nome de ***Yahweh*** em adoração, isso trazia a realidade da presença de Deus.

Pérsia, persas. A terceira superpotência do Oriente Médio. Sob a liderança de Ciro, o Grande, eles assumiram o controle do Império **Babilônico** em 539 a.C. Isaías 40—55 vê a mão de Deus levantando Ciro como um instrumento para restaurar **Judá** após o **exílio**. Judá e os povos vizinhos, como Samaria, Amom e Asdode, eram províncias ou colônias persas. Os persas permaneceram por dois séculos no poder, até serem derrotados pela **Grécia**.

Porteiros. A exemplo dos **assistentes**, os porteiros desempenham um importante papel adjunto no templo. Em termos gerais, como o próprio nome sugere, a responsabilidade deles era evitar o acesso de pessoas que não pudessem acessar o interior do templo. Isso abrangeria a exclusão de pessoas que poderiam levar contaminação ao santuário, mas também de pessoas interessadas em roubar recursos do templo, como animais, ouro e prata. Eles vieram a ser tratados como entre os **levitas**.

Segundo Templo. O primeiro templo foi construído por Salomão; portanto, o Período do Primeiro Templo corresponde ao intervalo de tempo entre os dias de seu reinado e o **exílio**. O segundo templo foi aquele reconstruído por Zorobabel e Josué, após o exílio, mas que foi sobremodo expandido por Herodes. Desse modo, o Período do Segundo Templo corresponde ao intervalo de tempo que se inicia com a sua restauração, após o exílio, e termina com a sua destruição, no ano 70 d.C.

Torá. A palavra hebraica para os cinco primeiros livros da Bíblia. Eles, em geral, são referidos como a "Lei", mas esse termo propicia uma impressão equivocada. No próprio livro de Gênesis, não há nada como "lei", bem como

Êxodo e Deuteronômio não são livros "jurídicos". A palavra *torah*, em si, significa "ensino", o que fornece uma impressão mais correta da natureza da Torá. Com frequência, a Torá nos fornece mais de um relato do mesmo evento (como a comissão de Deus a Moisés). Desse modo, quando a igreja primitiva contou a história de Jesus de diferentes maneiras, em contextos distintos e de acordo com as percepções dos diferentes autores dos Evangelhos, ela estava apenas seguindo o precedente pelo qual Israel contou suas histórias mais de uma vez, em diferentes contextos. Embora Samuel-Reis e Crônicas mantenham as versões separadas, tal como ocorreria com os Evangelhos, na Torá as versões foram combinadas.

Transgressão. Esse termo sugere a ideia de que, por diversas formas, as pessoas devem respeitar os direitos dos outros. Assim, os cônjuges devem fidelidade um ao outro, pois isso é um direito de cada um deles, de modo que a infidelidade envolve falhar em respeitar esse direito. A infidelidade a *Yahweh*, pelo culto a outros deuses, possui implicações similares; esse ato significa desrespeitar o direito de *Yahweh* à obediência e à confiança. Portanto, em Esdras e Neemias, casar-se com devotos de outras religiões constitui um ato de transgressão.

***Yahweh*.** Na maioria das traduções bíblicas, a palavra "Senhor" aparece em letras maiúsculas ou em versalete, como ocorre, às vezes, com a palavra "Deus". Na realidade, ambas representam o nome de Deus, *Yahweh*. Nos tempos do Antigo Testamento, os israelitas deixaram de usar o nome *Yahweh* e começaram a usar "o Senhor". Há dois motivos possíveis. Os israelitas queriam que outros povos reconhecessem que *Yahweh* era o único e verdadeiro Deus, mas esse nome de pronúncia estranha poderia dar a impressão de que *Yahweh* fosse apenas o deus tribal de Israel. Um termo como "o Senhor" era mais facilmente reconhecível. Além disso, eles não queriam incorrer na quebra da advertência presente nos Dez Mandamentos sobre usar o nome de *Yahweh* em vão. Traduções em outros idiomas, então, seguiram o exemplo e substituíram o nome de *Yahweh* por "o Senhor". O lado negativo é que isso obscurece o fato de Deus querer ser conhecido por esse nome. Por esse motivo, o texto utiliza *Yahweh*, com frequência, não algum outro nome (assim chamado) deus ou senhor. Essa prática dá a impressão de Deus ser muito mais "senhoril" e patriarcal do que ele o é na realidade. (A forma "Jeová" não é uma palavra real, mas uma mescla das consoantes de *Yahweh* e das vogais da palavra *Adonai* [Senhor, em hebraico], com o intuito de lembrar às pessoas que na leitura da Escritura elas deveriam dizer "o Senhor", não o nome real.)

⌐ SOBRE O AUTOR ⌟

John Goldingay é pastor, erudito e tradutor do Antigo Testamento. Ele é professor emérito David Allan Hubbard de Antigo Testamento no prestigiado Seminário Teológico Fuller em Pasadena, Califórnia. É um dos acadêmicos de Antigo Testamento mais respeitados do mundo com diversos livros e comentários bíblicos publicados. O autor possui o livro *Teologia bíblica* publicado pela Thomas Nelson Brasil.

Livros da série de comentários

O ANTIGO TESTAMENTO PARA TODOS

JÁ DISPONÍVEIS pela **Thomas Nelson Brasil**

Pentateuco para todos: Gênesis 1—16 • Parte 1

Pentateuco para todos: Gênesis 17—50 • Parte 2

Pentateuco para todos: Êxodo e Levítico

Pentateuco para todos: Números e Deuteronômio

Históricos para todos: Josué, Juízes e Rute

Históricos para todos: 1 e 2 Samuel

Históricos para todos: 1 e 2 Reis

Históricos para todos: 1 e 2 Crônicas

Históricos para todos: Esdras, Neemias e Ester

Livros da série de comentários

O NOVO TESTAMENTO PARA TODOS

JÁ DISPONÍVEIS pela **Thomas Nelson Brasil**

Mateus para todos: Mateus 1—15 • Parte 1

Mateus para todos: Mateus 16—28 • Parte 2

Marcos para todos

Lucas para todos

João para todos: João 1—10 • Parte 1

João para todos: João 11—21 • Parte 2

Atos para todos: Atos 1—12 • Parte 1

Atos para todos: Atos 13—28 • Parte 2

Paulo para todos: Romanos 1—8 • Parte 1

Paulo para todos: Romanos 9—16 • Parte 2

Paulo para todos: 1Coríntios

Paulo para todos: 2Coríntios

Paulo para todos: Gálatas e Tessalonicenses

Paulo para todos: Cartas da prisão

Paulo para todos: Cartas pastorais

Hebreus para todos

Cartas para todos: Cartas cristãs primitivas

Apocalipse para todos